ROTATION
PLAN

Pablo Tusset
En el nombre del cerdo

Pablo Tusset

En el nombre del cerdo

Ediciones Destino
Colección
Áncora y Delfín
Volumen 1063

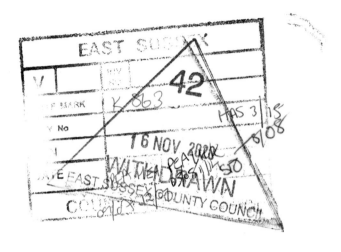

© Pablo Tusset, 2006
© Ediciones Destino, S. A., 2006
Diagonal, 662-664. 08034 Barcelona
www.edestino.es
Primera edición: septiembre 2006
ISBN-13: 978-84-233-3861-0
ISBN-10: 84-233-3861-4
Depósito legal: B. 7.398-2006
Impreso por Cayfosa Quebecor
Impreso en España - Printed in Spain

A JMP,
un hombre bueno al que maté cruelmente.

A Mercedes,
su viuda, que nunca podrá perdonarme.

INTRODUCCIÓN

Ni el comisario principal Pujol ni el agente Varela han desayunado nada sólido en espera de lo que puedan encontrarse durante la mañana. Una hora después de ponerse en camino, el comisario nota el vacío en el estómago. Además el Peugeot 205 granate de la Brigada le viene pequeño, y rueda por la autopista más deprisa de lo que le parece prudente; no puede relajarse en el asiento.

—Varela, que no vamos a apagar fuego.

—¿Perdón?

—Que afloje un poco, haga el favor.

Varela libera el acelerador, un poco dolido por la llamada de atención; le ha sonado agria, en parte por efecto de la afonía del comisario. El comisario por su parte hubiera preferido que lo acompañara esta mañana alguien más veterano, o por lo menos alguien que no le tuviera miedo. Manipula la radio hasta conseguir que suene algo: *Qué horas son en Mozambíi-que / Qué horas son en el Japón…* También le molesta al comisario que el habitáculo huela a tabaco rancio; incluso ha tenido que agacharse a retirar una colilla que alguien ha pisoteado sobre la moqueta, seguramente un inspector demasiado acomodado en su asiento como para usar el cenicero. Ha tomado nota de la incidencia en su libreta. *Doce de la mañana en La Habana,*

Cuba… A la vuelta habrá que hablar con alguien del parque móvil; o quizá con el servicio de limpieza, todo el mundo se pasa la pelota en ese tipo de cosas. *Me gustan los aviones, me gustas tú / Me gusta viajar, me gustas tú…*

—Varela, ¿sabe usted qué música es ésa?

Varela pierde la concentración sincronizada entre la música y la carretera y disminuye aún más la marcha:

—¿Perdón?

—La música que suena. —El comisario señala la radio.

—Ah… Manu Chao.

—Bueno, tampoco hace falta que vayamos a paso de carro… Y eso qué es: ¿un estilo nuevo?

—¿El qué…?

—El manuchao.

—No…, un cantante.

—¿Sabe usted cómo se escribe? El nombre…

—Pues… no sabría decirle… Supongo que tal como suena.

El comisario vuelve a sacar su libreta de bajo el pulóver y apunta «Manuchao», tal como le suena. *Me gusta marihuana, me gustas tú / Me gusta colombia-na, me gustas tú…*

—Ya pueden ir haciendo campañitas los del Ministerio…

—¿Perdón?

—Nada… ¿Qué coche es ése?

El comisario se refiere al vehículo que los adelanta a gran velocidad por el carril izquierdo.

—¿Ése?, un Audi, el A3…

—Pues si nosotros vamos a 120 ése debe de ir a 180… No me extraña que se maten.

—Casi nadie va a 120 por la autopista… —se atreve a decir Varela.

—Yo sí…, y mientras esté de servicio usted también. —Pausa—. ¿Son muy caros?

—¿El qué…?

—¿De qué estamos hablando, Varela?… De los Audi: si son muy caros esos Audi pequeños…

—Pues… no sabría decirle.

Vista la pobre conversación que ofrece Varela, el comisario se concentra en el paisaje; de todas maneras le conviene administrar la poca voz de la que dispone esta mañana. Han dejado muy atrás el corazón de la ciudad, y también los municipios periféricos y el amplio cinturón industrial. El gris ya no predomina ni siquiera en el cielo, que va ganando azules a medida que se instala el día. Tras los primeros bosques del noroeste aparecen las tierras de cultivo, las granjas, las casas aisladas, de adobe y teja las primeras, y al poco de piedra y pizarra, a medida que la autovía asciende y se retuerce en curvas más rotundas. El comisario baja un poco la ventanilla para respirar el aire exterior, muy distinto de la atmósfera de noche urbana que traen aprisionada en el Peugeot. Parte del camino que están haciendo este domingo de primavera coincide con el suyo habitual de casi todos los sábados por la mañana, acompañado de su mujer y conduciendo su propio coche, un Peugeot de los grandes, perfumado con lavanda. Pero llegados a la altura de la autopista en la que de ordinario toma la nacional hacia la costa, este domingo el viaje sigue al norte durante un buen trecho. Y el comisario se siente a gusto a la vista de los primeros pastos, siempre se ha considerado un montañés exiliado en una ciudad demasiado grande para él. Después toman una carretera que se adentra más profundamente en las comarcas interiores del oeste, subiendo hasta llegar a un alto y amplio valle que delimita las comunidades autónomas. Y por último, en el último tramo del viaje, se internan por una carreterilla sinuosa como una culebra y trepan entre la espesura de los bosques.

—¿Seguro que era por aquí? —pregunta el comisario.

—Bueno, hemos seguido los indicadores de carretera...

—No se fíe. Si los inspectores de Homicidios apagan colillas dentro de un coche de la Brigada imagínese lo que puede hacer un auxiliar de tráfico con los carteles.

Sin embargo, el desesperante zigzag de la carretera parece haberlos conducido al lugar previsto: SAN JUAN DEL HORLÁ, anuncia un pequeño indicador tachonado de pintadas. Junto a él espera un Citroën de la policía local parado en el arcén. Los agentes uniformados, hombre y mujer, están fuera del vehículo, mirando hacia la dirección en la que llega el pequeño Peugeot granate. Han dejado encendidas las luces de la sirena.

—Qué manera más tonta de gastar batería —dice el comisario.

—¿Perdón?

—La sirena... ¿Creían que no íbamos a verlos?

El comisario se libera del cinturón de seguridad y, con dificultad, sacando el brazo para agarrarse al techo del coche, sale a la umbría sin ponerse la americana. El pulóver gris perla sin mangas tiene que ser suficiente para un montañés, aunque sea un montañés exiliado en la ciudad. Contempla el risco alto que destaca del macizo montañoso, una testa cuadrada de piedra gris adelantada entre dos hombros más bajos. Es el Monte Horlá: el comisario lo ha visto antes en fotos. Estira un poco las piernas y enseguida se adelanta a los titubeos de los agentes de uniforme, que esperan a un mandamás de la capital pero aún no saben que el sesentón pulquérrimo que sale de un Peugeot diminuto es precisamente el mandamás que esperan.

Al comisario se le da mal sonreír para expresar cortesía, así que no trata de hacerlo:

—Buenos días. Comisario principal Pujol, de la Central. —Se señala la garganta tratando de indicar que su voz no es así habitualmente. Los agentes saludan; el comisario contesta con un gesto parecido—. ¿Podremos tomar un café en el lugar donde nos esperan?, me gustaría beber algo caliente. Para la voz…

El agente local contesta que sí, que el lugar queda a poco más de dos kilómetros de donde se encuentran y que allí hay máquinas de café. El comisario indica que los seguirán en el Peugeot, y esta vez sí puede sonreír puesto que no lo mueve a ello la cortesía sino la satisfacción anticipada por el café caliente. Aprovecha la circunstancia para dirigirle una mirada a los ojos a la agente femenina. El comisario sabe, y lo tiene comprobado ante el espejo, que la sonrisa es su único rasgo físico capaz de redimirlo por la fealdad de la mirada.

Suben a los coches. El día es claro, pero restos de neblina difunden un resol amarillento sobre la carretera rural por la que avanzan, apenas pasado el indicador. Dejan atrás una fábrica abandonada, un molino de agua derruido, un puente de piedra sobre el riachuelo; al poco se adentran en lo profundo del bosque bajo un túnel vegetal permeable al sol. El comisario entrevé el blanco y rojo de un edificio industrial que parece anidar en la espesura como una aeronave en reposo. Se distingue entre los árboles la torreta cuadrangular en cuyo tramo final han pintado un logotipo, Uni-Pork, también en rojo vivo sobre blanco.

Llegados al final de lo que apenas es ya un camino mal asfaltado, giran a la izquierda y se encuentran dos portones abiertos. Los custodia un vigilante en su garita, al mando de una barrera que se alza sin más trámites al paso de los coches. El aparcamiento del recinto es amplio, tanto que parece vacío, pero alberga dos grandes camiones frigoríficos y varias furgonetas, todos pintados con los colores corporativos y el distintivo comercial de la empresa. La concentración de vehículos es más intensa en las cercanías de la zona de recepción y oficinas: otro Citroën y dos motocicletas de la policía local, varios turismos corrientes, un deportivo, dos berlinas oscuras y relucientes, y una ambulancia todo terreno con las luces de la sirena encendidas.

El comisario carraspea mientras aparcan al lado del Citroën y Varela anticipa que va a abundar en el despilfarro de las sirenas encendidas.

—Varela, ¿cuántos cadáveres ha visto usted?

—¿Perdón?

—Cadáveres, gente muerta, fiambres; cuántos ha visto.

—No sé…, muchos.

—¿Algo espectacular?

—Bueno…, lo normal: apuñalamientos, gente con la cabeza reventada a pedradas…

—Bien, mientras yo no le indique otra cosa sígame como una sombra allá donde yo vaya. Y esté preparado para apuntar todo lo que le pida que apunte. ¿Entendido?

—Entendido.

Esta vez el comisario sí recupera su americana del asiento trasero. Se la pone y el azul marino de su tela se alía al de la corbata de diminutos lunares blancos. No tiene frío, pero seguramente tendrá que tratar con algún político. Y con la jueza, que estará molesta por no haber sido la última en llegar. Confía al menos en que se haya quedado a esperarle algún forense de la Provincial. De momento piensa que ha llegado el momento de empezar a prestar atención a los detalles: al azar, tal como se presenten. Se detiene ante el deportivo aparcado. Es un Porsche 911 convertible; negro, con la capota de tela color hueso y las llantas doradas. Parece un modelo antiguo, quizá de los años sesenta, la matrícula ni siquiera tiene letras. Todo el séquito del comisario, Varela y los dos policías locales, aguardan mirándose los zapatos a que el comisario termine de curiosear mirando a través de la ventanilla, un poco inclinado, con las manos a la espalda. En el asiento del acompañante hay un libro encuadernado en negro. Alcanza a leerse el título pero no el autor: *Los Cantos de Maldoror*. Al comisario no le suena.

Enseguida entran en la recepción atravesando puertas automáticas de cristal. Tras el mostrador, la empleada con cara de susto y un accesorio para hablar por teléfono encajado en la cabeza. Lleva uno de esos pinchos plateados que están de moda, clavado en una ceja. Las labores de control de paso han sido cedidas a otros dos agentes locales que saludan al paso del comisario. Reciben otro de sus gestos vagos a modo de respuesta. Toda la recepción tiene algo de lujoso al estilo de los noventa: abeto aclarado con anilinas, acero mate, lámparas halógenas y grandes sillones de rojo vivo, como coágulos de sangre manchando el parquet. Los dos ordenadores del mostrador son de la marca Apple, el comisario ha visto antes ese modelo, parecido a un enorme huevo translúcido, también rojo. No suelen usarse en una recepción… Aventura para sí mismo que el gerente de la empresa no habrá cumplido los cuarenta, que sin duda es el heredero del viejo matadero previo a la actual nave, que habrá pasado la primera juventud estudiando en la capital, y que el Porsche de la entrada es su coche. Se plantea como un pequeño reto el averiguarlo y eso le mueve a sonreír por segunda vez en lo que va de mañana: hace exactamente doce años que no juega a las adivinanzas. Quiere aprovechar el momento, quizá no volverá a tener otra oportunidad antes de jubilarse.

Salen del ascensor en la segunda planta. El agente local que los guía se adelanta, llama a una puerta doble y anuncia la visita. Dentro se oye ruido de sillas. Cuando el comisario y Varela entran en la sala, un hombre de unos cuarenta años, jersey de cuello cisne, finas y largas patillas, pendiente brillante en la oreja izquierda, se encuentra ya tendiéndoles la mano. Se presenta:

—Berganza, de Homicidios Provincial. —Después va señalando a otros presentes—: Prades, forense; Gálvez, mi ayudante.

—Buenos días —el comisario hace un gesto de saludo genérico; le parece superfluo presentarse, así que se limita a presentar a Varela, que dice «hola»—. Bueno, veo que estamos en familia. ¿Les he interrumpido con el testigo?

El comisario se refiere a un individuo al que no le han presentado y que permanece sentado ante la larga mesa. Cabello teñido de azul, tremenda cicatriz cruzándole la cara por encima de un párpado.

—No, ya habíamos terminado. El señor es uno de los empleados que ha encontrado el cuerpo al entrar de turno… ¿Si necesita usted hacerle alguna pregunta…?

Al comisario le irrita un poco que Berganza hable acariciándose el lóbulo de la oreja, la misma en la que le brilla el pendiente. Prades, el forense, viste americana y camisa. Y gafas de pasta negra.

—No… Por el momento no tengo preguntas.

—También están los dos guardias de turno y el resto de empleados que ha encontrado la primera patrulla. No son muchos: cinco en total. Y andan también por ahí la jueza, el propietario del matadero y el delegado del gobierno, que acaba de llegar ahora mismo. Han ido a la planta de abajo a tomar café. ¿Quiere que mande llamar a alguien?

—Después, primero prefiero que hablemos nosotros. ¿Sabe usted si el propietario es el dueño del deportivo que hay ahí afuera?

—De eso y de media comarca —contesta Berganza—. El delegado del gobierno es primo suyo, y la mayor parte de los alcaldes de la zona también. Esto no es la capital, aquí todavía funcionan los abolengos…

—¿Es joven?

Berganza se deja quieto por fin el pendiente:

—Unos setenta años, pero nadie lo diría. Viste como si tuviera treinta y cinco y conduce como los de veinte, ha llegado haciendo chirriar las ruedas del Porsche. Es una especie de joya de anticuario, ¿se ha fijado en las llantas?, están chapadas en oro mate…

—¿En serio? —dice el comisario.

—Como se lo cuento. Eso sí, habla con mucho empaque, y me he enterado de que también escribe poesías en el periódico comarcal, que de todas maneras es de su propiedad… En fin, yo diría que se esfuerza mucho en no aparentar la edad que tiene, pero se le nota lo que sabe por viejo en cuanto abre la boca.

Al comisario le satisface la respuesta del inspector y se olvida por un momento de su pendiente. Se lleva una mano a la garganta mientras aparta una silla para sentarse, justo la que preside la mesa.

—Perdone, ¿me ha dicho usted «Berganza», verdad?

—Sí señor…, Berganza para toda la vida…

—Bien, Berganza: si fuera posible quisiera tomar algo caliente antes de seguir. Tengo la voz muy mal esta mañana.

El inspector despide al testigo de la cicatriz antes de buscar monedas en su bolsillo e indicar a su ayudante que vaya a por cafés para el comisario y Varela; Prades el forense alega que ya ha tomado litros de café. Cuando quedan solos los tres policías y el médico, se distribuyen ante la mesa de juntas. El comisario en la presidencia, Berganza a la izquierda y Prades a la derecha; Varela permanece en pie detrás del comisario. El primero en hablar es de nuevo Berganza, que se acuerda otra vez de su oreja engalanada y se aplica a magreársela:

—Ya supondrá que aún no tengo el informe, pero podré enviarle una copia mañana por la mañana.

—En realidad debería remitírsela a Rodero, de Homicidios Central; está fuera de la ciudad, he venido yo en su lugar, pero en principio esto es asunto suyo. De todas maneras le agradeceré que me haga llegar otra copia a mi despacho. Antes lo estaba pensando y hace exactamente doce años que no salgo de la Central, desde septiembre del 89. Tengo la sensación de que ya no sabría escribir el informe de un botellazo entre vecinos.

Berganza sonríe:

—Hay cosas que no se olvidan.

—Ya… Como ésta de hoy, supongo.

—Yo no había visto nunca nada parecido. Y, francamente, tengo ganas de terminar el día y tomarme unas cervezas. Más de tres, a ser posible. —Vuelve a sonreír pero ahora sin ninguna alegría.

—¿A qué hora la han encontrado?

—A las cuatro de la mañana, los de la sala de corte. Son los que manejan los cuchillos, para entendernos. Este del pelo azul y la cicatriz era el matarife. Cumplió seis meses por rebanarle la oreja a un tipo…; ahora degüella doscientos cerdos cada día, a muñeca, así que supongo que no necesita emociones fuertes. Ya le ha visto la cara, y tendría que verle también el maletín de trabajo: parece el del rey Arturo, hasta lleva un guantelete de cota de malla.

—¿Aún matan a los cerdos a degüello?

Berganza asiente:

—Me parece haber entendido que durante un tiempo los electrocutaban, pero quedaban agarrotados, así que ahora sólo los atontan para que no alboroten, los cuelgan boca abajo y les dan un tajo en la yugular. Mueren por desangramiento, pero de eso sabe más Prades…

El comisario vuelve la vista a la derecha, hacia el forense. Está con los codos sobre la mesa, hurgándose las uñas.

—¿Quiere que le explique todo lo que sé con seguridad? —pregunta al sentirse interpelado por la mirada. Su tono le parece al comisario tendente a la sorna.

—Se lo agradecería —dice.

—Muy bien. —Prades cruza las manos sobre la mesa y hace una pausa para tomar aire y construir mentalmente la frase—: hemos recopilado el cadáver casi íntegro de una mujer de unos sesenta y cinco años, de raza blanca y tipo pícnico.

Aquí se detiene y se queda mirando al comisario.

—¿Eso es todo?

—Todo lo que sabemos con seguridad.

—¿Y lo que todavía no sabemos con seguridad…?

—Una pregunta incómoda para un forense. Y me consta que ha tratado usted con unos cuantos.

—Los mejores pueden permitirse el lujo de arriesgar un poco —dice el comisario.

Prades sonríe de medio lado:

—No hay mucho que decir a partir de lo que hemos encontrado. En uno de los dedos de la mano hay un corte de hace varios días, ligeramente infectado; la sujeto cicatrizaba mal, yo diría que era diabética, es frecuente en una menopáusica con sobrepeso importante. No hay deformaciones artríticas ni ninguna otra señal obvia de patología laboral, al menos reconocible por inspección ocular; la musculatura es fuerte, pero no presenta hipertrofias destacables. Sí he encontrado varices, yo lo atribuiría a una predisposición innata favorecida por la obesidad y algún problema de circulación asociado. Por otro lado, sobre el tabique nasal y tras el pabellón auricular encontramos indicios de que llevaba gafas, pero no todo el tiempo, quizá sólo para ver la televisión, o coser, hay pequeños pinchazos en los dedos… Tampoco hay evidencias de que usara joyas, excepto un anillo en el anular izquierdo que debió de ponerse por primera vez cuando pesaba cuarenta kilos menos. No queda pelo ni vello en ningún lugar del cuerpo, así que nada por ahí... La piel está completamente alterada, pero he creído reconocer los límites del bronceado y juraría que no iba nunca a la playa, aunque sí pasaba bastante tiempo al aire libre, y la nitidez de los límites sugieren un guardarropa no demasiado variado, sin prendas escotadas. También se reconoce un antiguo conjunto de desgarros vaginales que debió de coserle un zapatero metido a obstetra; vacío mamario, estrías abdominales... Todo eso y otros indicios más débiles hacen pensar en una ama de casa rural y madre de dos o tres hijos que ahora andarán entre los treinta y los cuarenta años.

—No da el perfil de yonqui, ¿verdad? —dice Berganza mirando al comisario.

—Ni de espía rusa... —dice el comisario.

—Ni de invasor alienígena —cierra el forense.

—Bueno, qué más puede decirme... —pregunta el comisario dirigiéndose al forense.

—¿No he arriesgado ya bastante? —dice Prades.

El comisario finge decepción torciendo el bigote:

—Los he conocido más audaces...

Prades sonríe, siempre de medio lado:

—Pero no más certeros... Muy bien, le daré cuatro detalles que le parecerán interesantes. Primero: dadas las circunstancias he tenido acceso al estómago sin necesidad de autopsia y la sujeto no tomó sólidos durante al menos veinticuatro horas antes de la muerte. Segundo: quedan dos uñas sin desprender, en los pulgares de los pies, y presentan rastros de una mezcla aparente de barro, paja y excrementos de cerdo. Tercero: se aprecian moratones y marcas desiguales en nalgas y flancos que hacen pensar en que fue golpeada y azotada *ante mortem*. Y cuarto: hay marcas profundas que sugieren que fue colgada boca abajo por los tobillos, antes y después de morir.

—¿Puede precisarse su causa exacta?

—¿De la muerte? En este momento, no. Pero tiene todas las trazas de haber experimentado un desangramiento rápido, probablemente después de un degüello a cuchillo. Tómelo como una buena hipótesis de trabajo.

—¿A qué hora?

—¿Todavía no me he mojado lo suficiente? —Más sonrisa de medio lado—. Eso es imposible de precisar: la temperatura del cuerpo ha subido y bajado varias veces de modo forzado, y por supuesto tampoco se aprecia el *rigor mortis* habitual. Quizá hacia la medianoche, pero lo digo basándome en evidencias circunstanciales, y en eso el que debería arriesgar es Berganza.

El comisario cambia de nuevo a la izquierda la dirección de su mirada:

—¿Tenemos la ropa, o los efectos personales…, ese anillo que le iba pequeño…?

—Nada. Yo diría que la trajeron aquí desnuda, en un camión de ganado. —Berganza sigue hurgándose el pendiente.

—¿Huellas…? Supongo que habrán pasado ya los de la Científica…

—Sí; no han podido empolvar el matadero entero, pero al menos donde razonablemente pudiera esperarse que las hubiera no han encontrado nada. No es raro, las instalaciones se limpian y desinfectan a cada final de jornada. Tampoco hay pisadas, ni pelos, ni colillas, ni pelotillas de lana. Nada de nada.

—¿La víctima puede ser alguien de los alrededores?

—Eso es lo que pensamos. Lo del ayuno de veinticuatro horas sugiere que fue secuestrada hace uno o dos días. Si es del pueblo tienen que haberla echado ya de menos, aunque viviera sola… Veremos qué pasa durante la mañana.

—Bueno, esperemos que al menos la identificación sea fácil. —El comisario suspira—. Otra cosa: ¿dónde han encontrado el mensaje?

—Lo lleva entre los labios —sigue contestando Berganza—, escrito en un papel. Todavía está allí, no hemos retirado nada en espera de que llegara usted.

—Bueno, si les parece vamos a echarle un vistazo, podemos seguir hablando por el camino —dice el comisario.

—¿No quiere esperar al café? Se está usted quedando sin voz por momentos.

Justo en ese momento el ayudante de Berganza aparece con tres vasos de plástico.

★ ★ ★

Varela está un poco tenso, pero como no se le indica otra cosa sigue al comisario que a su vez sigue a Prades y Berganza hacia el ascensor. Vuelven a atravesar la recepción en dirección de salida y caminan por el exterior de la nave hasta el extremo opuesto a las oficinas, donde el asfaltado gira hacia un barrizal cruzado por profundas roderas. El comisario piensa que aquello parece el ano del edificio y, sin embargo, es probablemente su verdadera boca. Lo confirma cuando, tras dos grandes portones abiertos, queda a la vista el muelle de carga y un camión de ganado aparcado ante él. Huele a pocilga.

—Primera Parada del Vía Crucis —dice Berganza.

La caja del camión parado junto al muelle está dividida en dos pisos enrejados. El comisario se acerca a los barrotes del inferior agachándose un poco. El hedor es intenso, sólo le echa un vistazo al suelo cubierto de paja sucia que limita la jaula de un metro de altura, compartimentada en varias secciones. Varela asoma también la nariz y la retira enseguida.

—¿Los restos de las uñas coinciden con la paja del camión? —pregunta el comisario.

—En apariencia sí —dice Prades—. Como ve la hay por todas partes en esta zona, pero en el suelo está muy rota y manchada de barro. Y en el cadáver he encontrado tanto briznas manchadas como limpias. En los barrotes de las jaulas han aparecido muchas huellas, pero naturalmente pueden ser las del conductor habitual que las abre y las cierra. Veremos.

—Si llegó viva en un camión, debería haber encontrado contusiones importantes… —dice el comisario—. No creo que una mujer de esa edad y constitución pueda mantener el equilibrio en la caja de un camión en marcha, y menos metida a cuatro patas en una jaula.

—Eso a menos que hubiera hecho el viaje apretada entre cuatro o cinco cerdos —dice Berganza—. Antes hemos hecho el recorrido dos veces, la primera con el propietario, nuestro amigo el poeta del Porsche, y la segunda con el matarife del pelo azul; y por cierto que tienen visiones muy distintas de cómo funciona el asunto… Según el matarife, los transportistas procuran agrupar el máximo de animales en el mismo compartimento, en parte para ahorrarse el trabajo de cambiar la paja del camión entero, pero también porque así las bestias se dan menos golpes contra los barrotes. Parece ser que si un cerdo llega muerto no se factura.

—De todas maneras puede que tras la autopsia aparezcan más señales —añade Prades—. Fracturas, traumatismos… En cualquier caso, ningún golpe fue mortal porque pasó por aquí viva, de eso estoy seguro. Lo que no sabemos es si pasó por los corrales de ahí detrás o si la hicieron entrar directo a la cadena del matadero.

—«Línea de sacrificio» según el propietario —dice Berganza—. Se nota que sabe de literatura...

Los tres de cabeza, siempre seguidos de Varela, avanzan unos metros.

—Segunda Parada —continúa Berganza—. ¿Ve la manguera?, los cerdos suben por esta rampa... Generalmente se resisten a avanzar... Nosotros aún no lo notamos, pero para un cerdo esto atufa a sangre; saben que los van a matar: chillan, se niegan a caminar... Según el matarife a algunos les dan espasmos nerviosos y se pueden morir de un ataque de estrés en mitad del pasillo. Los que siguen aguantando sobre sus patas avanzan por aquí... Lo normal es que el recepcionista ande entre ellos empujándolos a patadas, o dándoles con una vara...

—¿Las marcas en las nalgas? —pregunta el comisario, mirando al forense. El interpelado afirma con la cabeza.

—Bueno —continúa Berganza—, aquí les dan un primer manguerazo para lavarlos un poco. Agua fría, naturalmente, y sin champú acondicionador: un buen chorro a presión para quitarles el barro y a correr hasta la cámara de gas... Maldita sea: me parece que no voy a poder volver a comerme una chuleta de cerdo sin acordarme de esta pasarela. ¿Sabe usted que los cerdos son más inteligentes que los perros?

—Bueno, siempre puedes comer chuletas de perro —dice Prades antes de volverse hacia el comisario—: En realidad no creo que la ducha fría sea para lavarlos sino sobre todo para provocar la vasoconstricción periférica. Eso favorece el desangrado.

—Pues eso —dice Berganza—: aquí los vasoconstriñen a manguerazo limpio y después entran en la cámara de gas. «Cámara de insensibilización», según el propietario.

—¿Qué gas? —pregunta el comisario.

Responde el forense:

—Lo habitual es una mezcla de anhídrido carbónico al setenta por ciento y oxígeno al treinta. Parece que es mejor solución que la electronarcosis: más rápido, también facilita el desangrado, y además propicia menos fracturas y hemorragias capilares en los animales.

—¿Y cómo actúa en una persona la dosis de inhalación calculada para insensibilizar a un cerdo? —pregunta el comisario.

—A peso supongo que un humano saldría de ahí bastante más narcotizado que un puerco... Según el matarife, un cerdo blanco pesa unos ciento cincuenta kilos al llegar al matadero, y el cadáver que hemos... recopilado parece corresponder a una mujer obesa de alrededor de ciento diez, por tanto algo menos que un cerdo corriente. Pero no estamos muy seguros de si se usó la mezcla habitual de gas. Es posible variarla manualmente según el tamaño y la raza de los ejemplares, y de hecho nos hemos encontrado las espitas cerradas.

—Bien —Berganza retoma su papel de cicerone—, por esta cinta transportadora salen de la cámara —agarra un lazo de soga que cuelga de una guía—. Aquí suele haber un tipo que les liga las patas con esto..., las dos patas juntas. Entonces la cadena se mueve, la guía sube —va señalando para orientar la mirada del comisario—, y el bicho queda colgado boca abajo hacia donde el matarife lo espera para degollarlo. Para «esangrarlo» según el propietario.

—Es evidente que el cadáver fue colgado —dice Prades—, ya le he mencionado las marcas en los tobillos. La muerte se produjo en algún momento después de eso. Al parecer el matarife produce una incisión profunda en la papada del animal para alcanzar los grandes vasos sanguíneos poco antes de su llegada al corazón. Eso es compatible con lo que he encontrado, así que provisionalmente podemos suponer que así fue.

Berganza ha avanzado de nuevo unos pasos y anuncia el siguiente punto de interés:

—Aquí es donde se aposta el rey Arturo con su *Excalibur*. Fssst: les pega el tajo y ya entramos en lo que se llama «pasillo de esangrado», que es donde terminan de morirse los bichos; ¿ve?, van colgando y la guía los hace avanzar lentamente. Por todo el pasillo salen duchas de agua fría, como en un túnel de lavado, eso también ayuda a que se desangren más rápido, ¿es así, Prades? Luego la sangre se recoge en unas canaletas y va a una caldera de cocción donde coagula...

—Espero encontrar sangre humana en los cien kilos de morcilla que tenemos en la caldera —dice Prades, caminando entre el comisario y Varela, que avanza siempre el último, en silencio—. A mí me basta con una muestra homogénea para el laboratorio, no sé qué va a decidir hacer la jueza con todo lo demás...

Berganza señala ahora una especie de bañera metálica con una tapa hermética:

—Esto de aquí es la cámara de escaldado.

—Según el gerente se somete al animal a un baño de agua a sesenta y cinco grados centígrados —Prades se ha detenido junto al comisario a dos pasos del artefacto; Varela se para también tras ellos—. Es una temperatura suficiente para ablandar el pelo y facilitar la depilación, pero no tanta como para que se desprendan las pezuñas. En el caso de un humano la mayor parte de las uñas saltan —se saca las manos de los bolsillos y hace gesto de uñas saltándole de los dedos—, supongo que si las buscáramos las encontraríamos en ese caldo de ahí dentro, pero no le aconsejo que se acerque, huele a diablos.

Varela no huele a nada nuevo, pero da un paso atrás. Berganza sigue siempre a la cabeza, avanzando hasta cada nueva parada:

—Aquí está el salón de belleza —algo hace que se

acuerde otra vez de su pendiente y tenga que comprobar con la mano que sigue en su sitio—. Este cacharro se llama «flageladora en seco»: no me pregunte cómo funciona porque no he querido saberlo. Después viene una chamuscadora con quemadores de gas propano, y a la salida, si el cliente tiene el pelo rebelde, se le termina de socarrar a mano con un soplete. Aquello de allá es la «flageladora de agua», que tampoco sé cómo funciona pero suena a máquina de soltar manguerazos a mala idea.

—No creo que nuestro cadáver haya pasado por el proceso completo —dice Prades, de nuevo detenido a la derecha del comisario—. Al parecer cada raza de cerdo requiere un proceso de depilado distinto, más o menos severo. En el cuerpo recopilado no hay rastro de pelo o dermis superficial, pero las capas más profundas de la piel han resistido bien, así que…

—Y ya sólo queda el destripe antes de entrar en la sala de corte —dice Berganza, que ya espera a los demás junto a unas puertas con ojos de buey que interrumpen el largo corredor por el que han llegado—. «Evisceración», según el propietario. Aquí vuelven a colgar a los bichos en esta especie de trapecios, pero esta vez con las patas separadas para que los operarios puedan trabajar mejor.

—Naturalmente lo primero que se retira son los intestinos —dice Prades, haciendo gesto de intestinos saliendo de su propia tripa—, es importante que no se rompan para no contaminar la carne. Después se extrae el estómago y lo último el aparato urinario y genital —no se señala nada pero hace gesto de rebañar un yogur con la cucharilla—. Los despojos se analizan para asegurarse de que el cerdo está sano, y del resto del mondongo se separa lo comestible de lo no comestible: una parte pasa directamente a las cámaras de refrigeración y el resto se envía a una planta de aprovechamiento de subproductos. Lo siı es cortar la espina dorsal en dos mitades con ı mecánica, decapitar al animal, y ya entramos en despiece.

Quiere verla, o vamos directamente a las cámaras? —pregunta Berganza, señalando con el pulgar las puertas con ojo de buey—. En realidad no hay nada ahí que nos interese demasiado.

—Vamos directo a las cámaras —responde el comisario.

Berganza pasa por un pequeño vericueto que sortea la sala de corte, cerrada en el centro de la nave. Detrás va el comisario con la manos a la espalda, luego Prades con las manos en los bolsillos y, siempre por último, Varela, con los brazos cruzados y una palma abierta cubriéndole el embozo. En ese orden van llegando a la sección de empaquetado, una sala grande, punteada de pilares de hormigón pintados de blanco. Berganza sigue gesticulando como un guía de museo:

—Aquí es donde los empleados reúnen y empaquetan los pedidos que reciben de las carnicerías. Un pedido puede estar formado por una o varias partes de uno o varios cerdos, ¿me explico? Puede constar, por ejemplo, de cuatro lomos, una careta y, no sé…, ocho kilos de costillas. Y los empleados tienen que recorrer las tres cámaras frigoríficas en busca de las distintas piezas. —Señala tres grandes puertas de acero inoxidable en un lateral. A Prades—: ¿Entras tú…?

Prades se pone unos guantes de látex que ha sacado de una caja que le abulta el bolsillo de la americana y acciona la apertura de la primera cámara:

—Aquí hace frío, esto se mantiene a dos o tres grados sobre cero…, podemos echar un vistazo rápido y salir, si no convendría ir a los vestuarios a por unos anoraks de la empresa. Antes nos hemos pasado dos horas revolviendo carne con la jueza y el fotógrafo y hemos salido medio congelados, incluso con el anorak.

La luz en el interior de la nevera es mortecina, parte de una única bombilla desnuda que cuelga en el centro del techo. Prades y el comisario son los únicos en entrar, Berganza se queda en el quicio tocándose la oreja y Varela un poco más atrás, atisbando.

—Bueno, en total tenemos treinta y seis despieces diferenciados —explica Prades—, doce en esta nevera, diez en la siguiente, ocho en la otra y seis sueltos que veremos al final. Vamos a ver…, aquí tenemos tripería y vísceras. —Mueve un carro y tira de una pesada bandeja encajada en guías laterales—. El hígado que buscamos está en el tercer cajón, me ha costado un poco distinguirlo… ¿Sabía usted que en la Edad Media se estudiaba anatomía humana diseccionando cerdos? Se parecen bastante a nosotros… Todo está en su sitio, pero he ido metiendo en bolsas los órganos difíciles de diferenciar para no tener que revolverlo todo otra vez cuando nos lo llevemos… No sé si le interesa inspeccionar algo en concreto… Allí están los intestinos, en el carro de al lado el estómago, por aquí tenemos el páncreas, las glándulas salivares parótidas…, el cerebro está en ese carro de ahí, el corazón también por allí al fondo… No le aconsejo que se entretenga con los pulmones, al fotógrafo se le ha descompuesto el estómago… Ésta ha sido desde luego la cámara que nos ha llevado más tiempo. Está todo perfectamente separado y ordenado, pero mire esto —abre un cajón y mete la mano enguantada en busca de la bolsa correspondiente—: ¿sabe usted lo que me ha costado desanudar los nueve metros de intestino delgado?

—Prefiero no imaginármelo —dice el comisario—. Creo que podemos darlo por visto.

Salen de la primera cámara y entran en la siguiente. En ésta se almacenan pies, orejas, cintas de lomo, solomillos, presas de aleta, carrilladas, violines, secretos… Prades abre un cajón y saca un largo pedazo de carne roja.

—¿Había visto alguna vez una lengua humana cortada a la altura de la laringe? Tiene muchas más papilas gustativas que la de un cerdo, nunca se me había ocurrido pensarlo. Aquí están los lomos, bastante más pequeños que los ordinarios, y…, en fin, costillas, panceta, filetes… Según dice el matarife el despiece de machos y hembras puede ser distinto; una puerca bien cebada da lugar a solomillos de mejor calidad, por ejemplo. Eso implica que a veces se elija a un ejemplar en concreto para algún pedido especial, pero en general se va despiezando según las necesidades del día, sin preocuparse mucho del sexo del animal. En el caso que nos ocupa, una parte del cuerpo abierto en canal ha seguido un proceso de corte y la otra simétrica otro distinto. Como puede suponer eso me ha complicado más aún el trabajo de identificar el cadáver completo… ¿Vamos a la última?

Salen de la segunda y entran en la tercera cámara. Berganza y Varela los siguen siempre de quicio en quicio y escuchan la conversación desde allí.

—Bueno, aquí tenemos jamones y paletillas —dice Prades—. Esto ha sido fácil. Aquí están las piezas que nos interesan, mucho más largas que las corrientes, desde luego. Las piernas han sido separadas del hemitronco en dos cortes —señala haciendo girar a conveniencia la pierna derecha que cuelga de un gancho—: uno por la línea que pasa entre los glúteos, y otra por una perpendicular a la dirección dorsal, tangente al ilion. Se ha retirado también parte de la carne de las zonas de inserción, vulva, esfínter anal y demás, y también el manto superficial de grasa de esta parte, con lo que quedan a la vista las capas musculares de la cadera. Sin embargo, se aprecia aquí uno de los desgarros de los que le hablaba —Prades resigue con el índice enguantado—, ¿ve este costurón lateral?, casi une la vagina con el ano, en la otra pieza se aprecian mejor aún… ¿Ve también

lo que le decía de la obesidad de la sujeto?, fíjese qué cú-
mulos adiposos en el muslo. —Da una sonora palmada al
trozo de carne—. La sangre retenida en las venas femoral y
safena se ha eliminado presionando la pieza, al parecer es el
procedimiento habitual… Como ve, los pies están en su sitio, con la única uña que resistió al escaldado. —Se mueve
unos metros y manipula otra pieza más pequeña y difícil de
identificar como brazo humano—. En cambio en el caso de
las extremidades anteriores se han cercenado las manos; eso
se hace también a veces con los cerdos, cuando se prevé
destinar la paletilla a la fabricación de embutidos. En fin…,
notará usted que faltan algunos pedazos importantes. Uno
es el rabo, desde luego, pero no lo hemos encontrado por
ninguna parte. —Prades sonríe para señalar su propio
chiste—. Y lo demás lo tenemos empaquetado en un mostrador de ahí afuera. ¿Vamos a ello y terminamos? Llevo
desde las cinco de la mañana a base de cafés, no veo el momento de salir de estos congeladores y comer algo caliente.

Los cuatro se alejan de las cámaras y dan la vuelta a un
largo mostrador de acero montado bajo unos paneles verticales. Varela, por un capricho de la trayectoria del grupo,
va ahora caminando delante, curioseando en los papeles
sujetos a los paneles con pequeños imanes. Parecen hojas
de pedido: «Cárnicas Mantilla», «El Asador», «Charcutería
Hernández»… El mostrador es en realidad una isla que
rodea los paneles metálicos, muy bien iluminado bajo una
linea de fluorescentes. Pasando al otro lado, Varela se detiene ante una bandeja honda de plástico azul, precintada
con un plástico transparente ajustable. Se acerca, distingue
algunos pedazos de carne rosada, pero le llama la atención
sobre todo un papel que destaca en el centro, visible bajo
el *film* de plástico. Tiene escrito un breve texto a rotulador, en impersonales mayúsculas de palo. No suena a
nombre de carnicería, desde luego. Vuelve a mirar la carne

que hay alrededor y, al enfocar bien la mirada, tiene el tiempo justo de girar sobre sí mismo y usar el puño hecho un cucurucho para contener la bilis que su estómago le envía garganta arriba.

—Su ayudante se nos ha adelantado —dice Prades, dirigiéndose al comisario—. Suerte que sólo ha tomado café. El fotógrafo se había comido un cruasán…

—Varela, ¿se encuentra bien? —pregunta el comisario desde lejos. Varela trata de asentir mientras tose y traga gran cantidad de saliva y mucosidad amarga. Se ha propuesto ante todo no vomitar en el suelo.

—Salga a tomar el aire si quiere, le vendrá bien.

Varela niega con el gesto; la tos va remitiendo. Cuando los otros tres dejan de prestarle atención nota los ojos mojados de lágrimas y la mano derecha llena de babas. No lleva pañuelo; se limpia los ojos con la manga del uniforme y mete la mano en el bolsillo de los pantalones para secársela en el forro interior. Nota la humedad traspasando hasta el muslo. Pero poco a poco se siente mejor, y en cuanto puede controlar la respiración vuelve a acercarse al mostrador.

El comisario y Prades se hallan de pie ante la bandeja, y Berganza se magrea el pendiente sentado a medio metro de ella, sobre el mostrador, con las piernas colgando; Prades da explicaciones y el comisario escucha con las manos a la espalda.

Varela respira hondo y se acerca un poco más. Por encima del hombro de Prades, bastante más bajo que el comisario, puede ver algo. Lo importante es no enfrentarse a ello de golpe. Primero se detiene en la parte alta de la careta, usando el hombro de Prades como máscara para ocultar el resto. Luego puede mirar los ojos, primero uno y después los dos al tiempo. Son ojos hundidos, vacíos, sin cejas ni pestañas, cerrados sobre el párpado inferior. La nariz parece un poco enrojecida en la punta, quizá por alguna mancha de sangre, y el labio inferior y media papada quedan ocultos por el rectángulo de papel sujeto en la boca. La expresión es relajada, beatífica, como la de un Buda dormido. A los lados de la cara, donde uno espera encontrar las orejas, están las manos presentando el dorso, rollizas y blancas, apretadas a lado y lado de los carrillos. La línea de corte a la altura de la muñeca es el único lugar donde se reconoce la sangre fresca sobre la palidez rosada del conjunto, y también algunos tendones blanquecinos. Los dedos cerrados, enrojecidos en la punta desungulada, cuelgan sobre algo que no puede identificar al principio, estorbada su perspectiva por el hombro de Prades. Es algo redondeado y blando, cubierto por una piel tan fina que transparenta venillas azules. Tiene que moverse un poco para reconocer en la esquina inferior un pezón de amplia areola.

Prades, entretanto, no para de hablar:

—… dicen de Heliogábalo que comía vulva y mamas de marrana a todas horas. Ya sabe cómo eran de raros esos romanos… Según el propietario ya no se estila consumir semejante manjar, pero al parecer nuestro artista ha querido obsequiarnos como a verdaderos príncipes.

¿Vulva?, ¿dónde está la vulva?, se pregunta Varela en cuanto se ha traducido mentalmente el término. No puede resistir la tentación de asomarse al hueco que queda entre Prades y el comisario para ver la caja completa. Enseguida encuentra lo que busca, bajo la papada, encajado entre las mamas, como un par de abultados labios verticales separados por una abertura en forma de gota invertida. Ahora el conjunto entero le parece un disfraz doblado y metido en su caja, con su máscara, sus guantes y el resto de complementos. Pero ¿un disfraz de qué?, se pregunta Varela: ¿un disfraz de cerdo? No es hasta este momento cuando se da cuenta de que la aprensión con que se ha acercado, sólo en cumplimiento de lo que él considera su deber de policía, se ha convertido en expectación morbosa, algo que le hace temblar las piernas. Siente ante ello una mezcla de excitación y arrepentimiento, como un niño fascinado en la tarea de torturar a un escarabajo.

En ese estado de ánimo vuelve a fijarse en la leyenda escrita en el papel sujeto en la boca: EN EL NOMBRE DEL CERDO, una frase que en la primera lectura le ha parecido incompleta pero que ha adquirido de pronto significado pleno. Lo mismo que ocurre con un oscuro poema de amor cuando uno lo lee por fin enamorado.

EL JARDÍN DE LAS DELICIAS

EN EL PARAÍSO

T es varón caucásico, complexión atlética, cabello y ojos oscuros, cuarenta y tres años. Entra en el *self-service* coreano de la Séptima con la 37. En la cola de la báscula, un blanco demasiado bajito para ser anglosajón se niega a pagar los ocho dólares que le pide el viejo con largas hebras de barba que pesa la comida. Fu Man Chu en la Balanza. Ambos argumentan a volumen creciente hasta que a una señal del viejo se acerca otro empleado oriental y le arrebata la bandeja al blanco bajito. El movimiento seco hace que se derrame parte de los fideos chinos por el suelo y el blanco empieza a gritar reclamando a la policía: *Help me, Police*. La policía debe de estar ocupada en otros asuntos y los que llegan son otros dos empleados vestidos con el uniforme del local; agarran al blanco bajito y se lo llevan a la calle en volandas. T es el siguiente en la cola de la báscula. Fu Man Chu pesa su bandeja y dice *nine fifteen*. T paga sin rechistar procurando no pisar fideos; sube al comedor con la bandeja y se sienta cerca del ventanal con vistas a las bolsas de basura apiladas en la avenida. En la mesa contigua, a la izquierda, dos ancianos negros vestidos de *jazzmen*; a la derecha, cuatro jóvenes catalanes charlando en su idioma. La conversación de los negros, lánguida y llena de silencios; la de los catalanes, jocosa y atropellada. T come su popurrí de vegetales rebozados, sus alitas de pollo especiadas, y sus trocitos de costilla caramelizados en una gelatina roja que roe con gran placer. Al terminar vacía los restos de la bandeja en el contenedor y vuelve a la calle esquivando a un negro desastrado que insulta atrozmente a todo el que sale del local. Diógenes Cabreado.

T enciende un cigarrillo y se incorpora a la corriente de transeúntes tras un blanco cincuentón, gordezuelo, con traje y corbata, convencional en todo excepto en el contoneo de caderas y el bolso transparente ribeteado en fucsia que le cuelga en bandolera. En el cruce con la 35 un taxi gira sin detenerse en el paso de peatones; el gordo maldice a gritos y le sacude un bolsazo en el maletero. T se rezaga para distanciarse de él; aun así el cigarrillo anda mediado cuando llega bajo la marquesina del hotel Pennsylvania.

Termina el cigarrillo apoyado en la fachada. El mozo con guardapolvo y gorra que detiene taxis para los clientes ofrece espectáculo gratuito a los fumadores congregados: dos metros de estatura, contorno equivalente al de cuatro hombres corrientes, sin reparos para invadir la calzada gesticulando, gritando órdenes, tocando el silbato. Goliat Mangoneando el Tráfico.

T pisa la colilla y accede a la recepción por la gran puerta central. Ambiente de estación, gente entrando, saliendo, esperando ante el mostrador en colas delimitadas por cintas rojas. También hay cola en los teléfonos públicos, y T decide no hacer más colas antes de la siesta. El guardia de seguridad le pide que enseñe la tarjeta en el paso hacia los ascensores. Negro musculoso, traje oscuro de seis botones, corbata naranja, patillas rasuradas. Cuando T está ya sacando la cartera el guardia le da paso: *OK, I remember you.*

Se escapa por poco un ascensor muy lleno. En el inmediato sube de los sótanos una anciana blanca cargada con bolsas de plástico y un carrito destartalado. Despeinada, labios mal pintados, un paraguas con pequeñas *Tour Eiffel* estampadas asomando entre su impedimenta. El televisor de TFT sobre la botonera del ascensor emite un noticiario local; la anciana hace una parodia del parloteo del presentador y se queja con voz cazallosa del acento de la ciudad. T, incapaz de discriminar acentos locales, sólo sonríe. La anciana espera algo más y llegados a su piso se despide con un *See you later, Alligator* a todas luces impertinente. T baja en la planta 15 y recorre con precisión ensayada la maraña de pasillos mal iluminados. Mientras abre su puerta le llegan desde algún lugar cercano las voces de dos empleadas de la limpieza hablando en español. De fondo, el resuello del aspirador industrial que las sigue como un sátiro. Las Doncellas y el Minotauro.

Cuando T entra en la habitación ve la cama todavía sin hacer. Ya no pasarán a hacerla si él se queda adentro. No es problema la cama, pero el agua de la ducha encharca el cuarto de baño; habrá que andar chapoteando durante el resto del día. Calcetines mojados, huellas húmedas en la moqueta quemada de colillas. Se acerca a la ventana de guillotina que da al profundo patio interior. Sólo son visibles varias docenas de ventanas del propio hotel, algunas con zapatos puestos a ventilar en el antepecho. Rumor de tráfico, sirenas, una impresión de voces mezcladas y sistemas en funcionamiento. La hoja de guillotina de la ventana está bloqueada con un tirante metálico para que no se pueda abrir más de un palmo. T la cierra completamente, manipula los mandos del aparato de aire acondicionado y le da unos golpes para suavizar su traqueteo de avioneta. Se sienta en la cama, toma el teléfono y pulsa el botón de recepción confiando en que quienquiera que se ponga al aparato sabrá hablar español.

Así es: no tiene más que dar a la recepcionista el número preciso y esperar un poco escuchando toda clase de pitidos.

—Sí, diga —dice una voz masculina, nítida, bien reconocible.

—Comisario…

—Hombre, el viajero… Qué tal…

—Bien, llegué anoche…

—Y qué tal, ¿todo bien?

—El vuelo bien. La habitación del hotel un asco, pero casi me caigo de culo cuando me tropecé con el primer rascacielos, los nuestros en comparación parecen de juguete.

—Ya… Y qué ambiente hay…

—El centro está repleto de gente… Anoche estuve de copas hasta las tantas, entre eso y el cansancio del viaje me he despertado pasadas las doce. Ahora son las tres de la tarde.

—Nosotros vamos a cenar…, tortilla de patatas. ¿Así todo bien?…, ¿y el inglés?…

—Pse…, hablan muy deprisa, pero no creo que me muera de hambre…

—¿Has pasado ya por el Instituto?

—No, quiero dejar pasar el fin de semana antes de hacer la solicitud. Para conocer un poco la ciudad…

—Haces bien…, diviértete. De buena te has librado aquí…

—¿El asunto Uni-Pork?

—Sí, hijo, sí…, ando hablando con psiquis…, ¿conoces a Puértolas?…

—No me hable… «Mmmm, ¿verdad?», «Naturalmente»… ¿No le ha mencionado todavía de *El Jardín de las Delicias*?, tiene una especie de obsesión con eso…

Se oye una risita del comisario:

—Sí…, y un cerdo vestido de monja, y no sé de qué más cosas… Bueno, oye, cuídate y disfruta lo que puedas, que la llamada te va a costar un pico…

—Dele un beso a Mercedes…

—Ahora mismo, de tu parte… Llama de vez en cuando.

Después de colgar, T se desviste, programa su reloj de pulsera para que suene en media hora y se tumba en la cama. No cierra inmediatamente los ojos, se queda mirando las rasgaduras del papel pintado y los cambios de tono en los lugares donde alguna vez ha habido un cuadro. El color original cuando se inauguró el hotel en 1917 fue un azulón casi alegre, se aprecia detrás de las mesillas y en el interior del armario empotrado, pero ochenta y cuatro años después se ha convertido en un verde laguna desigual. Sólo cuelga de él una lámina forrada con plástico transparente: *Madonna ante un paisaje*, Giovanni Bellini, óleo sobre tabla, 85 x 118, Pinacoteca de Brera. El pie de foto no se alcanza a leer desde la cama, pero T se lo sabe de memoria.

Mira al techo y trata de hacer un cálculo de cuánta gente habrá dormido en esta habitación barata, con la ventana bloqueada para que nadie vuelva a arrojarse al patio interior y avisos de que no se abra la puerta a desconocidos. El cálculo da miles de recién llegados en busca de mejor suerte, o quizá huyendo de una suerte peor en cualquier otra parte del mundo. T se pregunta por qué razón podría desear él también quedarse en una ciudad tan sucia, tan vieja, tan repleta de locos malhumorados y vociferantes… Trata de buscar una respuesta sintética y se sorprende de encontrarla enseguida: quiere quedarse en esta ciudad porque esta ciudad está viva. O puede que esté ya muerta y sólo sea el recuerdo de lo que ha sido, pero lo mismo bulle en movimiento constante, igual que un perro muerto bulle en millones de gusanos afanados en sobrevivir sobre el cadáver.

Piensa que seguramente sí será buena idea la de solicitar al Ministerio la beca de residencia. Y poco después se duerme fantaseando ser gusano sobre una materia viscosa, de olor inesperadamente agradable.

★ ★ ★

Se ha cumplido una semana desde la llegada de T a la ciudad, es un martes. Toma su primer café en la calle, asociado a un grupo de fumadores parapetados del torrente de oficinistas que remontan la Séptima como salmones al desove. Los fumadores nunca son los mismos, pero se establece entre ellos una complicidad de compatriotas en un país extranjero, o de adolescentes apartados de la fiesta para drogarse. El café americano está empezando a gustarle, al menos el primero de la mañana, cuando el cuerpo agradece unos buenos tragos acaramelados y ricos en cafeína, el mejor combustible para enfrentarse al ajetreo de las calles. A su alrededor, como siempre, todo el mundo parece saber exactamente adónde va y se muestra decidido a llegar cuanto antes. T no lo tiene tan claro, dispone de toda la mañana para hacer la sencilla gestión de acercarse al Instituto e informarse sobre las becas. Pero le gusta tener al menos un objetivo preciso, algo que conseguir en lucha codo a codo con los gusanos del cadáver.

Se sienta a terminar el cigarrillo en las escaleras del Madison Square Garden. A pocos metros de él, sentado ante una mesa de camping montada en plena acera, un cincuentón tremendamente obeso se las tiene con un bocadillo de tres pisos que chorrea mayonesa. Va mal afeitado y peor peinado, y se distingue que no lleva calcetines bajo las zapatillas deportivas sin cordones. Sobre la mesa de camping, además de sus codos elefantíacos, el enorme vaso de Coca-Cola, y los restos de mayonesa y lechuga que se escurren del sándwich, hay una garrafa de plástico transparente, con algunas monedas y billetes enrollados en el fondo. Junto a ella, un cartel caligrafiado en grandes letras a rotulador: HELP FOR THE HOMELESS. Pese a su voracidad para con el indefenso bocadillo, el personaje tiene mucho de beatífico, con sus tobillos roñosos y su pelo revuelto; parece alguna clase de criatura celestial materializada en mitad de la hora punta. En cierto momento se empuja en la boca el último pedazo de pan, apura el bacín de Coca-Cola para ayudarse a tragar, y empieza a gritar con voz rota pero potentísima: *A help for the homeless, ladies and gentlemen, a help for the homeless...*

A T se le ha abierto el apetito ante el espectáculo de ver comer con tan buenas ganas y se le ocurre ir a desayunar algo sólido a algún lugar donde tengan cubiertos metálicos. Apaga su colilla en un escalón y, antes de sumarse al tránsito, introduce un billete de diez dólares en la garrafa de aquel ángel desmesurado. Y el ángel, como un muñeco de feria activado por el óbolo, irrumpe en gritos de agradecimiento: *Thank you, sir, God bless you, sir...* Después echa a andar hacia el este poniéndose a ritmo. Calle 34, Quinta Avenida, Calle 42. Llega a la Avenida Lexington a velocidad de crucero y se detiene ante una cafetería lo bastante elegante para suponérsele un servicio de cubertería digno. Mesas libres; el camarero mexicano lo atiende en español y sonriendo, los huevos *sunny side up* casi parecen fritos, hasta la cucharilla de café es de metal auténtico. T deja diez dólares más por la sonrisa y la cucharilla y sale a fumar. Mientras apura la colilla consulta las señas del Instituto que lleva escritas en el reverso de una tarjeta de visita. Queda cerca, en la 42 Este, pero le cuesta un rato identificar el número del edificio entre andamios y anuncios comerciales.

Cuando lo encuentra, empuja la pesada puerta giratoria como un hámster en su noria. Aparece en un vestíbulo con mármoles y lámparas de araña deslucidos. El portero de uniforme lo mira pero no lo interpela. Entra en uno de los viejos ascensores de madera y latón y pulsa el botón de la planta 11. Al salir busca la puerta precisa: INSTITUTO DE ESTUDIOS APLICADOS, dice la placa en español. Llama al timbre; la puerta se desbloquea con un sonido metálico y más allá se encuentra con una guapa dama de mediana edad, sentada tras un mostrador de oficina. Diane Keaton Recepcionista. El color del cabello y la piel no parecen corresponder a los de una latina y T teme tener que salir a flote en inglés.

—*Good morning… Excuse me, do you speak Spanish?*

—Cómo no… En qué puedo ayudarlo —acento americano.

—Gracias…, mi inglés no es muy bueno todavía… Verá: soy un compañero español, inspector… Me informaron en España de que ustedes tramitaban las becas de residencia con el Ministerio.

—Ajá… ¿Tiene usted a mano algún *ID* y el código?

—Llevo mi carné de identidad y mi placa —T busca en su cartera y lo saca—. Mi identificador es el 245/B/987/400012 —dicta el número con lentitud; Diana Keaton lo introduce en el ordenador; luego toma sólo el carné y examina los datos y la foto.

—Ajá…, es *OK*. Pero justamente ahora no está la persona encargada. Si pudiera aguardar por un momento… No tardará mucho, salió a tomar *breakfast* hace como veinte minutos.

Suena el teléfono y la Keaton se disculpa para atenderlo. T considera los sillones previstos para las visitas pero no le apetece sentarse, se entretiene explorando las publicaciones que se exhiben en estantes. Después, el pequeño laberinto de la biblioteca formado por armarios dispues-

44

tos en pasillos. Al poco se oye que llaman a la puerta y que la Keaton activa la apertura. T levanta la vista de los estantes para ver quién llega, un simple reflejo ante el sonido. Es una mujer de cabello castaño, quizá remotamente rojizo; se dirige al mostrador y habla con la Keaton en inglés, parece que en tono muy alegre. T no puede verle la cara más que fugazmente, pero le parece distinguir que es muy joven. Traje de cuadro Gales verdoso, blusa blanca, zapatos de aguja marrones, pequeño bolso a juego. T pierde el interés por los libros y la observa aprovechando los huecos entre estanterías. El cabello parece dócil y, sin embargo, denso, se nota en el bucle recogido a lo heroína de Hitchcock. Un peinado (y un traje, y un bolso, y unos zapatos) que las mujeres han dejado de llevar hace cincuenta años. Algunas mujeres, más. Pero esta mujer en concreto, vestida de esta guisa, tiene todas las trazas de estar contándole un chiste a la Keaton, y hasta tuerce un poco las piernas sobre los tacones, y se lleva las manos a las caderas para imitar la pose de un *cowboy* a punto de desenfundar.

T sale del pasillo de estanterías tratando de enterarse del chiste, o al menos de entender algo de lo que dice la muchacha del traje Gales con esa tremenda imitación de voz viril y cascada. Pero sus pasos al acercarse hacen ruido, y además la vista de la Keaton Recepcionista se desvía un momento hacia él, así que la muchacha del traje Gales, con la espalda encorvada, la rabadilla metida hacia dentro, las piernas torcidas y sin quitarse las manos de las cartucheras imaginarias, gira el torso también hacia él. En un primer momento su mueca se parece a la de Popeye, enarca una ceja y quizá es como si llevara un puro imaginario en la boca torcida. Pero un instante después ya ha relajado el rostro hasta recuperar parte de su expresión normal y, ahora con su propia voz femenina, le dice a T:

—*OK, just a minute: it's just a joke.*

T ha entendido, pero no encuentra nada rápido que decir en inglés y sólo sonríe y asiente. La muchacha del traje Gales vuelve entonces a su mueca de Popeye para terminar de contarle el chiste a la Keaton, que de todas maneras está ya a punto de romper a reír. Ahora el supuesto pistolero desenfunda, se coloca el cañón imaginario sobre su propia sien, y suelta una parrafada cazallosa antes de imitar el sonido de la pistola: *bang, bang.*

T no ha entendido absolutamente nada, pero las dos mujeres prorrumpen en carcajadas de forma tan contagiosa, sobre todo cuando después de los primeros segundos se nota que están tratando de reprimirse, de guardar la compostura ante T, que T no puede evitar que le aflore una sonrisa de oreja a oreja, un poco estúpida seguramente.

—Perdón… Este señor va a pensar que estamos locas… —dice la Keaton Recepcionista, todavía llevándose una mano a los labios para ocultarlos.

—No, no… Debe de ser bueno… —dice T.

—Disculpe… Es que…

Ambas rompen otra vez en carcajadas, esta vez emitiendo ese sonido de risa reprimida que de pronto escapa por la nariz, lo que, naturalmente, agrava la hilaridad de las dos. Con todo, la muchacha del traje Gales ha recobrado la compostura erguida sobre los tacones, y su figura entallada por el traje se revela ahora como el sueño de un costurero: todo está exactamente en el lugar en el que uno espera encontrarlo. Por otra parte, el modelito es como para rodar una escena de aperitivo con Cary Grant, resulta inevitable fijarse en esa indumentaria que tiene algo de caracterización. T se siente de pronto un poco incómodo, en parte por no haber entendido el chiste y no poder reír con ellas, pero también por sus zapatones sin lustrar y su camisa militar de a siete dólares en un tenderete de la 34.

Sólo le queda un consuelo: al menos él no es estrecho de hombros ni cargado de espaldas, como Cary Grant.

—Bueno, ya está bien —dice la Keaton, tratando muy seriamente de hablar con normalidad—. Aaah, Suzanne —le dice a la muchacha, ahora dirigiéndose también a ella en español—, este señor vino a informarse acerca de ayudas de residencia. Es compañero, español, inspector jefe. ¿Puedes atenderlo?

La joven del traje Gales se vuelve ahora francamente hacia T, haciendo gesto de secarse una lágrima:

—Perdóneme un minuto, debe de habérseme corrido todo el rímel... —Señala una mesa de despacho—. ¿Quiere sentarse?, ahora mismo estoy con usted.

A T le parece que el acento es el del español del norte de España, seco y tenso. Pero, sobre todo, en ese momento se da cuenta del extraordinario parecido.

★ ★ ★

En la primera conversación en el Instituto de Estudios Aplicados, T averigua unas cuantas cosas personales sobre la joven del traje Gales. La primera y más importante, que se llama Suzanne: Suzanne Ortega («Como Ortega y Caset, el inventor del magnetófono», apostilla ella misma). También que es de padre español y madre irlandesa (hace un movimiento rítmico de cabeza y mueve dos dedos sobre la mesa en representación de una bailarina celta), que lleva tres meses en la ciudad, y que comparte piso con dos muchachas en algún lugar entre Chelsea y el Village, sin especificar. Por último se entera de que a ella tampoco le gusta comer con cubiertos de plástico, extremo que ilustra tratando de pinchar una albóndiga imaginaria que parece huir despavorida por el plato y acaba saltando de la mesa, pling, pling, pling.

Toda esa información, naturalmente, llega intercalada en forma de comentarios entre las preguntas que la muchacha va traduciendo del cuestionario y que va rellenando a medida que T responde. ¿Alguna enfermedad infecciosa?, no; ¿peso actual?, ochenta y siete y medio; ¿novedades en su estado civil?, ninguna; ¿hijos desde la última actualización de la ficha?, muy improbable. Durante la mayor parte del tiempo ella hace muecas y gestos, por ejemplo gesto de «enfermedad infecciosa», algo como un fruncimiento general del rostro con especial participación de las aletas nasales y retracción de los dedos de las manos, como quien procura no oler nada y tocar lo menos posible. Resulta divertido, mantiene a T sonriente, respondiendo de buen humor, a veces bromeando. Sin embargo, quisiera poder observar sus verdaderos rasgos durante unos segundos. Tiene ocasión para ello en los instantes de concentración de la muchacha, cada vez que lee en inglés y busca las mejores palabras para traducirle a T la pregunta. Entonces su rostro se mantiene relajado y serio, como en una foto de ficha policial. Es en esos momentos cuando T puede apreciar su belleza y, sobre todo, sopesar el parecido. El asombroso parecido.

T permanece sentado respondiendo al cuestionario unos veinte minutos, y de momento se siente un poco incómodo por el hecho de que ella lo llame de usted pese a que él la ha tuteado desde el principio. Eso crea una distancia, sin duda. Pero por suerte le resulta fácil encontrar excusa para volver otro día y empezar de otra manera. En realidad T ha traído su pasaporte sabiendo que sin duda se le iba a requerir, pero finge haberlo olvidado en el hotel, de modo que tendrá que traerlo otro día:

—¿Estarás tú mañana por la mañana?

Ella hace mueca de vigilar a izquierda y derecha en busca de enemigos ocultos:

—Si no me han echado por payasa, creo que sí.

★ ★ ★

Al salir del edificio, T echa a andar de vuelta por la 42 pensativo, demasiado lento para el ritmo de la calle. Le preocupa lo del «usted». ¿Cuántos años puede tener ella? T le echaría más de veinticinco a juzgar por la manera de hablar y desenvolverse. Pero podrían ser sólo veinte atendiendo a la piel perfecta y al blanco de los ojos: un blanco casi azulado, ese color de los ojos nuevos. En cualquier caso tiene que haber terminado sus estudios universitarios para haber sido destinada a esa oficina, y eso indica veintitrés años por lo menos. Eso serían unos dos años antes del retrato, lo cual desde luego encaja…, o encajaría… La cuestión es que sin duda hay una diferencia de edad entre ellos, aunque él no podría ser su padre ni nada parecido…; o quizá sí en lo estrictamente fisiológico, si él hubiera tenido una hija siendo muy joven, pero se siente seguro de no tener aspecto de ser padre de una veinteañera, es algo que no está en su experiencia y por tanto no puede haber condicionado ni su apariencia ni su personalidad. Es posible, sin embargo, que la barba lo envejezca un poco. Desde que ha pedido la excedencia suele llevar barba de días, pero no ha vuelto a afeitarse desde su llegada a la ciudad y el pelo está quizá demasiado crecido, muy canoso en el mentón. Sería mejor recortársela, minimizar esa punta blanca de… ¿druida?

Mientras camina sorteando obstáculos y transeúntes le apetece sentarse a tomar un simple café cortado y pensar en todo ello. Pero la perspectiva de meterse en un *Deli* y volverse loco tratando de descubrir qué clase de bebida puede tomarse allí y qué pasos hay que dar para procurársela le da pereza. De modo que renuncia al café y sigue caminando en dirección oeste con la vaga idea de entrar en la Public Library y pedir turno para conectarse a Internet.

Ya en el cruce con la Quinta, sobre el zumbido del tráfico, los pájaros trinan en el jardín de entrada a la biblioteca. Distingue a uno muy vistoso que hincha el pecho colorado en la rama de un arbusto, a pocos metros del ondulante asfalto por el que navegan taxis y limusinas como torpes galeones. Pero nada importa el tráfico ni el cielo aprisionado entre torres de setenta plantas: el pequeño galán de pecho encendido emplea lo mejor de sí mismo en seducir a la hembra, lo mismo allí que en el bosque más remoto del planeta.

T se detiene un momento justo a la entrada del edificio, da media vuelta y vuelve a bajar la escalinata.

En su habitación abre la guía de la ciudad para consultar el índice. «Compras», «Ropa de Rebajas». Marca a bolígrafo varias direcciones: Daffy's, en Herald Square; Filene's Basement, en la Sexta con la 18… Después baja otra vez a la calle, se deja engullir por el metro en Penn Station y emerge en Canal Street. Allí le compra a un negro un relojito de cinco dólares, muy aparente en su sencillez de esfera negra, y también se hace con un rasurador eléctrico en un bazar chino.

Después come un pedazo de pizza mientras sube por Broadway con intención de llegar andando hasta la 18, un largo paseo entre la multitud de todos los colores. A la altura del SoHo, un jeep negro sin capota ni parabrisas pasa muy lentamente. Lo ocupan dos gigantescos *skin-heads* de piel rosada y uniforme de comando militar, negro de arriba abajo. Conduce con una sola mano el más musculoso, se le distinguen los tríceps incluso con el brazo en flexión sobre el volante; el otro es simplemente descomunal, un oso polar con una gruesa lorza de carne en el pescuezo y una esvástica tatuada entre la lustrosa bota y la pernera. Ambos buscan los ojos de los peatones, algo inaudito en la ciudad, sin duda una provocación.

T, que mastica su último bocado de pizza, se detiene y clava la vista en la cara del oso polar, incluso gira con él al paso del coche, mirando y masticando lentamente. El oso, apercibido de la extraña inmovilidad rotatoria de la figura de la acera, pasa la vista sobre ella, enfoca a corta distancia, se detiene una fracción de segundo en los ojos que lo miran y, de inmediato, aparta los suyos hacia más atrás, y luego hacia lo lejos. El conductor de los tríceps, ajeno al juego de miradas, sigue conduciendo lentamente camino de Union Square, y T escupe en una papelera el último bocado que la efusión de adrenalina no le deja tragar a gusto. No puede evitar darle una patada a la papelera, de la que saltan papeles. Algunos transeúntes se desvían un poco al intuir peligro, pero a T le basta dar unos pasos para volver a diluirse en el tráfico general y pasar desapercibido.

Ya en la 18, bastante atemperada su excitación, T entra primero en T. J. Maxx y busca el departamento de camisas. Las encuentra colgadas a centenares, muy baratas, restos de serie de marcas reconocibles incluso para él, que no entiende de marcas. Una de ellas, de rojo oscuro pero muy intenso, le hace pensar en el pajarillo de los jardines de la biblioteca y la añade al carro sin dudarlo. Después elige dos pares de pantalones que no puede probarse porque no hay probadores; un traje gris de buen paño y, por último, una americana Gales a juego con cualquiera de los pantalones. Con eso da por terminadas las compras a falta de encontrar zapatos apropiados en alguna tienda del Garment.

Sale del edificio cargado con dos enormes bolsas de plástico, tan fino que amenaza con romperse en cualquier momento. Pero no le apetece meterse en el metro con semejante impedimenta, y es mala hora para parar un taxi, de modo que camina quince manzanas al norte hasta reconocer la torre negra del Madison Square Garden. En el vestíbulo del hotel, el guardia del turno de tarde le pide la tarjeta. Es igual de grande que el de la mañana, pero blanco y rubio. Esta vez T ni siquiera suelta las bolsas, sólo se queda mirándolo un segundo con las cejas levantadas. El guardia deshincha el pecho bajo el traje: *OK, OK, I know...*

EN EL MUNDO

A las diez de la mañana acaban de abrir la tienda de discos y el comisario sólo encuentra dentro a dos empleados que charlan en el mostrador del fondo. Cerca de la entrada, un plafón electrónico anuncia los diez álbumes más vendidos. El comisario no reconoce ninguno. Se mueve entre los aparadores rotulados: HOUSE, HIP-HOP, INDIE... Las palabras no le son familiares. Trata de llamar la atención de los dependientes mirándolos con insistencia desde lejos. Nada. Se acerca a ellos y se queda plantado a pocos metros, con las manos enlazadas en la espalda. Los dos muchachos le dirigen una mirada fugaz pero no interrumpen su conversación:

—¿Y cuántos años tiene?

—Diecinueve.

—Uh, qué joven...

—Pero es guapísimo, y tiene un estilazo que te cagas.

—Uf, sí, pero tan joven...

El más preocupado por la juventud del guapo en discordia luce finas patillas en punta, camiseta fucsia que deja visible el *piercing* umbilical, y cinturón de charol blanco que le festonea los vaqueros sin llegar a sujetárselos. El comisario se acerca hasta el borde mismo del mostrador y apoya las manos cruzadas sobre la superficie, justo entre los dos contertulios.

—¿Desea algo, caballero? —dice el del ombligo al aire.

—Buenos días por la mañana…

—Buenos… ¿Busca algo?

—Sí, busco algo… Un disco.

—Qué disco.

—Lo canta un tal Manochao.

—Manu Chao… Qué disco le interesa de Manu Chao.

—No sé…, *me gusta la marihuana y me gustas tú…* Eso es lo que dice la letra, yo no suscribo la frase.

Mirada de arriba abajo; caída de pestañas:

—Ya me lo supongo… Está incluido en el álbum *Estación Esperanza*. Pero es bastante antiguo, de hace un par de temporadas…

—Es el que busco.

El comisario sigue al muchacho por el laberinto de estanterías hasta la marcada con el rótulo Pop Nacional. El chico rebusca en la M y extrae un CD amarillo que al comisario le parece un disco infantil, con una especie de payaso guitarrista en la portada.

—¿Seguro que es éste?

—Bueno, puede que no estemos muy atentos a los clientes que entran, pero todavía entendemos de música…

—Eso espero. ¿Lo tienen en caset?

—Uh, por Dios: eso ya no existe…

—¿Ah no?: pues yo he visto casetes a la venta no hace ni una semana.

—Sería en una gasolinera de pueblo… Aquí vendemos únicamente CD y DVD: ésta es una tienda seria.

—Ya… ¿Y qué pasa si alguien no tiene aparato de… cedés?

—Pues no sabría decirle…; siempre puede comprarse unas partituras de pasodobles y tocarlos al piano. Los tiempos cambian, caballero.

—Ya lo veo: por lo visto ahora los pasodobles se tocan

al piano… En fin, no es que sea usted un vendedor muy simpático, y por lo que veo tampoco entiende tanto de música, pero me llevo el disco de todas maneras.

—Lo siento, yo sólo me siento obligado a ser simpático con mi novio, aquí me limito a vender discos.

—Le comprendo muy bien, joven: yo tampoco soy simpático excepto con mi mujer, así que no es necesario que me cuente su vida, bastará con que me envuelva el disco.

Otra mirada de arriba abajo; otra caída de pestañas:

—Muy bien, será un placer terminar con usted cuanto antes.

El comisario sale a la calle con la certeza de que la humanidad ha perdido el norte y el mundo está a punto de colapsarse. Trata de meter la bolsa con el CD en el bolsillo de la americana. No le cabe. Se aviene a llevarla colgando de la mano. Camina por callejas sombrías, sucias de orines, de papeles, de excrementos de paloma. Se fija una vez más en la autocaravana del ayuntamiento que ofrece jeringuillas y preservativos gratis. En lo que él ha podido observar, nunca se acerca nadie a pedir nada, y mucho menos los yonquis, que huyen como de la peste de cualquier vehículo pintado de azul y blanco. En cualquier caso, combatir los contagios regalando condones y jeringuillas esterilizadas le parece al comisario tan absurdo como combatir la caza furtiva regalando escopetas sin balas. La extraña lógica de los nuevos tiempos, piensa: blandura, condescendencia, debilidad de las autoridades…

Llega al edificio de la comisaría como quien arriba a una isla de orden y limpieza. Eso al menos le gusta del nuevo edificio: es limpio y ordenado, Estilo Internacional reinterpretado por un minimalista posmoderno. Por lo demás, la Central ha sido siempre una poderosa fortaleza con troneras, y ahora en cambio parece un acuario panorámico, frágil e indiscreto. El comisario cruza puertas acristaladas y responde vagamente a saludos tomando la bolsa del CD con toda la mano para ocultar el logotipo de la tienda. Sube en el ascensor al segundo piso, saluda de viva voz a Varela, que está de guardia ante sus dependencias. Arriba todavía huele a nuevo, a la madera de las puertas y a las tapicerías de cuero, y sus pasos resuenan sobre el suelo de mármol blanco. Entra en la sala de juntas anexa a su despacho para beber agua. Le han instalado allí una cafetera eléctrica, un pequeño frigorífico y un surtidor de agua mineral, fría o del tiempo. También tiene plaza de aparcamiento reservada en el sótano, climatizador independiente del resto del edificio, un aseo particular con gruesas toallas, y dos butacas y un sofá de terciopelo azulón que usa para estirarse después de comer en la cafetería del primer piso. Sólo la bandera, el escudo de la policía («Sacrificio, Técnica, Constancia»), y la foto del jefe del Estado le recuerda que sigue siendo un funcionario medianamente remunerado. En realidad le sobra espacio, todo está en otra planta, no se puede llamar a nadie a gritos, hay que usar constantemente el intercomunicador... Pero, sobre todo, le disgusta el enorme ventanal a la calle que queda a la espalda de su sillón de despacho. No hace más que enmarcar fachadas sucias, tristes colecciones de ropa tendida, diminutas ventanas tras las que se hacinan los inmigrantes ilegales. «Los tiempos cambian, caballero», se dice en voz alta, mirando el CD que ha sacado de la bolsa. Lo mete en un cajón y repara en que Varela le ha dejado unas hojas de fax en la bandeja. Las toma y lee la cabecera:

ENVÍO POR TELEFAX.
De: Int. Antonio Berganza, BH Provincial.
Para: Cs. principal Pujol, Central.
Asunto: Informe «Uni-Pork».
Páginas incluida ésta: 23.

★ ★ ★

El comisario aprovecha la hora de comer para acercarse al edificio de la policía científica. Es el de siempre, conserva la arquitectura gris y opaca de todo el complejo de departamentos que formaban la vieja Central. A la entrada lo saluda el agente de uniforme que está de guardia. El comisario levanta la mano para corresponder y se dirige al Departamento de Criminología. El único psiquiatra que está de servicio en ese momento es Puértolas, no hay alternativa. Así que el comisario se resigna a ponerlo en antecedentes y armarse de paciencia.

—Bien, eh, «En el nombre del cerdo», sí, mmm, parece... remitir a la fórmula que se pronuncia al persignarse, ¿verdad?: «En el nombre del Padre, del Hijo y del Espíritu Santo», ¿no?, etcétera.

El comisario asiente.

—En este caso parece que el Cerdo se opone al... Padre, ¿verdad?, es decir, a Dios..., de modo que el Cerdo bien pudiera ser aquí el Diablo, naturalmente..., mmmm, pero no un diablo cualquiera, sino el mismísimo Satán, ¿verdad? Lástima que la nota esté enteramente escrita en mayúsculas..., hubiera..., hubiera sido interesante... comprobar exactamente, ¿verdad?, si la «C» inicial de «cerdo» era una letra... capital. Eso nos hubiera resultado muy útil, en efecto, aunque desde luego el animal más... firmemente asociado a la figura del Diablo es..., en la cultura cristiana, naturalmente..., es el macho cabrío, ¿verdad?, etcétera..., pero también la serpiente, ¿verdad?, y el gato, y el gallo, y el mastín negro, y, naturalmente, déjeme pensar..., el lobo, ¿verdad?, el lobo..., y la rata, y el sapo, y el piojo, en efecto..., en realidad cualquier bicho, ¿verdad?, a ser posible repugnante y, naturalmente, también agresivo..., peligroso, o causante de males y epidemias,

¿verdad?, o simplemente de color negro, o asociado a…, de alguna manera, a la muerte, ¿verdad?, como… la cucaracha, o el cuervo, etcétera. Desde luego es también posible encontrar un diablo capaz de… encarnarse en un cervatillo, ¿verdad?, o en un… conejito blanco, para…, en procura de sus fines maléficos…, etcétera… Pero un conejito no será nunca el… emblema de Satán, ¿verdad?, el conejito blanco es… casi siempre… la víctima. El cerdo en cambio…, ¿verdad?…, naturalmente es susceptible de interpretarse como inmundo…, se regocija en… el fango, y los excrementos, etcétera, y es sucio, pestilente y posee también un aire de…, de…, ¿verdad?, de… terrenalidad, etcétera, que…, naturalmente, que lo aproxima a lo diabólico, ¿verdad?, etcétera. Recuerdo, recuerdo…, en *El Jardín de las Delicias…* de El Bosco, naturalmente…, a la derecha, ¿se acuerda?, el Paraíso a la izquierda…, el Mundo en el centro y, en la izquierda…, el Infierno, ¿verdad?… Bien, pues…, al final del Infierno hay…, hay un cerdo vestido de…, vestido de monja, etcétera…, y parece que, en fin, parece estar, como instigando al hombre a… a firmar…, firmar un contrato, ¿verdad? Dicen que…, que ese hombre es el propio… autor, El Bosco, naturalmente…

El comisario trata de atajar en lo posible las ramificaciones pictóricas del asunto:

—¿De modo que Cerdo y Diablo pueden ser aquí equivalentes?

—Bueno…, en efecto… En cierto modo, naturalmente… Piense en algunas… expresiones comunes… «Gozar como un cerdo», se dice… o «Disfrutar como cerdos», ¿verdad?, etcétera, lo que remite naturalmente a la libidinosidad…, a la lujuria, en efecto, caracteres también muy, naturalmente muy… del diablo, ¿verdad?, igual que «Comer como cerdos», que es, en efecto, comer sin modales pero también… con gula, ¿verdad?, o… un «Cerdo con tirantes», que es la imagen del rico perverso, del tirano, ¿verdad?, igual que el Diablo es…, naturalmente, opulento y tirano, etcétera. Estoy, naturalmente…, estoy improvisando, ¿verdad?, pero veo bastante clara la… identificación cerdo-placer y… cerdo-pecado y… cerdo-inmundicia, etcétera, y, por tanto, por tanto, por tanto, veo muy clara la conexión…, eh…, Cerdo-Diablo, que es… en efecto…, es a lo que naturalmente queríamos… llegar.

—Y habiéndose encontrado el cadáver en un matadero de cerdos, no podría considerarse una justificación más sencilla para el texto…

—En ese caso…, naturalmente…, en ese caso no habría nada que… decir, ¿verdad? Pero es posible que no se nombre al cerdo porque…, en efecto, se mate en un matadero sino que…, cómo decir…, quizá, quizá…, quizá se mata en un matadero para…, ¿verdad?, para mejor… nombrar al cerdo, naturalmente. No deberíamos perder de vista que el animal elegido, ¿verdad?, es efectivamente el que es y no, ¿verdad?, no es otro cualquiera. Y no me refiero sólo… a, naturalmente, a la irreverencia que supone, ¿verdad?, asociar Padre-Cerdo, o a sus implicaciones, naturalmente, psicoanalíticas, sino también, a razones de concinitas, eh…, ¿cómo diría?…

—¿Al sonido de las palabras?

—Efectivamente…, a la métrica, y a toda clase de… razones estéticas, ¿verdad?…, la palabra «Cerdo», contiene, ¿verdad?, dos sílabas… tónica la primera y átona, naturalmente, la segunda…, como «Padre», en efecto…, y decir «En el nombre del Piojo» no tiene, naturalmente, el mismo… estímulo para, efectivamente, el, en este caso, el poeta, ¿verdad? Sin embargo, «En el nombre del Cerdo» suena… bien, es… un bello sintagma, como, ¿verdad?, el título de una…, de un… manifiesto, o… doctrina.

—Entiendo… —El comisario hace una pausa para

cambiar de rumbo—. ¿Usted diría entonces que se trata de alguna clase de enfermo mental?

—Mmm…, apuesto más bien por un… psicópata… quizá. Es posible, naturalmente…

—¿Un psicópata no es un enfermo mental?

—No exactamente… Falta de empatía es la, ¿verdad?, expresión más… aproximada al caso del psicópata…, o sociópata, ¿verdad?, como…, como dicen nuestros… colegas americanos, naturalmente. Puedo recomendarle…, le recomiendo un libro…, naturalmente mera divulgación, ¿verdad?…, lo encontrará en cualquier…, para que se haga… una idea, sí, una idea.

—¿Podría anotarme el título?

★ ★ ★

El comisario disfruta de la vuelta a casa en autobús pese al colapso de tráfico. Queda atrás el lóbrego centro histórico, después la decimonónica cuadrícula urbana de edificios neoclásicos, se adentra finalmente en su barrio, convertido en los últimos años en una cotizada zona de residencia, limpia y tranquila. Llegando a su parada ve por la ventanilla un nuevo cartel de EN VENTA colgando de una terraza, en el ático de una finca esquinera de ladrillo, y calcula mentalmente su precio probable. Se pregunta entonces dónde podría vivir el primer comisario de policía de la ciudad si tuviera que comprar su vivienda en la actualidad. Probablemente fuera de la ciudad.

Baja del autobús con la enorme bolsa de plástico que trae y atraviesa el parque. No hay caravanas del ayuntamiento que regalen jeringuillas, ni excrementos de paloma, ni paredes manchadas de orines; el aire trae perfume de adelfas y el sol hace brillar todavía los macizos de césped. Se ven niños jugando en la zona de columpios, limpios y bien vestidos, quizá un poco desaliñados por los movimientos del juego pero sin duda niños cuidados, siempre bajo la cercana vigilancia de madres, abuelos y tatas de piel morena que charlan en los bancos. El comisario sabe que ninguno de ellos pisará una comisaría jamás, salvo quizá para denunciar un robo en su apartamento de veraneo. Y que seguramente algún día serán adultos respetables y albergarán la complaciente seguridad de merecer cuanto tienen.

El edificio del comisario es uno de los más antiguos de la calle, de ladrillo rojo, de los pocos de protección oficial que en su día se construyeron en la zona. Sube al quinto en el moderno ascensor que han instalado tras la restauración de la finca y abre su puerta, la número 2. Adentro, papel pintado Morrison verde oscuro, mueble bajo con molduras, dos marinas enmarcadas en dorado, perchero de madera. Olor a tortilla de patatas.

—Hola-hola —voz alta y cantarina del comisario.

Voz femenina desde lejos:

—¿Ya estás aquí?, es pronto, ¿no?

—Es que te echaba de menos y he salido antes…

—Pues hoy voy retrasada, ha venido mi hermana a buscarme y hemos estado en El Corte Inglés hasta las siete. Por la lista de boda de María Teresa…

—Qué hermana…

—María Luisa.

El comisario deja la bolsa en el recibidor y entra en la cocina. Su mujer está de espaldas ante el fogón: metro sesenta y cinco, complexión pícnica, cabello teñido de castaño y recogido en un moño bajo. Delantal, zapatillas con pompón, expresión risueña cuando gira la cara para ofrecer los labios. Se dan un beso breve que al comisario le cae en la comisura del bigote por la diferencia de alturas.

—Apártate que te va a tomar olor a tortilla el traje.

—Bueno, olerá bien…

—No seas tonto, vete a cambiar. ¿Qué has traído, he oído ruido de bolsas?

—Ahora te lo enseño, déjame que me quite los zapatos.

El comisario abre la puerta de la galería anexa a la cocina, se descalza con un suspiro de alivio y se pone las zapatillas.

—¿Todavía te duelen?

—Ya casi no, pero llevo diez horas seguidas con ellos puestos.

—¿No te has estirado un rato después de comer?, ahora que te han puesto sofá…

—No, he aprovechado para ir a la Científica…, y para comprar una cosa…

—¿Quieres que te los lleve a la horma? Los tuve tres días con periódicos húmedos, pero como son de piel dura…

—Es igual, mañana me pondré los viejos para descansar. Voy a cambiarme y a ver cómo está el gato.

El comisario entra en el dormitorio y saluda al peluche del gato Garfield que reposa en la cama de matrimonio, entre las dos almohadas. Venía en una cesta navideña que le tocó en la rifa de la cafetería de la Central, hace tres o cuatro años, y el comisario se lo trajo a casa sin sospechar que iba a convertirse en el rey de su dormitorio. «Hola, Garfield», dice en voz muy alta para que se oiga desde la cocina. Después se quita las gafas para frotarse el puente de la nariz ante el espejo del tocador y se observa atentamente los ojos. El comisario suele ocultar la mirada como se oculta un feo eccema, al extremo de procurar evitársela incluso a su mujer, la única persona además de su óptico que tiene acceso a sus ojos desnudos. Pero tampoco con las gafas mira fijamente a nadie a menos que pueda hacerlo sonriendo, lo que siempre le arquea el bigote de una forma simpática, tipo gato Garfield. O a menos, naturalmente, que se trate de un interrogatorio, en cuyo caso sus ojos han resultado siempre muy útiles.

Cuando sale del dormitorio lleva unos pantalones viejos sujetos con tirantes y una camisa de cuadros. Recupera en el pasillo la enorme bolsa con la que ha llegado y vuelve a entrar en la cocina:

—Mira, ¿quieres ver lo que he comprado?

—Qué es...

—Una cosa que suena...

—Uy, es muy grande...

—Es un aparato para oír discos compactos.

—¿Y eso...?

—El magnetófono no vale para nada, ahora todo viene en discos compactos...

—¿Y desde cuándo te gusta a ti oír discos?

—Antes escuchábamos discos en casa...

—Y qué discos quieres que oigamos ahora, si no tenemos ninguno para este aparato...

El comisario se tira un poco de las perneras hasta descubrir los calcetines y se pone a bailotear taconeando con las zapatillas:

—*Me gustan los discos y me gustas tú / me gusta la tortilla y me gustas tú.*

Su mujer se ha puesto en jarras, con la rasera en la mano:

—Madre de Dios: ¿a ver si te han echado en el agua una de esas porquerías que les quitáis a los chicos?

El comisario se acerca bailando, la atrapa por la cintura, le da una palmada en una nalga. Ella trata de ponerse seria, de desembarazarse, pide que la suelte. Él reclama un beso a cambio. Ella concede, pero en la refriega el beso vuelve a caerle al comisario en el bigote, así que quiere otro. Entretanto ha empezado a sonar el teléfono: «Venga, déjate de tonterías y vete a contestar, que estoy con la tortilla».

El comisario va hacia la sala no sin antes darle otro azote a su presa. Descuelga. Desde la cocina se oye su saludo, «Hombre, el viajero…», pero el resto de la conversación resulta casi inaudible. No pasa mucho tiempo hablando, dos o tres minutos, «Bueno cuídate, y llama de vez en cuando… Ahora mismo se lo doy, de tu parte…».

Enseguida, el comisario vuelve a la cocina:

—Me acaban de dar otro beso para ti, así que ya me debes dos.

—¿Ah sí?, quién…

—Tomás, desde Nueva York.

—Ah y qué tal el viaje…

—Bien…, que la habitación del hotel es un asco, pero que casi se cae redondo cuando se tropezó con el primer rascacielos. Dice que los de aquí parecen de juguete en comparación… Se le ve contento…, por lo visto nada más llegar anoche salió de copas hasta las tantas…

—Menudo tiene que ser aquello por la noche…, qué miedo.

—Dice que no, que el centro está lleno de gente… Además, si no sabe cuidarse él…

—Bueno, bueno…

—Oye, ¿no te gustaría que fuéramos tú y yo, a Nueva York? En cuanto me jubile podemos ir a una agencia de viajes y preguntar…

—Huy, no…, un viaje tan largo…, y sin saber el idioma…

—Bueno, si Tomás se instala allí podrá hacernos de cicerone. Y dicen que mucha gente habla español.

—… y tantas horas de avión…

El comisario ha vuelto a acortar distancias:

—Bueno, de momento vamos a ver qué pasa con esos dos besos que me debes.

—Estate quieto, José María, que estás tú hoy muy pegajoso.

EN EL PARAÍSO

El miércoles, T se despierta a las ocho con la radio de la mesilla. Días atrás ha encontrado una estación que emite una mesa redonda humorística con participación telefónica de los oyentes. Le viene bien para precalentar su *listening* antes de salir a desayunar y enfrentarse a las preguntas rápidas de los camareros. Esta mañana se propone como tema de tertulia cuál es la cualidad de un hombre que más valoran las mujeres. T va al baño a orinar y, contra su costumbre, vuelve a sentarse en la cama a fumar antes de cepillarse los dientes y ducharse.

Después de una introducción a cargo de los reunidos en el locutorio, el director del programa da paso a las llamadas en directo. A T le cuesta seguir los diálogos, pero alcanza a comprender que se menciona la inteligencia, la ternura, la caballerosidad... Una oyente chistosa habla de dinero y tarjetas de crédito, y otra introduce el asunto de las tallas y medidas, lo que da ocasión a muchas risitas y juegos de palabras ininteligibles en la mesa redonda. Sin embargo, casi todas las mujeres que llaman al programa mencionan el sentido del humor como principal activo de un hombre, ése es de largo el más repetido de los tópicos. Y una especialista en temas de pareja que ha sido invitada al locutorio confirma la importancia de ese rasgo: según ella, reír equivale a ser feliz, así que un hombre capaz de hacer reír a una mujer lo tiene casi todo ganado. Aquello funciona a modo de conclusión acordada por todos los participantes en la mesa, que al fin y al cabo son humoristas y por tanto están encantados con lo dicho. Después pinchan *My baby just cares for me* y T se mete en la ducha canturreando la letra que se sabe a medias.

Bajo el agua, T piensa en cuál puede ser la cualidad que más puede valorar una veinteañera que viste trajes sastre y cuenta chistes poniendo cara de Popeye. ¿Es posible hacer reír a una mujer así? Desde luego T tiene sentido del humor, pero no acostumbra a manifestarlo, lo que bien mirado es como tener dinero pero no gastarlo. Quizá puede decirse que es tacaño con su sentido del humor... Eso es: tacaño con su sentido del humor; le parece una buena manera de expresarlo. Por otro lado es apuesto, incluso muy apuesto, tiene razones para sentirse seguro de eso. Recuerda su primer viaje en metro en la ciudad. Una negra muy guapa insistió en mirarlo persistentemente. T nunca se había enfrentado a una mirada semejante en aquella parte del mundo, pero comprendió claramente lo que estaba ocurriendo, no le cupo duda de que le hubiera bastado con sostener la vista, bajar en la misma parada que la chica, y seguirla hasta donde ella quisiera llevarlo. Sin embargo, no había ni coquetería ni voluntad de seducción en los ojos de ella, era una interpelación fría y decidida, quizá como la de los *skin-head* del jeep, pero en este caso T pasó el viaje en metro procurando mirar a otra parte y comprobando de vez en cuando que la chica insistía con descaro. En días sucesivos le había ocurrido lo mismo otras veces, aunque siempre con blancas anglosajonas, la negra del metro había sido la excepción. Y también había querido ligar con él un blanco, en el West Village, un joven muy delgado con traje de lino crudo. De manera que en pocos días habría podido tener contacto con media docena de personas distintas, gratis y sin hacer ningún esfuerzo para seducirlas, sólo gracias a su aspecto.

Ciertamente, debe de ser un hombre atractivo, piensa T. Además también puede ser amable, educado, caballeroso… Resumiendo: es un tipo guapo y cortés. ¿Algo más? Recuerda de pronto las palabras textuales de cierta mujer que pertenece a su pasado. «Eres desesperadamente triste y solitario, no hay manera de llegar a ti.» En su momento T no terminó de entender de qué lo estaban acusando, pero permaneció callado, escuchando aquel veredicto que lo hacía sentirse vagamente culpable. «No hablas de tus sentimientos, estar contigo es como estar con un autista.» Ella pronunciaba las palabras con furia creciente a medida que él se apocaba en su silencio: «Tienes que acabar con tu tristeza de una maldita vez por todas: vomita todo eso tan tremendo que guardas y termina ya, por el amor de Dios». Aquellas últimas palabras le parecieron a T insoportablemente crueles, tanto que reaccionó de forma que no recuerda. Su memoria trata a menudo de ahorrarle los malos recuerdos. Pero eso le pasa a todo el mundo, ¿no? Todos aprendemos a olvidar lo que nos duele…

Sale de la ducha y se seca. Después va en busca del rasurador eléctrico. Debería haberse afeitado antes de ducharse, ahora se le van a enganchar todos los pelos sobre la piel húmeda. Siempre al son de la radio, se rasura y luego se afeita a cuchilla hasta dejar su cara desnuda, suave y ligeramente azulada allí donde antes hubo pelo. Luego se concentra en elegir su atuendo. Además de la ropa y el relojito de esfera negra, la tarde anterior ha comprado unos zapatos negros de estilo italiano, 199 dólares, un frasco de Boucheron, 105 dólares, y una gorra de cuero que encontró en una sombrerería de Herald

Square, 59 dólares. Lo extiende todo sobre la cama y después de algunas pruebas se decide por el traje gris sobre una fina camisa de Hugo Boss. Al final se encasqueta la gorra de cuero un poco ladeada. Luego se mira al espejo entero de la puerta del baño, tratando de no chapotear mucho en el suelo inundado. En realidad no parece haberse quitado muchos años de encima, y tampoco se siente muy seguro de que la gorra le dé el oportuno aspecto *Irish* que él pretende, eso sin contar con que seguramente es una simpleza el suponer que a una medio irlandesa le van a gustar los hombres con gorra. En cualquier caso puede decirse de su *look* que resulta bastante europeo, más simple y a la vez más sofisticado que el de la ciudad. Así que se da el visto bueno y sale a la calle.

Es una mañana gris y húmeda, las calles sueltan vapor por todas sus rendijas y los edificios más altos desaparecen entre las nubes como fantasmas desmochados. Subiendo por la Quinta se fija en los transeúntes para comprobar si su gorra de cuero llama la atención. Ve a una rubia con minifalda saliendo de una boutique en compañía de su millonario de opereta, un cincuentón gordo vestido de etiqueta y con un puro humeante entre los dientes pese a la estricta prohibición de fumar que rige en todas partes. Un poco más arriba, un negro en calzoncillos y bata de hospital arrastra sus pertenencias en una caja de fruta que lleva ligada al pecho con un cordel. En un escaparate enmarcado en mármol africano se exhibe un esmoquin con aparatosos broches de bota de esquiar en lugar de botones. Pasa un enorme descapotable rojo tapizado en cuero blanco; en el asiento de atrás han instalado una voluminosa cámara de cine tras la que el operador filma la estela que dejan en el tráfico. Y, naturalmente, nadie repara en la gorra de T.

Ya ha conseguido olvidarse de ella cuando llega al edificio de la 42 y vuelve a verse en un espejo del vestíbulo, protegido de la vista del conserje. De pronto le parece que la gorra no le sienta tan bien como creía, quizá tiene demasiado aspecto de nueva. Se la quita, se arregla el peinado con los dedos, se acerca más al espejo, descubre que le ha quedado una marca roja en la frente… Cuando llega arriba y llama al timbre del Instituto ha perdido toda la seguridad en sí mismo.

—Buenos días. Vengo a ver a Suzanne, ayer olvidé traer mi pasaporte…

—*OK*, adelante —dice Diane Keaton.

★ ★ ★

Suzanne está concentrada en una conversación telefónica, ni siquiera se gira para ver quién entra. Su peinado es aproximadamente el mismo que el de ayer, recogido en un bucle trasero, pero ahora viste un cuello cisne tipo Audrey Hepburn. Eso deja una cierta libertad de movimiento a los senos bajo la tela de lana fina; no muy grandes, sin duda sostenidos con ayuda de corsetería, se diría que innecesariamente. T se para ante la mesa y ella alza un momento la vista mientras escucha al teléfono. No lo reconoce a la primera, pero se nota que lo que ve le interesa, porque vuelve a mirarlo por segunda vez. T cree notar que en esta segunda mirada ella se ha fijado especialmente en la gorra. ¿Eso es bueno o es malo? Cuando lo mira por tercera vez sí lo reconoce: sonríe maravillosamente bien y lo invita por señas a sentarse. Inmediatamente hace cara de «Menudo pesado me ha tocado al teléfono»: párpados caídos y mentón descolgado como quien está a punto de dormirse. ¿Debe T quitarse la gorra? Está en un interior y ante una mujer, pero ¿descubrirse no resultará un gesto anticuado, hasta cursi? Nunca nadie en la ciudad se quita las gorras al entrar en ningún sitio… Claro que la mayoría de las gorras que se ven son de béisbol y se llevan al revés, lo que no invita a comportarse como un caballero de fina estampa sino a rapear obscenidades. Pero ¿qué pasa si uno lleva una gorra de inmigrante irlandés decimonónico? Quizá lo apropiado es quitársela, doblarla y guardarla en el bolsillo del traje, caso de que quepa en él. Desde luego lo que no va a hacer es quedarse sosteniéndola en las manos como un gañán ante la marquesa, una actitud semejante no haría juego ni con la camisa Hugo Boss, ni con la Boucheron de cien dólares, ni con el *skyline* de vértigo que se ve por la ventana. Lo seguro es que no debía haberse puesto la maldita gorra con apresto de nueva: da calor, atufa a cuero, deja la frente marcada con una línea roja y no sabe uno qué hacer con ella ante una muchacha vestida de Audrey Hepburn.

—Madre mía, cómo está hoy la gente. ¿Había luna llena ayer?… —le dice la muchacha vestida de Audrey Hepburn cuando al fin consigue colgar el teléfono.

—No sé: desde la habitación de mi hotel sólo veo zapatos… Vengo a traer el pasaporte. ¿Te acuerdas…?

—Sí, la beca… Perdone, me ha costado un poco reconocerlo cuando ha entrado…, se ha afeitado la barba…

T siente que sus nervios se calman, como un actor cuando por fin se ha alzado el telón y ya sólo puede actuar. Y él es un buen actor:

—Mujer, no me hables de usted… ¿Tan viejo te parezco?

Ella hace el innecesario gesto de recogerse una greña tras la oreja:

—Bueno, los he visto peores… —Sonríe.

¿Eso es coquetería? En cualquier caso el tono es propicio para que T dé otra media vuelta de tuerca:

—¿Debo tomarlo como un halago? —También sonríe.

Ella hace gesto de pensarlo un momento:

—Mmm…, no. Bueno, sí: siento debilidad por las gorras. Es que de pequeña me mordió un perro…

Naturalmente la incongruencia es un reto al ingenio de T, y viene acompañada de enormes parpadeos de avestruz perpleja.

Él vacila un momento, toma aire y dice:

—Quien fuera perro…

Desde luego no es una respuesta ingeniosa, pero sí es audaz, contundente… Y produce su efecto, se nota en la forma en que ella desencaja la mandíbula de lado y alza las pupilas al cielo, quizá en la parodia de un boxeador al borde del *Knock Out*. Pero él sabe que de momento no hay que insistir en esa dirección, esto ha sido sólo un amago, así que, como a punto y seguido, añade:

—Bueno, vengo a traerte el pasaporte y a hacerte unas consultas…

Aquí, T hace algunas preguntas que tenía preparadas para la ocasión: plazos para la respuesta, prorrogación de las becas… Es el momento de insertar un poco de conversación que ella pueda juzgar inteligente pero también personal, con toques de sensibilidad. A propósito de la discusión sobre la conveniencia o no de volver a España mientras se tramita la solicitud, T comenta que no le apetece nada regresar, que prefiere quedarse allí el tiempo necesario, y eso da pie para hablar de la fascinación que ejerce sobre él la ciudad: las escaleras mecánicas de un siglo de antigüedad, las cajas registradoras con manivela, los ascensores de latón de los que uno siempre espera ver salir a Spencer Tracy… También manifiesta con sentidas palabras en qué forma todo le parece sorprendentemente viejo, con ese antiguo esplendor que recuerda en blanco y negro desde niño, siempre enmarcado por el televisor o la pantalla del cine, y que ahora se le aparece a diario en sus colores reales, en su tamaño descomunal, en su brillo decadente como el lustre de un perro muerto. T se cuida mucho de mencionar el perro muerto, naturalmente, lo mismo que su metáfora de los gusanos afanados sobre el cadáver, pero a cambio procura involucrarla más en la conversación preguntándole dónde vivía antes de llegar a la ciudad. Ella explica que en los últimos años alternaba entre Santander y Sligo: estudiaba en España y pasaba las vacaciones en Irlanda. Pero ahí se detiene porque está un poco aturdida por este tipo que ayer parecía Indiana Jones y hoy parece James Bond y además se atreve a sugerir que le gustaría ser perro para poder morderla. Guau.

—Bueno, no quiero entretenerte más, esta vez no he olvidado el pasaporte… —dice T cuando comprende que ella necesita un rato de reposo porque en los últimos minutos ya ni siquiera está haciendo muecas.

—OK —dice ella con su sonrisa de verdad, sin deformar; después se levanta de la silla y se acerca a él—. Déjamelo un momento, voy a hacer una fotocopia. Bueno, dos: una de la primera página y otra de la fecha de llegada. Es para los de inmigración… —se acerca a la fotocopiadora y coloca el original—. ¿Puedes darme un teléfono de contacto?

—Sí, el de mi hotel. El número es el de la canción de Glenn Miller: Pennsylvania seis mil no sé cuántos.

—Espera, mejor te doy mi tarjeta —se acerca a su mesa y toma una de un montón—. Calcula un par de semanas y me llamas.

T juzga que éste es el momento de insistir en la dirección antes abandonada:

—No sé si tendré tanta paciencia —sonríe.

—Bueno, antes de ese tiempo no creo que sepamos

nada… —dice ella, iluminada por el fogonazo de luz de la fotocopiadora.

—Es igual, me gustará oír tu voz, aunque sea para decirme que todavía no sabes nada.

Sorpresa mal disimulada de ella:

—Bueno…, pues aquí estoy.

T sale de las oficinas con la tarjeta todavía en la mano. La lee: «Instituto de Estudios Aplicados. Suzanne Ortega. Administración». Trae la dirección y un número de teléfono.

★ ★ ★

A la mañana siguiente, T ha estado caminando sin rumbo claro y desemboca en Times Square. Un tipo vestido con tanga, botas camperas y sombrero de *cowboy*, todo en blanco a juego, toca la guitarra en una de las isletas centrales. Varias turistas de edad provecta se turnan para fotografiarse con él mientras posa haciendo volar su rubia melena o se queda congelado en un gesto de estrella del rock. Junto a semejante grupo, un policía de tráfico muy serio trata de poner un poco de orden en el confuso nudo de calles, concentrado como un director ante su orquesta de bocinazos. Alrededor, una aglomeración de turistas actúa como público desde las aceras periféricas y, de fondo, los altísimos edificios acribillados de neones y pantallas publicitarias forman el abigarrado teatro en el que se representa la función.

T aprovecha la ocasión de encontrarse allí para entrar en Virgin's y al traspasar el umbral reconoce el tema que suena por los altavoces: *Me gusta la mañana y me gustas tú*… Se acerca al mostrador y trata de pronunciar *Burl Ives* de forma inteligible para la muchacha oriental que lo atiende. No lo consigue, tiene que escribírselo en un papel;

Oh, yes, Burl Ives dice ella. Pero no hay nada en *stock*, y tampoco de Joe Jackson el *bluesman*, aunque sí de Joe Jackson el *country singer*. Cuando T vuelve a la calle con las manos vacías, el tipo de la guitarra está haciendo posturitas de culturista y las ancianas congregadas, muertas de risa, han progresado en audacia hasta el extremo de meterle los billetes en el tanga.

T baja por la Séptima esquivando turistas y tenderetes que ofrecen *yellow cabs* reducidos a pisapapeles y esferas de cristal en cuyo interior se produce el extemporáneo fenómeno de una nevada sobre el World Trade Center. Al llegar al hotel entra en una de las tiendas del vestíbulo y compra una tarjeta telefónica de diez dólares. Luego se acerca a los teléfonos públicos. Duda, pero su yo pragmático le informa de que no hay nada que temer, así que marca todos los números y se queda escuchando los pitidos absurdamente rápidos que ha aprendido a identificar como la señal de espera telefónica en aquella parte del mundo.

—*Hello?* —contesta una voz femenina. T cree reconocer a Suzanne, pero no está completamente seguro:

—*Can I speak to Suzanne Ortega, please?*

—*Yes, speaking. Who's calling?*

—Hola, estuve ahí ayer, por la beca... ¿te acuerdas?

—Ah sí, hola, no te conocía en inglés...

—Ya... Verás, te llamo tan pronto porque se me ha ocurrido que a lo mejor te apetecía que quedáramos para almorzar.

Se hace un silencio al otro lado de la línea. T trata de llenarlo antes de que llegue a hacerse incómodo:

—¿Sorprendida?

—Pues..., la verdad, sí: un poco.

—Me lo imagino. ¿Puedes hablar en este momento?

—Bueno, justamente ahora estoy atendiendo a alguien...

—¿Te llamo más tarde?

—Sí..., bueno, es que en este momento me pillas...

T necesita una confirmación más clara:

—No quiero molestarte si estás ocupada, sólo dime si puedo llamarte en algún otro momento.

La respuesta es entrecortada pero inequívoca:

—Sí..., sí.

—¿De aquí a una hora?

—Bueno...

—Perfecto. Hasta luego.

—Hasta luego...

T cuelga el aparato. Mira el reloj: 11.47. Toma aire, lo suelta lentamente, se pasa una mano por la cara y echa a andar hacia cualquier parte. Ella ha dicho «sí». Ha dicho «sí» dos veces: «Sí, sí». Está clarísimo que eso significaba que sí, ¿correcto?, correcto. Aunque de momento queda por delante una hora muy larga que hay que ocupar andando por la 34 sin alejarse mucho. Ve un carrito de *hot-dogs* y come uno sin apetito, sólo porque le sigue pareciendo inaudita esa facilidad con que se come cualquier cosa en cualquier parte, como en un País de Jauja donde los más pobres son los más gordos. Después entra en un almacén de artículos deportivos y curiosea en el departamento de pesas. Echa de menos el gimnasio de la Central, se siente un poco anquilosado. Más allá se mete en otra tienda de discos: sin noticias de Burl Ives o Joe Jackson el *bluesman*, como si se los hubiese tragado la tierra. Mata otros cinco minutos mirando un escaparate con zapatos estampados en rayas de cebra, pelo de jaguar y piel de sapo del Amazonas; probablemente sapo venenoso, a juzgar por el verde brillante con manchas rojas. Luego se tropieza con una perfumería del tamaño de un campo de tenis y prueba esencias sobre tiritas de papel hasta que se le embota el olfato...

Cincuenta minutos más tarde está otra vez fumando

bajo la marquesina del hotel, oliendo a infierno florido y tratando de ver si se mueven las manecillas de su reloj. Pero sólo cuando ha pasado exactamente una hora desde la primera llamada vuelve a marcar el número en uno de los teléfonos del vestíbulo. Su estricta puntualidad es casi obscena, da a entender demasiadas cosas. T lo sabe y, sin embargo, toma el teléfono y marca el número exactamente a las 12.47.

—¿Suzanne?

—Sí, hola.

—¿Puedes hablar ahora?

—Más o menos… Oye, lo siento pero no puedo quedar hoy, estoy muy liada.

—¿Y una copa por la tarde…?

—Hoy no puede ser, de verdad.

—Vale… ¿Y otro día…?

Se queda encallada antes de contestar:

—Sí…, otro día.

—¿El sábado?

—Nnnno, no puedo, tengo un montón de cosas que hacer los sábados…

—Perdona, no quiero agobiarte, ni soy ningún psicópata, ni nada parecido… Pero estoy solo en la ciudad, no hablo bien el idioma… Me gustaría poder charlar un rato con alguien sin parecer idiota. Sólo charlar un rato, tomar un café…

—Ya, pero es que de verdad que los sábados… ¿Te va bien el domingo por la mañana?

—Me va perfecto. Si te apetece podemos desayunar, o tomar un aperitivo en algún sitio, lo que quieras. ¿Qué haces los domingos por la mañana?

—Uf: me levanto tarde… A veces voy a dar un paseo por el parque. Pero tendría que estar de vuelta a la hora de comer, he quedado con mis compañeras de piso.

—Bueno, podemos encontrarnos a primera hora en el parque, ¿te parece?

—No muy temprano, ¿vale?...

—No, no muy temprano... ¿A las once en Strawberry Fields?

—*OK*, a las once en Strawberry... Oye, perdona, tengo que dejarte, tengo una visita esperando.

Cuando cuelga, T está convencido de que lo más difícil ha sido concertar esa primera cita. El resto fluirá, lo presiente con fuerza. Y se acuerda de pronto de una frase de película: «He cruzado océanos de tiempo para llegar hasta ti», le dice Drácula a Mina, su amor reencontrado.

★ ★ ★

T ha estado vagando por la ciudad durante dos días, más interesado en que pasara pronto el tiempo hasta su cita del domingo que en nada de lo que ve a su alrededor. Por las noches, después de cenar comida rápida en cualquier parte, ha acudido a un bar de la 33 que le pareció propicio para emborracharse tranquilamente. Es un garito de fachada opaca junto al que se apostan varias prostitutas inexpresivas, plantadas simplemente a la espera de que los clientes acudan a ellas por propia iniciativa, como quien va a sacarse una muela que lo atormenta. Allí toma un güisqui con hielo tras otro, hasta que le entra sueño y sube a dormir al hotel.

El sábado se modera un poco para evitar una resaca severa la mañana siguiente. Se fuerza también a acostarse antes de la medianoche, pero se le ocurre pensar en cómo conviene vestir para una cita dominical en el parque y la obsesión no lo deja dormirse. Lo mejor sin duda será unos vaqueros, una sudadera y zapatillas deportivas. No tiene una sudadera ni nada parecido, pero muchas tiendas abren el domingo… Pasada la una de la madrugada renuncia a dormir y enciende el televisor. En el CKM emiten *El Príncipe de Zamunda, Coming To America* en la versión original, y se alegra de comprobar que entiende los diálogos razonablemente bien, su inglés mejora día a día. Eddie Murphy, príncipe heredero del trono de Zamunda, viaja a Queens en busca de su princesa soñada. Llegado a la ciudad oculta su rango, consigue un empleo de fregasuelos y se enamora de la hija del rey de la pizza, la perla más codiciada del barrio. La misma ciudad. También una mujer. Son casi las tres cuando apaga el televisor, pero su cerebro está demasiado estimulado para tratar de dormir. Tiene hambre, y no tarda en caer en la cuenta de que está en el corazón de la ciudad que nunca duerme, otra vez la misma ciudad de la película, así que se pone los pantalones y una camisa a modo de guayabera para bajar a la calle.

Quedan bastantes locales abiertos y las pilas de bolsas de basura frente a ellos supera ya la altura de cualquier hombre, pero la aglomeración de turistas, oficinistas y trabajadores ha remitido en favor del tránsito más pausado de los noctámbulos habituales, se cruza con toda clase de ellos de camino al *self-service* coreano. Tiene una apetencia muy concreta, la boca se le está haciendo agua a medida que se acerca al local.

Entra a la potente luz interior y va directo a servirse un enorme montón de alitas de pollo fritas. Sólo eso: alitas de pollo. Luego llena un vaso grande con hielo y Coca-Cola en los surtidores. La espuma chisporrotea bajo el chorro a presión y el frío pronto traspasa el vaso repleto de cubitos. No hay cola para pagar en la báscula, donde ya no está el Fu Man Chu de las barbas sino un joven muy fornido para ser oriental, y en el piso alto sólo hay tres o cuatro mesas ocupadas, puede elegir la que queda justo frente al centro del enorme ventanal a la calle.

Empieza a comer con pausado placer; las alitas están calientes, crujientes y muy especiadas, y la Coca-Cola tan fría y pletórica de gas que obliga a cerrar los ojos a cada trago. Ante su mirada, la Séptima Avenida parece una Utopía feísta proyectada en una pantalla de cine. El plástico negro de las bolsas de basura refleja la luz multicolor de los neones, una gigantesca foto de Michael Jordan anuncia trajes en el edificio de enfrente, y un eco de bocinas y sirenas deja adivinar que uno está en el centro geométrico de La Ciudad por antonomasia. O al menos en el centro de su cadáver yaciente, siempre agitado de gusanos insomnes que suben y bajan de los taxis amarillos. Pero por un momento T no se siente gusano sobre perro muerto, sino tripulante a bordo de un arca débilmente amarrada a la costa en espera del Diluvio, de la Hecatombe, del Gran Ataque Alienígena. Bastará entonces soltar amarras y salvar el Arca para haber salvado a la humanidad entera: a bordo va el mundo en esencia, desde lo más abyecto hasta lo más elevado. Y entretanto, T come interminables alitas de pollo como un indolente Nerón ante su Roma. Es inmensamente feliz en este instante: el pasado es pasado, la vida puede empezar de cero: puede, es cierto, así lo siente en este momento.

Cuando termina de llenar el estómago decide tomar un par de güisquis en el bar de la 33 para gozar un poco más de la euforia del momento. En realidad termina tomando cuatro, y la euforia puramente psicológica está ya muy mojada en alcohol cuando de vuelta al hotel, bajo unos andamios oscuros de la calle 33, se cruza con un blanco alto y delgado, vestido con una sudadera gris con capucha. El tipo se le planta delante con las manos metidas en el bolsillo central de la sudadera y dice algo ininteligible. T se disculpa por no haberlo entendido y el tipo reacciona de malos modos:

—*The time!: the time!: what's the time!*

T piensa que quizá están tratando de robarle el reloj y casi se alegra de que alguien intente algo así. De momento se pone serio y le planta al tipo la muñeca delante de las narices, sobre todo para que valore por sí mismo si un Casio de cien dólares, por mucho bulto que haga, vale la pena de habérselas con un desconocido de su envergadura y estado de forma. El tipo mira detenidamente la esfera y las pantallas digitales, murmura la hora para sí mismo e inicia el gesto de marcharse sin dar las gracias. Pero T está ya muy estimulado por la mezcla de alcohol y adrenalina:

—*Hey, you, wait a moment* —dice presentando el perfil y sujetándole al tipo la manga de la sudadera con la izquierda. El tipo se saca la derecha del bolsillo central:

—*What d'you want?*

—*I like your shirt...*

—*Do you really?*

El tipo mantiene la compostura, pero parece querer marcharse cuanto antes, lo indica su mirada a izquierda y derecha en busca de testigos. T sonríe sólo con los labios, tratando conscientemente de resultar siniestro:

—*Sure, it looks very nice... Where did you buy it?*

—*I don't remember... Leave me alone.*

T se queda un momento mirándolo fijo a los ojos y sabe que el tipo tiene miedo. Es justo entonces el momento de agarrar con las dos manos su codo izquierdo, que permanece doblado en asa porque tiene la mano metida en el bolsillo de la sudadera, enseguida rotar sobre sí mismo al estilo de un lanzador de martillo, y soltar la presa en el momento justo para que salga trastabillando de espaldas hacia la oscuridad casi absoluta de bajo los andamios. El tipo tiene tiempo de gritar, *Help...*, pero apenas le sale un gallo que se interrumpe en el violento choque contra una persiana. No le da tiempo a más antes de que

T se acerque dando pequeños saltos de boxeador y le lance un crochet de derecha a la mandíbula. El golpe, perfectamente horizontal, hace primero chocar el diente canino inferior izquierdo contra el superior del mismo lado, con tal violencia que se rompe de raíz el segundo, más débil, y desencaja después el largo hueso maxilar, cuya pata superior alojada en la sien pellizca el nervio propicio para producir la pérdida de conciencia casi inmediata.

El tipo queda sentado contra la persiana en estado de *grogui*, mueve brazos y piernas pero no es capaz de levantarse pese a que lo intenta igual que un niño después de girar como una peonza. Y tampoco puede gritar palabras articuladas, su mandíbula está desencajada y parte de su aparto fonador ha quedado súbitamente anestesiado por el traumatismo. T se acerca con intención de terminar el trabajo quizá con un punterazo en las costillas, pero una baba sanguinolenta sale de la boca del tipo y amenaza con manchar la sudadera. «No me seas cerdo...», le dice T en español, y se apresura a quitarle la prenda. El tipo es poco más que un muñeco que parpadea con insistencia y mira a T sin entender qué pretende hacer con él. Finalmente parece que la sudadera termina saliendo por su cabeza sin llegar a mancharse, y el tipo, ahora en camiseta de tirantes, insiste en levantarse por el método de apoyarse en uno de sus finos y blancos brazos y tratar de hacer algo coherente con las piernas.

Está a punto de conseguirlo, ha logrado hincar una rodilla en el suelo cuando T cambia de opinión respecto al remate previsto y dispara un golpe de talón que alcanza el pómulo del semigenuflexo. Eso le rompe directamente el hueso esfenoides, pero es la palanca que ejerce el propio cuerpo al caer en una posición inverosímil el que le disloca la cabeza del fémur. Se ha oído un «Oh» profundo en el momento de la patada, pero ahora sólo se distinguen unos estertores quejumbrosos, algo que recuerda el duermevela inquieto de un recién operado.

T no ha llegado a entrar en calor, pero la sensación de prurito satisfecho lo mueve a respirar ampliamente. Se compone un poco la camisa y mira la sudadera a la luz de una farola. Parece de su talla. Tiene estampadas las iniciales NY en el pecho, en azul. No le gusta mucho eso, pero a caballo regalado… La calle permanece entretanto tranquila, aunque en cualquier momento puede embocarla alguien desde alguna de las avenidas, de hecho se distingue un transeúnte acercándose por la acera del Empire State, así que hay que ir pensando en alejarse. Nota un conato de excitación sexual, un impulso que tenía adormecido desde hacía días, quizá semanas. Considera si vale la pena volver atrás hasta la puerta del bar y pedirle a alguna de las prostitutas que lo acompañe al hotel. Pero son casi las cinco, y mirando su recién adquirida sudadera colgando de su mano, vuelve a acordarse de que por la mañana tiene una cita galante.

EN EL MUNDO

El comisario está seguro de que el dependiente lo reconoce en cuanto entra en la tienda de discos, se le nota en la fingida indiferencia con que desploma las pestañas. Esta vez el joven viste una especie de blusa marrón, tan arrugada en pequeños pliegues que el comisario comprende que están hechos expresamente. El cinturón de charol blanco que le festonea los pantalones es, sin embargo, el mismo.

—Buenos días, joven.

—Buenos… No tenemos casetes, ¿puedo servirlo en alguna otra cosa?

—¿Todavía venden cedés, o ya han inventado algo mejor?

—En lo que llevamos de semana todavía no.

—Estupendo, pues póngame uno que sea bueno, haga el favor.

—Ya…, verá: se acostumbra a darle más pistas al dependiente…

—Bueno…, me parece que el último disco que compré fue uno de Raphael, o de aquel… Chumbelbel Jámperdin, o como se diga… Podríamos partir de ahí en adelante… Deme algo, digamos…, no sé…, de los años ochenta…, que tenga mucho estilazo.

—Uh, en los ochenta casi todo el mundo tenía mucho estilazo, no hay más que ver un vídeo de Boy George…

—¿Ah, sí?, pues en aquellos tiempos todavía se escuchaba la música en casetes.

—No sabría decirle: yo apenas había nacido, y la verdad es que me alegro.

El comisario no puede reprimirse:

—Yo también…, no me pregunte por qué.

—Tampoco quiero saberlo, esta mañana no tengo ganas de ponerme antipático. ¿Vamos a echarle un vistazo a las estanterías?

El comisario no sabe detenerse a tiempo:

—¿Y no será muy antiguo, eso de acompañar al cliente a la estantería?

—No se preocupe…, siempre somos un poco más condescendientes con los ancianos y los discapacitados.

El comisario sale de la tienda vencido pero con una recopilación de viejos éxitos de Madonna. Esta vez no se molesta en ocultar la bolsa de la tienda de discos, pasa de largo el edificio de la Central y camina hasta las galerías comerciales. Entra en el FNAC y al primer golpe de vista cree haberse metido en la sección de complementos para el automóvil de unos grandes almacenes, tal impresión le causa el interiorismo. Curiosea un poco entre los teléfonos móviles, se queda un rato mirando un videojuego que juega solo y, más allá, descubre la larga estantería de novedades editoriales destacadas. Un tal Carlos Ruiz Zafón, un tal Javier Cercas, una tal Ángela Vallvey, un tal Quique Aribau… Ni un solo nombre que al comisario le suene de algo. Piensa en nombres de escritores que conoce. Camilo José Cela. Gonzalo Torrente Ballester. Álvaro de Laiglesia. Enseguida cae en que los tres están muertos y han devenido por tanto incapaces de presentar novedades. «Los tiempos cambian, caballero.» Toma uno de los libros expuestos que le llama la atención por la encuadernación amarilla y el título más estúpido que el comisario haya leído jamás: *Abonando los geranios tropecé con la manguera*. Lee un párrafo al azar pero lo deja enseguida, sorprendido por las faltas de ortografía y el lenguaje extremadamente soez. En aquella estantería desde luego no está lo que busca, y no tarda en comprender que va a necesitar ayuda para encontrarlo.

A mitad de un pasillo ve un mostrador tras el que una muchacha opera en un ordenador. Saca el papelito escrito con letra de Puértolas, el psiqui, que naturalmente tiene letra de médico.

—Señorita, estoy buscando un libro.

—¿Qué libro? —dice la muchacha levantando la vista. El comisario lee con dificultad:

—Pues…, el autor es R. Hare, o Mare, o Here… El título está en mayúsculas y sí lo tengo claro: *Sin conciencia*.

—Ajá. —La chica teclea—. Lo encontrará en la estantería de Psicología, en el siguiente *set* después de «Bolsillo».

—Perdone, ¿no podría usted buscármelo?, es que no conozco el establecimiento…

La dependienta asiente, sale del mostrador y echa a andar por el pasillo central. El comisario la sigue con las manos a la espalda, sujetando el disco comprado en otra tienda de forma que no se vea demasiado. La muchacha le tiende un libro y él se concentra en la portada para evitar taladrarla con los ojos: *Robert D. Hare. Sin conciencia. El inquietante mundo de los psicópatas que nos rodean*. Después, sintiéndose ya capaz de sonreír agradecido, se aventura a mirar a la muchacha a los ojos y preguntarle «¿qué le debo?». La muchacha lo toma ligeramente de un brazo para hacerlo girar e indicarle la dirección: «No, mire, tiene que pasar por caja y allí le cobrarán».

De camino hacia el lugar que le han señalado, en parte para olvidarse de su torpeza de novato en una tienda moderna, el comisario lee una de las primeras páginas del libro, donde está escrito el lema de la obra.

Es una cita de un tal William March:

La buena gente no suele sospechar de los demás: no pueden imaginarse al prójimo haciendo cosas que ellos son incapaces de hacer; normalmente aceptan como explicación lo menos extraordinario y ahí se acaba todo. Por otro lado, la gente normal se inclina por ver al psicópata con un aspecto tan monstruoso como su mente, pero no hay nada más lejos de la realidad [...] Esos monstruos de la vida real suelen tener un aspecto y un comportamiento más corrientes que sus hermanos y hermanas normales; presentan una imagen virtuosa más convincente que la virtud misma, de la misma manera que una rosa de cera o un melocotón de plástico parecen más perfectos al ojo que el original que les ha servido de modelo.

Llegado a una de las cajas y viendo los dispositivos electrónicos entre los que tendrá que pasar, el comisario piensa que será mejor avisar a la joven que atiende en su puesto: «Este disco lo he comprado en otra parte... No sabía que vendría aquí...». La joven sonríe, «No hay problema», pasa el libro por el lector óptico y pregunta al comisario si tiene carné de socio. «¿Socio de qué?»

Terminado el trámite sale calculando cuánto son 14,25 euros en pesetas y el resultado le parece definitivamente caro para un simple librito de tapas blandas, y eso que la publicidad de la etiqueta anuncia precios mínimos garantizados.

Al llegar a sus dependencias en la Central se detiene un momento ante Varela y se dirige a él de sopetón:

—Varela: dígame usted el nombre de un escritor español que venda muchos libros.

Varela hace el vago gesto de cuadrarse:

—Eh..., no sé..., ¿Antonio Gala?

El comisario mueve ligeramente la cabeza y se mete en su despacho.

★ ★ ★

El sábado por la mañana el comisario y su mujer salen de la ciudad en su Peugeot azul marino perfumado de lavanda, una berlina del 92, grande y todavía reluciente. El día es espléndido: cielo sin mácula, 19 grados de temperatura en el termómetro del tablier, viento nulo. El paisaje parece otro a la luz olvidada de la primavera; Mercedes, la mujer del comisario, se recrea en su contemplación; él se concentra en no superar los exiguos límites de velocidad indicados, a veces difíciles de observar. Se acuerda de su último viaje con Varela por ese tramo de autopista. Eso le lleva a pensar en el asunto Uni-Pork y concretamente en el informe forense de Prades, que ha leído completo la tarde anterior. No puede comentar el asunto con su mujer, en general evita contarle los episodios truculentos, así que sigue callado y pensativo.

Prades ha encontrado evidencias de intoxicación por alcaloides en el cadáver. Alcaloides cuyo nombre no recuerda el comisario pero que, según el propio informe, remiten a la ingestión de estramonio, probablemente por infusión. El comisario sabe que el estramonio es una planta, una planta medicinal, alucinógena o venenosa según la dosis, como el beleño, o la belladona, o algunas variedades de la salvia. Pero no hay mercado negro de estramonio, seguramente porque crece espontáneamente en cualquier erial, y en cualquier caso porque no está tipificado como sustancia ilegal, de modo que su consumo no incumbe a la policía. El comisario ha tenido que documentarse un poco al respecto con lo que Varela le ha encontrado en Internet. Al parecer se presenta de tarde en tarde en los hospitales algún cuadro de intoxicación accidental por estramonio, casi siempre casos de niños pequeños que han comido flores o semillas. El tratamiento consiste en suministrar un sedante y mantener al paciente lejos de estímulos sensoriales, a ser posible acompañados de alguien de su confianza que mantenga la calma y los tranquilice. Se trata de evitarles en lo posible el miedo y las alucinaciones terroríficas. El comisario se pregunta qué clase de alucinaciones tendría una mujer secuestrada y drogada con estramonio mientras se la hace entrar en un matadero para sacrificarla. Para asesinarla. Pero ¿por qué ha pensado «sacrificarla», por qué esa palabra? En la etimología parda del comisario, si «edificar» significa hacer edificios, «sacrificar» tiene que querer decir «hacer sacro», es decir, «hacer santo», «santificar», algo así.

En este punto lo sobresalta el paso de un Audi A3 por el carril izquierdo y, escandalizado, comprueba la velocidad en su propio tablier: 120. Todo ello lo hace cambiar el hilo de sus pensamientos.

Carraspea antes de hablarle a su mujer:

—¿Qué te parecería si cambiáramos de coche?

—¿Qué?

—Que digo que podríamos cambiar el coche. Me gustan estos Audi pequeños que hacen ahora, como este que ha pasado como un loco…

—¿De color amarillo? Para un jovencito está bien, pero para nosotros…

—Mujer: me refiero al modelo, el color se puede elegir. Es bonito en plata, metalizado.

—A mí todos los coches me parecen iguales, ya lo sabes…

—¿Cómo van a ser iguales? Ése es mucho más pequeño que el nuestro, y tiene otra línea, ¿no lo ves?…

—Chico, no sé, ya está lejos…

—Bueno, ya te enseñaré otro, se ven muchos…

Ella tarda un minuto en seguir sus propios pensamientos antes de volver a hablar:

—¿Y son muy caros?

—El qué.

—Los Saudi.

Se nota en el tono que el comisario bromea:

—Depende. Los amarillos están de oferta porque sólo los compran los jovencitos...

—No seas tonto... Es que estaba pensando que también tendríamos que hacer algunas reformas en Calabrava. Poner calefacción a gas, por ejemplo. Si cuando te jubiles vamos a pasar allí más tiempo en invierno...

—Bueno, pues se pone calefacción. Eso no es muy caro hoy día.

—¿Quieres decir comparado con un Saudi?

—Audi. Sin la S también son más baratos —le aprieta un poco la rodilla y ríe.

—Estás muy gracioso tú hoy, eh —le da un manotazo en la mano.

Dos segundos de silencio.

—No sé: he pensado que podemos permitírnoslo —dice el comisario.

—Piensa que ahora no tendrás el mismo sueldo, ni los pluses...

—Pero la pensión que nos queda está bien, y tenemos algo ahorrado, ¿no?, y esos Bonos de Nosecuántos que compraste...

—Los Bonos de Nosecuántos no se tocan, ya lo sabes. Y menos para un coche.

—... y tampoco tenemos que pagar alquileres, ni hipotecas...

—Bueno, bueno..., tú porque no te enteras. ¿Sabes lo que pagamos de comunidad en el piso, con la dichosa derrama del ascensor? Y luego están los seguros médicos, y el plan de pensiones, y el apartamento de Calabrava, que también da gastos, ¿o qué te crees?...

El comisario no dice nada. Vuelve a hablar ella:

—¿Y cómo se te ocurre la idea de cambiar de coche justo ahora?, ¿no va bien éste?

—Sí… Pero…, no sé, tiene ya nueve años, y los de ahora son más seguros… Los tiempos cambian…

Otro silencio. Ella:

—Bueno, tú entérate de cuánto vale el Laudi que te gusta y ya veremos si se puede comprar. Pero nada de color amarillo, ya tenemos bastante modernidad con esa música que pones en casa.

El comisario se gira hacia ella un momento y se lleva la mano derecha extendida a la sien:

—A las órdenes de vuecencia. ¿Ordena vuecencia alguna otra cosa?

—Sí: que te dejes de tonterías y te estés por la carretera.

—Con una condición: que me des un beso en cuanto paremos.

—Madre de Dios… No sé qué te pasa últimamente, cualquiera diría que en vez de jubilarte estás a punto de irte a la mili.

No hay mucho tráfico en la variante que lleva a la costa y llegan a Calabrava antes de las doce. Como de costumbre paran un momento ante el mercado municipal para comprar pescado fresco de la zona. El comisario se dispone a aguardar a su mujer en doble fila, justo detrás de otro Audi color gris oscuro, con unas llantas muy complicadas, manchadas de barro. El conductor no está adentro, así que en cuanto su mujer cruza las puertas del mercado el comisario sale del Peugeot para curiosear el interior a través de la ventanilla semiabierta. «¿Le molesta para salir?», pregunta una voz. El comisario busca su procedencia: es el vendedor de uno de los puestos de verduras que se instalan en el exterior del mercado. Le cuelga un cigarrillo de la boca, y los pantalones le dejan a la vista la goma de los calzoncillos cuando se agacha para dejar en el suelo una caja de alcachofas. «No —dice el comisario en voz alta—, estaba mirando.» Luego se siente obligado a acercarse a la parada y dar alguna explicación. «Bonito coche —dice—; es que estoy pensando en cambiar el mío.» El hombre de la parada aparenta la misma edad del comisario, pero es delgado y fibroso, su tez está muy curtida por el sol y le apunta barba de varios días. «Psé, yo me encapriché de éste estas Navidades, pero le falta maletero y altura de bajos, se lo voy a pasar al hijo pequeño, a mí me iría mejor el modelo cuatro por cuatro que han sacado…» El comisario, por corresponder a la charla, explica que para él y su mujer un A3 es más que suficiente. «Pues suba si quiere verlo por dentro, están las puertas abiertas.» El comisario dice que no quiere abusar. «Suba, hombre, suba: le diría que se diera una vuelta, pero si lo mueve de ahí me quitarán el sitio.»

Así que, cuando su mujer sale del mercado con la bolsa del pescado, se encuentra al comisario con medio cuerpo metido en un coche que no le corresponde.

—¿Qué haces ahí?

—¿Te gusta éste?

—Pues no: está muy sucio. ¿De quién es?

—De ese señor de la parada de verduras.

—¿Y te metes así en un coche que no es tuyo? A ver si alguien te ve y llama a la policía…

—Mujer, ¿tú crees que tengo pinta de delincuente?

—Hurgando en un coche que no es suyo cualquiera parece un delincuente. Escucha, he comprado para segundo una merluza de palangre y unas almejas hermosas que hoy estaban bien de precio. ¿Te apetece a la plancha, o hago una salsa verde?, lo digo porque si lo quieres con salsa necesito perejil que en la pescadería no tenían.

—En salsa. ¿Seguro que no te gusta?: bien limpio tendría otro aspecto.

—Bueno, pues enséñame uno que esté limpio y te lo digo. Oye, toma la bolsa que me falta la verdura y la fruta. ¿Tu crees que tu amigo de la parada tendrá perejil?

★ ★ ★

El lunes antes del almuerzo suena la línea interna en el despacho del comisario. Es Varela:

—Comisario, tiene una llamada de un tal Quique Aribau. Dice que llama de parte de Enrique Murillo.

El comisario cierra un momento el libro de Hare sobre los psicópatas dejando adentro el dedo índice como señal:

—¿Quique qué…?

—Aribau, como la calle Aribau.

Tres segundos para pensárselo: «Aribau…, Aribau…, Aribau…».

—Bueno, pásemelo.

Suena un pitido y se enciende otra luz en el teléfono de sobremesa del comisario:

—Sí…

—Buenos días, ¿el comisario Pujol? —pregunta una voz desconocida.

—Yo mismo, dígame.

—Me llamo Quique Aribau, tenemos un conocido común, Enrique Murillo, que ha sido tan amable de darme su número… ¿No le ha avisado de que yo iba a llamarle?

—Pues no, no recuerdo… ¿De qué se trata?

—Bueno, a lo mejor le parece un poco extraño… Empezaré por el principio. Soy escritor… novelista, aunque probablemente no le sonará a usted mi nombre…

—Pues, ahora que lo dice, sí que me suena, pero la verdad es que no recordaba de qué.

—A lo mejor lo ha leído en alguna parte, mi última novela ha tenido alguna repercusión...

—Ah... ¿Puede ser que la haya visto en el FNAC?

—Seguro: me tienen en la estantería de novedades desde hace un montón de semanas... Verá, le llamaba porque estoy preparando otra novela, esta vez protagonizada por un agente de la Policía, y le pregunté a Enrique si sabía de alguien que pudiera ayudarme con la documentación...

—Ajá...

—... y he pensado que quizá podría usted atenderme personalmente durante unos minutos. Lo justo para explicarle algunos pormenores de la historia que tengo en mente y ver si puede usted orientarme, o por lo menos dirigirme a las personas adecuadas. De hecho una simple conversación con usted ya me sería muy útil. ¿Sería abusar demasiado de su amabilidad?

El comisario calibra rápidamente la petición y finalmente se deja llevar por la curiosidad:

—Pues..., en principio no creo que haya inconveniente...

—Se lo agradezco... ¿Puede darme entonces un día y una hora en la que tenga un hueco?, procuraré no entretenerlo mucho rato.

—Bueno, es bastante impredecible cuándo voy a estar ocupado, generalmente los delincuentes no avisan... —el comisario se detiene un momento para dar a entender que ha hecho un chiste; la voz del otro lado deja oír una risita amable—. ¿Quiere usted pasarse por mi despacho cualquier mañana de la semana que viene?, si tenemos suerte podremos charlar un rato tranquilos.

—Perfecto, ¿le parece el miércoles?, tengo que bajar a la ciudad precisamente el miércoles para un programa de radio. Si no, puedo acercarme cualquier otro día...

—No, el miércoles está bien, suele ser una mañana tranquila.

Cuando el comisario cuelga se queda un rato pensando, todavía con el libro de Hare cerrado sobre el índice. Se pregunta si será precisamente este Quique Aribau el del libro que había hojeado en la estantería de novedades del FNAC y le había parecido tan soez y tan mal escrito. No consigue recordar el título exactamente: algo de «los geranios»... Vuelve a descolgar el teléfono y pulsa el botón de comunicación con Varela:

—Varela, búsqueme a ver qué encuentra de ese Quique Aribau que llamaba. Por lo visto es escritor.

—¿Hasta dónde le interesa saber?

—Nada: lo que consiga averiguar en diez minutos. A ver si hay algo en Internet, con eso me basta.

El comisario abre otra vez el libro de Hare y se obliga a concentrarse en él durante un buen rato. No es una lectura agradable, resulta incluso hiriente en algunos pasajes, pero se ha propuesto terminarlo, en parte porque tiene a gala no haber dejado nunca un libro a medias, a no ser que fuera un libro de consulta, y en parte porque le interesa lo que lee. Se entera de que el concepto «psicopatía» es mucho más amplio de lo que él había creído: según estimación del autor, cerca de un uno por ciento de la población presenta sus rasgos característicos, aunque sólo una pequeña cantidad de esa población llega al extremo de delinquir y, afortunadamente, son menos aún los que delinquen con violencia contra las personas. Pero precisamente estos últimos son sin duda los que el comisario está acostumbrado a tratar: violadores, atracadores agresivos, fanáticos capaces de malherir o matar a veces por mera diversión; a menudo individuos de gran encanto superficial, al comisario le consta cuántas veces los vecinos de un detenido por algún acto brutal han dicho de él que parecía una excelente persona, o cuántas veces durante un interrogatorio han mostrado una amabilidad capaz de engañar al más curtido de los inspectores. Sin embargo, el libro considera también a otros muchos que nunca tendrán nada que ver con la Policía: menos violentos pero igualmente destructivos, estragantes, la clase de gente que deja tras de sí un largo rastro de humillación y sentimientos heridos y a los que no se puede denunciar porque nunca transgreden la ley escrita, por mucho que ignoren la más elemental noción de compasión humana. El comisario piensa que, al margen de hasta qué extremo llevan la violencia, quizá es ese uno por ciento sin conciencia de la población el que obliga al noventa y nueve por ciento restante a pasar por la vida desconfiando del prójimo. Y, más aún: el que hace inviable cualquier utopía basada en la hipótesis de la fundamental bondad humana.

Suena el teléfono. La luz que se enciende es otra vez la de Varela:

—Comisario, hay bastante en Internet sobre este Aribau, y en páginas de diferentes países, por lo visto lo han traducido a varios idiomas. He encontrado entrevistas que le han hecho los periódicos, alguna colaboración en prensa, notas editoriales, críticas, anuncios de más traducciones, una película que van a hacer a partir de su novela…

—Cómo se titula…

—*Abonando los geranios tropecé con la manguera*. Y la editorial, Lengua de Trapo…

—Ya… Lo conozco…, lo estuve hojeando el otro día… Gracias, Varela, con eso tengo bastante. —Está a punto de colgar cuando añade—: Espere, póngame con Berganza, de la Provincial. Si no lo encuentra a la primera, insista y avíseme cuando lo tenga.

El comisario pone el punto de cartón entre las páginas del libro y lo guarda en un cajón de la mesa. Basta de psicópatas por hoy. Pero tampoco le apetece revisar el informe de Berganza. Y mucho menos el de Prades el forense; en su precisión, es tanto o más deprimente que el libro de Hare. Opta por levantarse de la butaca y mirar a través del inmenso ventanal. Cuadrángulos de sol en lo más alto de las sucias fachadas, otro bonito día de primavera… Lengua de Trapo, qué ocurrencia. Libros modernos de color amarillo chillón, como los Audi de los jovencitos de clase alta. Y como el disco de Manu Chao. *Pa'l cementerio se va, la vaca de mala leche… Échale Baygon al bai bai gon.* «Los tiempos cambian, caballero.» La nebulosa de asociaciones lo ayuda a cambiar de humor: al menos en el mundo hay también un uno por ciento de chalados inofensivos.

★ ★ ★

Pasadas las once, un rato después de que el comisario haya llegado de comer su bocadillo en la cafetería, Varela lo avisa por el intercomunicador:

—Comisario, tengo a Berganza en la 4.

—Voy. —El comisario pulsa el botón correspondiente—. Berganza, cómo estamos…

—Comisario…

—He estado leyendo su informe, y el de Prades…

—Ah, ¿le ha llegado también el de Prades? Interesante lo del estramonio, ¿no?

—Sí, lo leí el viernes y no me lo he podido quitar de la cabeza.

—Pues Prades no suele acordarse de detalles como enviar copias de los informes por cortesía. Debe de haberle caído usted bien.

—Suelo llevarme bien con los forenses… Pero yo quería felicitarlo a usted, hacía años que no me llegaba un informe de inspección como Dios manda.

—Bueno, los tiempos cambian —dice Berganza sacudiéndose el elogio.

—Qué me va usted a contar, ya no respetan la ortografía ni los escritores… En fin, veo que en las conclusiones solicita usted la transferencia del caso a Homicidios Central…

—Sí, ya lo han aceptado. De hecho hemos contado con la Central desde el primer momento, ya lo sabe. El viernes precisamente estuve hablando con el jefe de la brigada.

—¿Rodero?

—Rodero, sí. ¿Lo conoce?

—Algo. Le pone ganas.

—Sí, pareció gustarle la idea de hacerse cargo… Mi ayudante y yo hemos pasado un par de días en San Juan del Horlá, haciendo preguntas… Pero no estamos en condiciones de dirigir una investigación completa, no tenemos ni personal ni medios para abordar un caso así.

—¿Cree que en el pueblo hay alguien que pueda haber hecho algo como lo que nos encontramos en el matadero?

—Cualquiera sabe… Están todos medio majaras… Hay un viejo…, se parece a Einstein pero lo llaman Betoven…, dice que Maupassant pasó una temporada en el Horlá antes de empezar a volverse loco, y que el pueblo entero es un purgatorio donde va la gente a cumplir penitencia por sus pecados… A lo mejor está un poco chiflado, pero la verdad es que cuando uno llega allí se comprende lo que dice.

—Ya… Yo desde luego hubiera apostado por que al menos la identificación del cadáver iba a ser fácil.

—Ah, es verdad, usted no lo sabe… Resulta que a falta de confirmación ya sabemos de quién se trata, en cuanto cruzamos datos apareció una coincidencia clara. Tiene todos los números para corresponder a una vecina del valle, de un pueblecito a unos cincuenta kilómetros de San Juan del Horlá. Se denunció su desaparición dos días antes de que nosotros encontráramos el cadáver, y el análisis ectoscópico coincide con ella, estamos a falta de una prueba de ADN. Según el informe de Prades…, lo que dice de los hematomas y demás, parece coherente con que la trajeran desde el valle en el camión, quizá con varios cerdos, ya sabe que junto con la víctima se sacrificaron otros animales. Quiero decir… animales.

—¿Viajó treinta kilómetros de curvas en una jaula con cerdos y llegó viva?

—Sí, la verdad es que es tremendo. Pero eso al menos nos da una línea de investigación clara.

—Pues yo no lo veo tan claro…

—Bueno, si se confirma la identidad sabremos al menos por dónde empezar a movernos. Y nos interesa también averiguar de dónde salieron esos cerdos que la acompañaron, lo que será difícil porque la jueza de instrucción mandó incinerar todos los restos no humanos que aparecieron en las neveras. Habrá que rastrear las ventas de animales, y ver si se ha denunciado algún robo de ganado porcino…, en fin…

—¿A quién le han pasado el sumario?

—Un tal juez Óscar Domínguez. ¿Le suena?

—De oídas. No debe de tener ni treinta años.

—Dice Rodero que en eso hemos tenido suerte porque suele darnos libertad de acción.

—Qué remedio: todavía no se atreve a negarse a nada. Pero es verdad que puede que nos beneficie…

—Habrá visto que hago mención a su comparecencia en mi informe. Por si le parece oportuno añadir algún comentario, algo que a mí se me hubiera escapado.

—Sí…, no…, la verdad es que no se me ocurre nada

que añadir… Pero no he podido dejar de darle vueltas al asunto, aunque no sea oficialmente cosa mía. El otro día me fui a ver a un psiqui de la Científica, por lo de la nota… No es una nota corriente, de hecho es la primera vez que me encuentro con algo así, parece de película.

—¿Y qué le dijo el psiqui…?

—Nada definitivo, ya sabe cómo son… Que en un cuadro de El Bosco sale un cerdo vestido de monja, y que el Cerdo con mayúsculas representa al Diablo, o al Padre con mayúsculas y minúsculas, o en fin… Terminó recomendándome un libro sobre psicópatas. Pero sobre todo me ayudó a establecer una asociación mental.

—Ya… Bueno, de todas maneras me dijo ayer Rodero que quería contar con usted, así que seguramente le llamará para tenerlo al corriente…

—Me lo imagino, desde el momento en que me metí en el pastel… En realidad lo hace sólo por cortesía, yo ya pincho y corto poco… ¿Se sabe a quién va a asignar?

—No. Pero dice que todo el asunto le huele a narcotráfico.

—Menudo descubrimiento: hace treinta años que todo huele a narcotráfico…

—Bueno, últimamente por aquí casi tenemos más problemas de inmigración…

—Lo mismo que aquí… En fin, Berganza, sólo quería darle las gracias por enviarme el informe y darle un saludo para Prades.

—De su parte… De todas maneras creo que nos veremos, me dijo Rodero que quiere organizar una reunión conjunta más adelante.

—Ah…, perdone, Berganza, otra cosa… Casi se me olvida…, también quería pedirle a usted un favor, si es que puede hacérmelo sin pasar por los trámites habituales…

—Lo que quiera…

—¿Me dijo usted que el propietario del matadero escribía poesías...?

—Sí, las publica en el diario comarcal.

—¿Cada día?

—No sé... Supongo que de vez en cuando.

—¿No puede usted hacerme llegar por correo interno algún ejemplar en el que salga algo suyo...? Lo más reciente... Es sólo curiosidad.

—No creo que haya problema... Puedo ir a la redacción del periódico y pedirles unas copias, seguro que no ponen reparos.

—No: prefiero no levantar la liebre...

—Bueno, pues supongo que podría usted mirarlo en la Web.

—La qué...

—Una dirección de Internet... Los periódicos suelen tener una versión digital...

—¿Y eso también puedo yo verlo aquí en la Central?

—Claro... Pídaselo a su ayudante.

★ ★ ★

El miércoles por la mañana temprano, el comisario se va directo al mostrador de la tienda de discos:

—¿Sabe que casi me gustó el CD que me vendió el otro día, joven?

—Naturalmente: me precio de conocer mi trabajo, caballero.

—No presuma tanto: todos nos conocemos el nuestro...

—Déjeme adivinar..., es usted notario, ¿a que sí?, estaría perfecto en una butaca Chesterton con 200 volúmenes de protocolo a la espalda.

Al comisario no le gusta mucho la imagen, seguramente por eso contesta sinceramente sobre su profesión, cosa que no suele hacer a menos que se justifique por razones de servicio:

—Pues se equivoca, joven: soy comisario de policía.

—Uh, por Dios, qué miedo… ¿Y va usted a detenerme, caballero?

—Mmmm, no sé… ¿Ha cometido usted algún delito recientemente?

—En las últimas dos horas creo que no… Espere: ¿hay alguna ley que prohíba hacerse la manicura en horario de trabajo?

—Bueno, eso depende del contrato que haya firmado con su jefe.

—Uy, no tenemos nada firmado… Ni siquiera hemos podido casarnos: dicen que uno de los dos tiene que ser mujer.

—Menuda ocurrencia…

—Figúrese. Ya sabe usted lo heterosexualota que es la burocracia…

—No me hable: está infestada de falócratas.

—Ya ve… Pero de momento seguimos viviendo en pecado y también es divino de la muerte.

—Y, dígame, ¿quién hubiera llevado el ramo de flores? Curiosidad heterosexualota…

—Bueno, en luciendo un hermoso lirio cada uno…

—Ah, claro: y dos trajes con cola…

—Vaya, no sabía que las autoridades gubernativas fueran tan ocurrentes… Y hablando de trajes, ¿no lleva usted nunca uniforme, señor brigadier?

—Comisario principal, si no le importa… Sólo me lo pongo en los actos oficiales: decapitación de insurgentes, quema de brujas, ese tipo de cosas…

—A mí lo que me gustan son los botones plateados… ¿Y la gorra? Huy la gorraaa… ¿Lleva usted gorra?, dígame que sí y le grabo un caset de Mónica Naranjo.

—Llega tarde: me compré el otro día un aparato estupendo para escuchar discos compactos.

—¿En serio? ¿Y no será peligroso, a su edad? A ver si se le va a desconfigurar algún esquema…

—Mis esquemas se mantienen perfectamente rígidos, joven, muchas gracias por su interés.

—No sé, no sé… Yo no me fiaría mucho: está empezando a caerle bien un mariquita que vende discos.

—¿Qué mariquita? Yo sólo conozco a ciudadanos y ciudadanas que hacen uso de su libertad sexual y sexuala… ¿No será usted el que se está volviendo un poco antiguo desde que trata con falócratas?

—¿Antiguo yo? Dios me libre, caballero: antes me arranco el pirsin.

Al comisario se le escapa la sonrisa y un ligero espasmo que le sacude el corpachón, así que tiene que darse otra vez por vencido. Pero sale de la tienda de buen humor, con un CD de Kool and the Gang y otro de Tom Waits: «Para contrastar tendencias, mi brigadier principal». Camina de vuelta a la Central casi sonriendo bajo el bigote, buscando el sol por los callejones, hasta que se acuerda de que le han supuesto el oficio de notario: «¿Notario?, ¿parezco un notario?». Ni rastro de yonquis ante la autocaravana del ayuntamiento, aunque sí hay dos magrebíes tratando de ligar con la chica que reparte los preservativos. Al llegar a la comisaría se detiene en la primera planta a tomar un cortado, sólo por tomarlo en un lugar más animado que su sala de juntas, pero no encuentra a nadie con quien hilvanar una conversación, al menos nadie a quien conozca de más de un año. Así que sube a sus dependencias en la segunda planta y, por primera vez desde que se inauguró el edificio, lo hace por las escaleras. Varela está como siempre sentado en la antesa y se sorprende al ver aparecer al comisario por un camino distinto al habitual. El comisario a su vez sabe que algo estaba haciendo Varela en el ordenador que no debía, lo nota en que se levanta de la silla, como siempre que lo ve aparecer de repente, pero esta vez también se lleva la mano a la gorra para formalizar el saludo.

—Varela —le dice el comisario—. ¿Tenemos a alguien en la Central que sepa de poesía?

—¿Poesía?

—Sí, poesía: necesito hacerle una consulta a alguien que entienda de poesía.

Varela parece un estudiante poco aplicado ante una pregunta difícil y busca una salida al apuro:

—No sé..., ¿quiere que le ponga con un psiqui?

El comisario, sin proponérselo, se lo queda mirando desde justo el borde superior de las gafas, exactamente como solía hacer en los interrogatorios:

—¿Y se puede saber qué tienen que ver los psiquis con la poesía?

—Bueno..., no sé..., como saben tantas cosas raras...

El comisario se acuerda de las divagaciones de Puértolas y hasta le parece convincente la respuesta de Varela, así que lo libra de la mirada y le hace un gesto con la mano de que se siente. Pero no ha llegado a entrar en su despacho cuando se da la vuelta de nuevo hacia él y le pregunta:

—Varela: ¿usted cree que parezco un notario?

—Un notario..., de qué...

—Un notario, Varela, un notario: de los que escriben... escrituras... y testamentos...

Varela no sabe exactamente ni qué le están preguntando ni qué le conviene contestar, pero aun así mira al comisario por partes, como si estuviera tratando de hacer un balance sincero y objetivo:

—De notario..., sí, un poco; pero no mucho...

El comisario trata de dulcificar el tono de su voz por el método de bajar el volumen:

—Varela, ¿cree usted que cualquier día de éstos voy a lanzarme a morderle la yugular, o algo parecido?

Varela no puede evitar hacer gesto de llevarse la mano a la yugular, pero lo aborta a tiempo:

—No…, no lo creo…

—¿Entonces por qué me contesta siempre como si me tuviera miedo? Soy pacífico, paciente y según cómo hasta puedo ser amable. ¿Comprende usted lo que le quiero decir?

—Sí…, sí.

—Vale, entonces le agradecería mucho que no lo olvidase. ¿Tendrá usted la bondad de no olvidarlo?

—Sí, claro.

—Bien: gracias.

El comisario entra en su despacho, se quita la americana, se afloja la corbata y se arremanga un poco la pulquérrima camisa blanca que su mujer le ha planchado por la mañana. Luego se lo piensa mejor, se quita la corbata del todo y se arremanga hasta los codos antes de sentarse a la mesa. Ahí sigue el breve poema que a primera hora le ha hecho buscar a Varela en Internet y que luego le ha impreso en letras grandes.

★ ★ ★

Le ha dado ya mil vueltas a las dos estrofas, y sigue pensando que hay cosas que encajan y otras que no:

> *Hábil, astuto, cruel,*
> *es el noble guerrero,*
> *oro calza la yegua*
> *del Señor que en secreto*

rige con voz de mando
en el Monte Perverso.
¡Luz se hará sobre el nombre
que se expone de lleno
a quien supla la falta
en el orden perfecto!

Consejero de diablos
es el hombre de negro,
emplear bien sus zarpas
del león es derecho.
Rogad al mal romance
que se torne sereno:
descubrís que el virrey
que se esconde en el verso
ofrendó sacrificio...

Lo firma un tal Juan de Horlá, que no es pseudónimo sino el verdadero nombre del propietario del matadero. Varela ha anotado a lápiz el nombre del periódico, *La Gaceta del Horlá*, y la fecha de publicación, ocho días antes del hallazgo del cuerpo en el matadero. Al comisario le parece que nada rima del todo bien, al menos no como riman «jamón» y «camión». Y también le parece que hay siete sílabas por verso, lo cual le resulta al comisario significativo, aunque en realidad no acaban de salirle las cuentas. Por ejemplo, en «Hábil, astuto, cruel» cuenta seis, y en cambio en «Que se esconde en el verso», le salen nueve. Por otro lado se le hace raro que la poesía termine con esos puntos suspensivos, le otorga al conjunto la apariencia de estar inacabado. Hasta le da un aire de adivinanza. También le cuesta encontrarle un sentido preciso a las palabras; aunque aparece «sacrificio» y eso le interesa. Apunta en su libreta: «Buscar origen de "sacrificio"». De momento decide concentrarse en los seis primeros versos. Apunta en su libreta: «Hay un noble guerrero astuto y cruel, y también hay un Señor (con mayúscula) que rige en el Monte Perverso (con mayúsculas)». No le queda claro si el Señor con mayúscula y el noble guerrero son la misma persona, y tampoco le cuadra otra cosa: ¿qué significa que su yegua vaya pisando oro?, ¿significa que el Señor es rico? El comisario echa de menos a Puértolas y su dominio de las mayúsculas y minúsculas. Veamos, piensa el comisario: se trata de razonar como un psiqui, no puede ser tan difícil... El Señor con mayúsculas podría ser el Diablo, eso encajaría con que mandase en el Monte Perverso, que, conociendo la reticencia de los poetas a llamar a las cosas por su nombre, bien podría ser el Infierno. Pero si su yegua pisa oro, ¿no será más bien Dios cabalgando por los cielos, y el oro serían quizá los rayos del sol que la yegua va pisando?

Y justamente el icono de un sol, de un círculo radiante de oro, le trae al comisario la imagen precisa a la que se refiere la metáfora. Nada de Dios ni de Diablo: de pronto los seis primeros versos han adquirido sentido pleno.

Muy satisfecho, mira el reloj, las once menos cinco. A las once tiene cita con Quique Aribau, el escritor. Algo le dice que su visita va a ser escrupulosamente puntual, así que guarda el poema y se limita a esperar a que lo avisen de recepción observando las coladas de los inmigrantes ilegales. Cuando el teléfono suena son exactamente las once y un minuto.

—Sí...

—Comisario —dice la voz del guardia de la planta baja—, tengo aquí a un individuo que dice llamarse Quique Aribau y que tiene concertada una cita con usted. Resulta que en su DNI pone otro nombre, pero insiste: dice que es escritor y que usted lo conoce por el pseudónimo. ¿Le doy una patada en el culo o lo dejo subir?

—No, déjelo pasar… Tome nota de su documentación y que lo acompañen a mi despacho.

Dos minutos después, Varela abre la puerta y aparece tras él un individuo de unos treinta y tantos, más bien ancho que alto, sin apenas pelo en la cabeza redonda y carnosa salvo por las cejas muy negras. Ni siquiera el atuendo parece el propio de un escritor tal como el comisario se los imagina, enjutos y distinguidos, pero lo mismo se levanta de su butaca y le tiende educadamente la mano.

—¿Comisario Pujol? —pregunta él.

—Sí: encantado. —Dirigiéndose a Varela—: Gracias, Varela, puede retirarse. —A la visita—: Siéntese, por favor…

—Gracias. Disculpe el lío del pseudónimo, me olvidé de avisarle… Suelo tener problemas con eso…, en los hoteles, o en Correos, más de una vez me he quedado sin poder recoger un paquete porque no viene a mi nombre… Por cierto —le tiende al comisario el DNI—, éste es mi nombre, muy poco comercial, como ve: espantaría a los lectores.

El comisario lee en voz alta y decide darle un poco de cuerda mientras se hace una idea de qué clase de persona es.

—Pues yo creo que suena bastante bien… —dice.

—Bueno… para crítico literario vale, pero para novelista… Lo divertido es que hay un señor muy bien informado en la prensa que se empeña en publicarlo en plan desenmascaramiento, y siempre lo escribe mal… sin «H».

—¿Así no es un secreto?

—Qué va, cualquiera que me conozca sabe cómo me llamo…, pero me gustan los pseudónimos, y es fácil encontrarlos: basta elegir un nombre de pila vulgar y añadirle una calle de la ciudad a modo de apellido…

El comisario sonríe bajo el bigote:

—«Quique Aribau»… Ya veo…

Quique se remueve en la butaca que le huele a cuero nuevo:

—Bueno, déjeme usted que me ubique un poco, nunca había estado en una comisaría, y menos aún en el despacho del comisario principal. No está mal, ¿eh?, me imaginaba algo menos… elegante, algo gris, con archivadores descascarillados y sillas de plástico. En las películas las comisarías son siempre muy feas…

Habla bastante rápido, le brillan los ojillos bajo los párpados achinados y suele escapársele una sonrisa pícara, casi infantil, que lo ayuda a parecer simpático allí donde cualquier otro resultaría impertinente. Pese a su volumen corporal el comisario piensa que tiene algo de duendecillo; travieso; socarrón; en realidad bien intencionado.

—Este edificio es nuevo. En el viejo sí que había archivadores metálicos como en las películas.

—Pues este nuevo tiene buena pinta… Una comisaría de policía es una cosa que siempre me ha llamado la atención, desde niño… Bueno, supongo que a todos los niños les pasa igual, el de policía es un oficio muy especial, uno se lo imagina…, no sé…, como de técnicas, y secretos… Parece interesante.

—A mí me pasa lo mismo con los escritores —el comisario sigue sonriendo sin dificultad—. Y tampoco había conocido a ninguno hasta ahora.

—Bueno, no se fíe mucho, me parece que no soy un escritor típico.

—¿Ah no?

—No…, al menos los que he conocido suelen ser gente que de una u otra manera siempre se ha ganado la vida leyendo y escribiendo… Yo es como si aterrizara de repente desde otro planeta.

—¿Hace poco que escribe?

—De toda la vida, pero ser escritor es como ser prostituta: hasta que uno no cobra por el trabajo no puede considerarse tal.

—Ya… Debe de ser todo un mundo…

—Muy pequeño, yo juraría que no hay ni un solo escritor profesional que tenga amigos carpinteros o vendedores de cortinas.

—En la policía pasa algo parecido, solemos relacionarnos entre nosotros… ¿Y cómo consiguió que le publicaran? No debe de ser fácil…

—Pues como en las películas… Un día envié un original a tres o cuatro editores y sonó la flauta. La cosa es que hace un año nadie me quería ni como auxiliar administrativo y ahora todo el mundo me ofrece dinero para que escriba cosas. Se han vuelto todos locos…

—Pero eso es bueno, ¿no?, muchos quisieran estar en su lugar, tener éxito…

—No me quejo… Pero hay cosas del éxito que no me gustan. Por ejemplo, he descubierto que no me gusta nada que me hagan entrevistas.

—¿Por qué…?

—Bueno, cada vez que me preguntan eso contesto algo distinto. En su caso, siendo usted policía, le diré que siempre resulta humillante someterse a un interrogatorio. Seguro que así sabe a lo que me refiero…

El comisario sonríe:

—Pero ¿le gusta escribir, no? Eso es lo verdaderamente importante…

—Si quiere que le sea sincero, mi vocación es retirarme cuanto antes y vivir de rentas. Vivir razonablemente bien, quiero decir: tener un par de residencias, conducir un Audi…

El comisario ya sonríe permanentemente por debajo del bigote:

—¿Un A3 amarillo?

—Yo estaba pensando en un TT azul marino, pero ahora que lo dice no estaría mal algo amarillo para la segunda residencia.

—Para todo eso habrá que escribir muchos libros…

—No se crea… Bastaría una novela que demostrara que Jesucristo era negro, gay y extraterrestre, y sobre todo que la Iglesia ha tratado de ocultarnos esta meridiana verdad pactando con Atila y los nazis… Pero mientras se me ocurre cómo documentar todo eso estoy pensando en desaparecer del mapa y escribir algo simplemente homologable. Y a eso iba: lo que tengo en mente es una novela policíaca.

—Ajá…

—Bueno, no creo que termine siendo una verdadera novela policíaca porque soy muy malo para las tramas detectivescas. Confundo a los personajes, y se me olvidan los nombres…

—No se lo diga a nadie pero a mí me pasa lo mismo: siempre que veo una película de policías me pierdo.

—Bueno, podemos guardarnos el secreto mutuamente… La cuestión es que se me ocurrió la idea cuando leí que habían asesinado a una mujer en un matadero, en San Juan de Horlá.

El comisario, pese a su sorpresa, logra parecer sinceramente desinformado.

—Ajá… —dice con cara de póquer, dejando hablar a su interlocutor.

—Pero lo que me interesa sobre todo es que los policías también deben de ser personas…

—Bueno, casi todos… —El comisario ha ampliado la sonrisa.

—Quiero decir que tendrán familia, y padecerán la gripe, y tendrán que ir de compras… Por cierto, ¿le importaría que le copiara el bigote y las gafas si finalmente necesito algún comisario en mi novela?

—Pues…, mientras no me copie nada más…

—No, el resto lo sacaré de otra parte, pero ese bigote y las gafas son perfectos, daría usted el comisario ideal en cualquier cásting.

—Pues me alegro de que piense eso porque hay quien dice que tengo aspecto de notario…

—¿Notario?, qué va… y este despacho minimalista también está bien, con su ventanal enorme, y la ropa tendida…

—Pues la verdad es que a mí el ventanal no me gusta nada… —El comisario se ha girado un poco en su butaca para mirar afuera.

—Por eso precisamente es un buen detalle: porque al comisario no le gusta nada… Yo creo que lo hace sentirse incómodo en su carísima butaca de cuero…, me lo imagino deseando llegar a casa y ponerse las zapatillas.

El comisario vuelve a sonreír.

—En eso sí que coincido: no sabe cómo me mortifican a veces los zapatos… ¿Y acaba bien la historia de su comisario?

—Pues no lo sé… No tengo argumento, sólo un punto de partida y una especie de intuición sobre la clase de cosas que me interesa contar.

La charla se extiende aún durante un buen rato. Y al comisario le ha caído definitivamente bien el tal Aribau, de modo que obtiene permiso para moverse a sus anchas por toda la comisaría. Más aún: el comisario hace llamar a Sanchís, el jefe de prensa, para que se encargue de introducirlo en el resto de los edificios que forman la Central: Administración, Científica, Narcóticos, Homicidios…

—Eh…, Quique… ¿Entiende usted algo de poesía? —le pregunta justo en el momento de darle la mano para despedirlo.

—Pues no…, lo que recuerdo del bachillerato. Cuando necesito saber algo consulto mi libro de literatura de primero…, todavía lo conservo.

—Ya… ¿Y le importaría, la próxima vez que se pase por aquí, traerse ese libro y reservarme media horita?

Por un momento a Quique se le ocurre que el comisario es poeta aficionado y quiere enseñarle algo que ha escrito.

—El miércoles que viene, si usted quiere… Tengo que volver a la ciudad por lo del programa de radio.

★ ★ ★

Las siestas del comisario en Calabrava siempre son bastante más largas que en el sofá de su despacho. Se desviste y se mete en la cama, a veces durante una o dos horas, hasta que su mujer se cansa de ver la programación de sobremesa y entra a despertarlo. Después toma un café sentado a la mesa de la cocina, como en un segundo desayuno, y es justo en ese momento, cuando está somnoliento, sin muchas ganas de hablar y a veces en meros calzoncillos, cuando su mujer aprovecha para explicarle sus planes para la tarde o para la vida en general. Naturalmente casi nunca encuentra oposición por parte del comisario, que suele limitarse a beber café, bostezar y rascarse la cabeza descabellada.

—¿Sabes qué he pensado que podríamos hacer esta tarde?, ir a mirarte un traje para la cena de jubilación.

El comisario tarda en reaccionar:

—¿Aquí, en el pueblo?

—Claro, aquí están las mejores marcas, tonto… No ves que vienen tantos extranjeros…

El comisario siempre un poco lento, contrariado:

—Hoy no tengo ganas de probarme trajes…

—Pues tarde o temprano tendrás que hacerlo...

—¿Y no puedo ir a la cena con el azul marino?, es casi nuevo... me lo hice para la boda de tu sobrina la mayor.

—Eso: el azul marino precisamente que es el que más te pones... ¿No querrás ir a una cena en tu honor con el mismo traje que todo el mundo te ha visto en la comisaría? Parecería que ibas de uniforme.

—Pues no quiero más trajes... Siempre voy con traje: parezco un notario.

—¿Un qué...? —ríe—. ¿Y qué quieres ponerte para la cena?..., ¿un chubasquero?

—Además aquí las tiendas son... como boutiques...

—Precisamente: necesitas un buen traje negro de tres botones, que se llevan ahora, y además te hará más delgado. Te quedaría perfecto con camisa blanca y corbata de seda amarilla, le he visto a Arturo Fernández esa combinación y estaba elegantísimo.

El comisario casi murmura:

—Hoy no tengo ganas... Aquí no.

Ella se pone en jarras:

—Bueno, pues ya me dirás: si sólo podemos ir de compras los sábados...

—También podemos ir una tarde al Cortefiel de al lado de casa, ya conocemos al señor que nos atiende...

—¿Y qué que lo conozcamos? ¿No me irás a decir que te da vergüenza probarte un traje en otro sitio?

Cara de incredulidad del comisario:

—¿Vergüenza?, no sé de qué voy a tener vergüenza...

—Ay, Señor, si no te conociera... ¿Vamos al menos a ver si encontramos la corbata?

El comisario tarda un poco en contestar:

—La corbata bueno...

—Venga, pues: vístete. Y no te me pongas los mocasines blandos, ponte los zapatos negros.

—¿Y por qué tengo que llevar los zapatos negros para ir a comprar una corbata? ¿Eh?

—Bueno, chico, pues ponte los que te dé la gana…

Al rato el comisario sale del vestidor compuesto y con los zapatos negros, pero aún tiene que esperar hasta que su mujer termina de arreglarse. Bajan y dan la vuelta a la manzana para embocar la calle Mayor del pueblo. En esencia es un racimo de comercios de ropa y complementos, algunos de cierto lujo, alternados con restaurantes, tiendas de souvenirs y terrazas de cafés sobre la calzada peatonal. Dos de las sastrerías de caballero están reunidas al frente de la iglesia; allí se paran, ante un escaparate con maniquíes trajeados y varias cascadas de corbatas de Hermes y de Yves Saint-Laurent.

—¿No te gusta esa amarilla?, mira qué bonita.

El comisario, con las manos en los bolsillos, hace un ruido gutural que no compromete a nada. Después se retuerce sobre sí mismo tratando de ver el precio en una etiqueta que queda boca arriba.

—¿Ciento cincuenta euros?, ¿puede una simple corbata valer ciento cincuenta euros?

Su mujer también se agacha para comprobarlo:

—Qué quieres, es una corbata de marca…

—¿Y tú te quejas de lo que cuesta la derrama del ascensor?

—Tampoco es para tanto…

—Pues si una corbata vale eso, ya te puedes imaginar lo que valdrá el traje entero.

—Bueno, hay ocasiones en las que no se debe escatimar…

El comisario se la queda mirando fijamente por encima de las gafas:

—Tú misma: como me hagas ponerme un traje de ésos me voy el lunes a un concesionario Audi y salgo de allí con coche nuevo y todos los extras que quieran venderme.

—Venga, no digas más tonterías y vamos a entrar. Y quítate las manos de los bolsillos, que pareces un... zamacotán. ¿Ves?, no hay chicas, hay dos señores para atender a los clientes.

—Me da igual si hay chicas o sargentos de caballería..., no quiero entrar.

—Bueno, pues entro yo sola.

Dicho y hecho. Naturalmente el comisario la sigue, no va a quedarse atisbando como un bobo tras los escaparates. Pero lo hace sin sacarse las manos de los bolsillos, en claro signo de rebeldía.

—Buenas tardes —dice ella. Uno de los dependientes, el mayor de ellos, se acerca obsequioso, poniéndose una cinta métrica alrededor del cuello—. Veníamos a ver algún traje para mi marido —señala con el pulgar el considerable espacio que ocupa el comisario, que no saca las manos de los bolsillos pero sí mete un poco la tripa.

—A ver —dice el dependiente observando de arriba abajo al señalado, con lo que se gana una larga mirada de interrogatorio en tercer grado—. Yo diría que estamos hablando de una sesenta y seis de chaqueta... Creo que algo encontraremos en el almacén. Y si no también trabajamos a medida. ¿Habían pensado en algún corte en concreto?

—Pues, le van a dar una cena de despedida en el trabajo... Yo había pensado en algo elegante, negro, de tres botones. Se llevan ahora los tres botones, ¿no?

—Tampoco queríamos gastar mucho dinero —interviene el comisario.

—José María, por favor, déjame a mí...

—¿Cuánto viene a costar uno de esos de tres botones? —insiste el comisario.

—Bueno —dice el dependiente, dispuesto a armarse de paciencia—, depende del género, y de la marca... Tenemos cositas muy presentables a partir de quinientos euros, y luego, claro: hasta dos o tres mil los de más categoría... Pero estamos hablando de paños de calidad...

—Ya... Supongo que los de tres mil vendrán con airbag, ¿no?

El dependiente ríe por cortesía.

—No le haga caso —dice ella—, la que paga soy yo. —Dirigiéndose al comisario—: No seas tonto, vamos a ver qué nos ofrece este señor y después si quieres lo hablamos.

El calvario dura casi una hora. El comisario es medido, calibrado y sometido a varios enclaustramientos en un diminuto probador donde apenas puede moverse sin que se abra la cortina dejándolo en paños menores ante cualquier turista rubicunda que entre en la tienda. Finalmente su mujer decide que lo mejor será hacerle un traje a medida en fina cachemira negra. Eso viene a costar unos mil ochocientos euros a los que hay que sumar un cinturón de ciento diez —no sirve de nada que el comisario alegue que ya tiene cinturón tanto negro como marrón, e incluso unos tirantes—, una camisa blanca de ciento treinta —al parecer tampoco valen ninguna de las camisas blancas que ya tiene— y la corbata Yves Saint-Laurent de ciento cincuenta.

Cuando salen de la tienda el comisario vuelve a meterse las manos en los bolsillos. Su mujer camina al lado, llevando la bolsa de los complementos:

—Ya verás lo guapo que vas a estar en las fotos...

—Quiero un bañador —dice él, parándose en una tienda donde se exponen colgados en una percha.

—¿Que quieres qué?

—Un bañador.

A ella le da un poco de risa:

—¿Y para qué quieres un bañador si no vienes nunca a la playa? ¿No dices siempre que eres alérgico al sol?

—Por si acaso. Y el lunes me voy al concesionario de coches, para que lo sepas.

★ ★ ★

[…] Un delincuente que consiguió una puntuación alta en el Psychopathy Checklist *asesinó a un anciano durante un robo. Así describía los hechos: «Estaba revolviendo la casa cuando el viejo baja las escaleras y…, uh…, empieza a gritar y a darle un puto ataque […] así que le doy en la cabeza, pero el tío no para. Le pego un tajo en el pescuezo y se tambalea y se cae al suelo. Ahí está el tipo dando grititos ahogados como un cerdo [ríe] y, joder, me estaba poniendo nervioso así que […] le doy unas patadas en la cabeza. Eso lo calló por fin. […] Como estaba bastante cansado, cogí unas cuantas cervezas de la nevera, puse la televisión y me quedé dormido. Me despertaron los policías [ríe]».*

Después de leer este párrafo, el comisario decide olvidarse un rato del libro de Hare y bajar a la primera planta a tomar un café, a ser posible charlando con alguien.

Saliendo de su despacho se para un momento delante de Varela y le dice, como confidencialmente:

—Por esta vez no lo voy a mandar azotar, pero que sepa usted que lleva un lamparón en la camisa… Yo diría que es tomate… Si alguien me busca estoy en la cafetería.

Llegado allí, el comisario se alegra de ver acodado al final de la barra de la cafetería a Sanchís, el jefe de prensa. Va de uniforme.

—Hombre, Sanchís, qué hace de romano…

—Ya ve: tengo rueda de prensa a las doce. Por lo del alijo en el puerto… Qué toma.

—Un descafeinado de máquina, llevo ya tres cafés esta mañana.

Sanchís llama al camarero y hace el pedido.

—Qué, cómo va nuestro escritor —pregunta el comisario.

—¿Quique?: bien…, a ratos parece que le falte un hervor, pero es simpático. Me lo llevé a Homicidios y le presenté a la panda. Allí se quedó, hablando con Rodero en su despacho. Ya sabe usted cómo es Rodero: con sus caramelos de menta y la pajarita…, supongo que debió de parecerle muy pintoresco.

—La verdad es que él también es bastante pintoresco. Dice que las entrevistas son como interrogatorios —el comisario sonríe—. Pero da la sensación de que se toma su oficio en serio. Y la verdad es que se agradece, hoy día todo el mundo trabaja al ralentí.

—A ratos me vuelve loco, quiere saberlo todo: si también son policías los que hacen la limpieza, a qué edad nos jubilamos, de dónde sacamos «los disfraces»… Y sobre todo, dice que no me preocupe, que en su novela los policías son los buenos… —Los dos ríen—. Este miércoles hemos quedado para ir a la Científica… Eso sí: le pregunté si quería asistir a una autopsia y me dijo que ya se lo pensaría.

—No me lo asuste, Sanchís, que tiene que pasar a verme esta semana, quiero hacerle una consulta… Por cierto: ¿tenemos a alguien en la Central que entienda de poesía?

—Pfff… Como no hable usted con un psiqui…

—Ya…

Sanchís sonríe:

—No me diga que va a dedicarse a la poesía ahora que se jubila…

—No, es por el asunto Uni-Pork… En fin: tengo una de esas corazonadas.

—¿Anda usted metido en eso?

—Oficialmente no, pero le estoy dando vueltas.

Llega Varela apresurado. Localiza al comisario en la barra y se acerca para hablarle:

—Comisario: atraco con violencia en una tienda de discos, en la calle Santa Cecilia, a dos manzanas.

—¿Hay heridos?

—Le han dado en las narices a uno de los empleados, nada serio en principio, pero habrá que llevarlo al hospital a que lo remienden un poco. Tenemos allí a la patrulla, pero pregunta Batista si quiere usted mandar a un inspector.

El comisario cabecea y suelta aire:

—Que esperen antes de llevarse al chico, ya me paso yo, me parece que lo conozco.

El comisario sale del edificio en mangas de camisa para no perder tiempo subiendo a su despacho a por la americana. Cinco minutos después llega a la tienda. El coche celular tiene las luces encendidas y dos ruedas sobre la acera. Varios vecinos, comerciantes de alrededor, forman un pequeño corrillo a la entrada, donde uno de los agentes hace de tope para que no entren. El agente saluda al comisario y le deja paso; adentro, el otro agente de la patrulla, que también saluda, y el empleado agredido sentado en una silla, con la camiseta fucsia manchada de oscuro sobre el *piercing*. Tiene los ojos llorosos y se cubre ligeramente la nariz con un pañuelo de papel muy manchado de sangre. Su compañero, de pie junto a él, deposita una mano en su hombro y con la otra se tapa también el embozo. Un cubo con la fregona enrojecida indica que ya han limpiado la sangre del suelo.

—Bueno, joven —pregunta el comisario tratando de usar un tono ligero—, ¿no me diga que ahora le ha dado por el boxeo?

El muchacho rompe a llorar. El comisario se acerca y le da un apretón en el hombro:

—Venga, venga, ya está… A ver eso. —Trata de apartarle la mano que sujeta el kleenex y le levanta la barbilla. La nariz del muchacho tiene un corte horizontal sangrante y está inflamada, pero no parece rota, mantiene la posición y la forma—. Bueno, no es nada, un par de grapas y ya está. Debe de haberle cortado con el anillo.

—No… —empieza a decir el chico, pero no le resulta fácil hablar.

—Le ha dado un cabezazo con el casco de moto —dice el otro dependiente.

—¿Era uno sólo?

—No, dos; con cascos de moto.

—¿Y guantes?

—Sí.

—¿No les habéis dado el dinero?, ¿os habéis resistido?

—No —contestan los dos al unísono.

—¿Habéis hecho algo que pudiera… enfurecerlos?

—No —contesta el indemne, pero no muy convencido.

—A ver, qué ha pasado exactamente…

El indemne relata. Han entrado dos tipos con los cascos de moto puestos, se han ido directos al mostrador, uno de ellos ha sacado una navaja, ha agarrado al indemne por el pescuezo y le ha pedido al otro que sacara todo lo que hubiera en la caja. El agredido estaba en ese momento tras el mostrador, ha dicho que bueno, ha abierto la caja y ha entregado todos los billetes, unos setenta euros, lo que había para cambio. Luego, mientras se los dejaba en el mostrador, ha dicho algo que al de la navaja le ha molestado y el tipo ha pasado detrás y le ha dado un cabezazo con la visera del casco medio abierta. Después ha cogido el dinero y se ha marchado con su compinche.

—Y qué es eso que le has dicho que le ha molestado tanto —pregunta el comisario al agredido, tuteándolo por primera vez desde que lo conoce. Ante la renuencia del agredido contesta de nuevo el otro, con cierta cara de culpabilidad:

—Nada, que con los setenta euros debería comprarse unos pantalones en algún mercadillo porque los que llevaba le hacían bolsas y estaban pasados de moda. Bueno…, más o menos eso, pero de otra manera.

El comisario esconde los labios bajo el bigote y se pone en jarras:

—¿Y tú no sabes que a según quién no se le pueden hacer ese tipo de comentarios, sobre todo si entra en la tienda con una navaja y un casco de moto puesto? —Señalando al mostrador—: ¿No ves que si en vez de darte un cabezazo se le hubiera ocurrido pincharte el páncreas ahora tendríamos ahí un cadáver con mucho estilazo?, ¿no se te ha ocurrido pensar que hay gente por ahí capaz de eso y de más?

—Era un palurdo y un energúmeno —contesta el muchacho, con toda la dignidad que su estado le permite—, y se lo tenía merecido.

—Bueno, pues ahora a ti van a tener que coserte las narices, y el palurdo andará por ahí presumiendo de que le ha roto la cara a un niñato la mar de moderno. ¿Crees que ha valido la pena?

—Si la policía cumple con su obligación y lo detiene, sí, habrá valido la pena.

—¿Sabes que a veces resultas bastante impertinente, hijo? ¿Se te ha ocurrido que no es posible detener a un individuo del que lo único que podéis decir es que llevaba casco de moto y unos pantalones pasados de moda? Se acostumbra a dar más pistas, jovencito, esto de identificar a delincuentes es casi tan difícil como encontrar un disco en las estanterías, ¿te haces cargo?

El comisario ha ido endureciendo el tono y se da cuenta de que el muchacho está a punto de volver a ponerse a llorar, así que afloja:

—Anda, vete a que te arreglen eso y a ver si aprendes la lección para otro día.

Al llegar a su despacho diez minutos después, el comisario vuelve a abrir al azar el libro de Hare sin pensar demasiado en lo que hace, quizá con la ingenua pretensión de distraerse:

[…] Preguntamos a un recluso si había perdido alguna vez el control y respondió: «No. Siempre tengo el control. Por ejemplo, soy yo quien decido el daño que le voy a hacer al tipo».

EN EL PARAÍSO

T abre los ojos cinco minutos antes de que suene el despertador pese a haberse acostado al amanecer. Tiene resaca, regusto a güisqui rancio, no recuerda el momento en el que se acostó, ni siquiera cómo llegó al hotel. Debió de haber bebido demasiado en el bar de la 33, eso sí lo recuerda, como el haber comido gran cantidad de alitas de pollo en el coreano de la Séptima. Y sobre todo recuerda que tiene una cita a las once en el parque, ésa es la idea casi obsesiva que lo ha despertado cinco minutos antes de tiempo.

Al salir de la ducha abre el armario empotrado que hay frente a la puerta del baño. De los percheros sólo cuelga la ropa, en su mayor parte sin estrenar, que ha ido comprando en la ciudad. Lo que busca, una camiseta blanca, está dentro de su bolsa de viaje, en el suelo del armario; pero hay algo entre las prendas colgadas que le llama la atención. Algo gris, de tela de algodón gruesa, afelpada. No recuerda haber comprado nada así: es una sudadera con bolsillo central y capucha, como las que suelen llevar algunos negros. Sí recuerda haber querido comprar algo parecido para su cita en el parque: una sudadera con capucha. Pero si la hubiera comprado, lo recordaría, ¿correcto?, correcto. Se le ocurre que quizá las empleadas de la limpieza la encontraran en alguna parte, debajo de la cama, en cualquier cajón, o a la puerta de la habitación, y la colgaran en su armario pensando que era suya. Quizá es de un huésped anterior. Parece nueva, y no huele a nada especial. Bueno, quizá le parece que huele un poco a Boucheron, pero debe de ser porque el armario huele un poco a eso. Es de su talla, XXL americana. Se le ocurre que podría ponérsela esta mañana y devolverla después. En el pecho tiene estampadas las iniciales NY en color azul. No le gusta mucho eso, pero tampoco está tan mal, combina bien con los vaqueros que guarda en la bolsa de viaje.

A las diez, con la sudadera puesta, está desayunando en la calle: café y una rosquilla judía, no le queda apetito para más después de las alitas de pollo de madrugada. Y a las diez y media entra en el metro en la 33, toma un *local* hasta la 72 con Broadway y desde allí echa a andar hacia el parque. La zona le parece sorprendentemente limpia incluso a la luz del sol, si uno mantiene la vista baja para no ver la altura de los edificios casi puede imaginar estar en una ciudad europea.

Camina sin mucha prisa y una manzana antes de Central Park West cambia de acera para no pisar la vereda del edificio Dakota. *Just in case.* Después se sienta en el murete del parque a hacer tiempo fumando. Hace calor, a lo largo de la acera se han montado paradas de helados y bebida fría; mucha gente va en manga corta. También él se quita la sudadera y se la coloca a los hombros. Observa cómo los bíceps le deforman la manga de la camiseta y los pectorales la tensan ostensiblemente en el torso, eso a pesar de que ha perdido un poco de tensión muscular en las últimas semanas, desde que no va al gimnasio. ¿Quizá tiene el aspecto de uno de esos culturistas presumidos que usan ropa ceñida? Vuelve a ponerse la sudadera, termina el cigarrillo y se mete en el parque con la esperanza de encontrar un hueco a la sombra en los bancos de Strawberry Fields.

Lo encuentra: al parecer todo el mundo busca exponerse directamente al sol. Se sienta sobre las tablas de madera malograda por la lluvia y observa a la gente disfrutando del buen tiempo. Los turistas, inconfundibles, se detienen ante el rosetón de mosaico embutido en el suelo, con la palabra «IMAGINE» escrita en el centro. Remanso de paz dominical: además de turistas también hay mujeres, todas blancas, que leen o dormitan en los bancos, y hasta algunos niños y viejos. No suele haber ni niños ni viejos por la calle, en especial no suele haber niños. T trata de recordar dónde ha visto alguno antes y sólo le viene a la memoria un patio de colegio en el East Village, donde unos críos de seis o siete años jugaban tras unas rejas de gallinero.

—¡Uh! —dice una voz impostada, detrás de él.

No le asusta el pequeño aullido, pero se sobresalta al volver la cabeza y encontrarse con un rostro tan conocido: conocido de toda la vida. Es Suzanne, pero ahora lleva el cabello apenas recogido en una cola holgada y, durante un segundo en el que no está poniendo caras extrañas, el parecido con el retrato resulta aún más asombroso que otras veces. Viste vaqueros y un jersey que le viene grande, de perlé celeste, y sostiene una gorra de béisbol en la mano. Al margen del parecido, es la perfecta modelo de un anuncio de agua mineral: frescor, salud y belleza sin artificios.

—*Hi...* Me alegro de verte... Un beso... —dice T cuando se recupera. Se nota que ella no lleva sus tacones habituales porque de pronto su cara queda más abajo de lo que él recordaba, pero la piel sigue siendo la misma sin el amparo del maquillaje, quizá más arrebolada en las mejillas.

—¿Hace mucho que esperas? —dice ella poniendo

cara de culpabilidad, alzando las cejas fruncidas y apretando los labios.

—No, acabo de llegar, pero todo el mundo está tan tranquilo aquí que me he quedado embobado.

—Bonito día, eh…

—El mejor desde que estoy en la ciudad.

—Uf, ya verás en verano… Hace un calor horrible —gesto de calor horrible: labios bajos, ojos de perro pachón y dorso de la mano pasando por la frente.

—Eso he oído…

Hay una pausa, quizá demasiado larga: ella no ha encontrado nada divertido que hacer ni que decir. Y en el transcurso de esa pausa, T comprende el porqué de la constante mímica de ella; de las bromas, de las muecas… Es por timidez: no quiere dejar ver a la muchacha que hay detrás de la pantomima. Justo la muchacha que T quiere ver.

—Qué te parece: ¿damos un paseo por el parque? —dice él, echándole un capote.

—Sí, claro… —Ella se pone la gorra.

—Pero tendrás que guiar tú porque yo no me lo conozco.

—Uf, yo tampoco… Suelo bordear el lago por West Driver, hay que tomar ese primer camino a la izquierda… ¿No habías entrado nunca?

—¿En el parque?; sí, a veces, te lo tropiezas por todas partes… Pero nunca me he quedado dentro más de diez minutos, lo justo para fumar un cigarrillo y salir.

—¿No te gusta el verde, la naturaleza? —gesto de mariposas volando.

—Prefiero el gris de las calles —T sonríe—, yo no tengo antecedentes irlandeses…

Ella repite la mímica de bailarina celta que había hecho en el Instituto y sonríe. Pero todavía no se ha roto el hielo, y además parece estar pendiente de alguna clase de explicación que sin duda tendrá que dar T, él ha insistido en concertar la cita y por tanto es el responsable de dotarla de interés, o por lo menos de darle justificación. Por el momento caminan a ritmo demasiado rápido para un paseo, y al poco desembocan en una ancha avenida asfaltada por la que corren ciclistas y *joggers*. Suzanne se acerca a una baliza de información que muestra la maraña de caminos y senderos. «Se trata de llegar al Shakespeare Garden, y luego podemos pasar por el castillo, es el punto más alto del parque...».

Ése es el recorrido que tratan de seguir, titubeantes ante las continuas bifurcaciones que Suzanne no recuerda con precisión (gestos de Sherlock Holmes olfateando en el aire), pero saben que van por buen camino cuando llegan a la orilla del lago. Se detienen allí un momento. El agua cubre un gran vacío de vegetación, turbia, verdosa, tranquila; hay una sola barca ocupada, en la margen opuesta, tan lejos que no se oye el chapoteo de los remos. Después continúan bordeando la orilla a cuyo margen crece una vegetación poderosa y asilvestrada, lo que da pie a Suzanne para imitar a Jane llamando a Chita a cenar. Ciertamente nada hace pensar en el artificio de un parque a menos que uno vuelva la vista atrás, hacia los edificios más altos de Central Park West, o hacia los rascacielos del Midtown, que a veces aparecen entre la arboleda como torreones de un reino de fantasía.

—Parece Camelot —dice T.

—Sí... —hace una onomatopeya de espadas en lucha.

—Mira: una ardilla, ¿la ves?

—¿Dónde?

—En ese árbol —T señala.

—Ya la veo...

—¿Te puedes creer que nunca había visto una ardilla fuera de una jaula?

—¿No? Aquí se ven a montones, son muy confiadas —gesto de ardilla confiada, con las manos haciendo de orejas indolente y asimétricamente caídas, como una diva consentida.

Hace rato que no se cruzan con ningún ser humano, hasta que parece que han llegado a algún lugar de concentración para turistas. Suzanne explica que aquello es un jardín en el que se cultivan todas las plantas que se nombran en las obras de Shakespeare. Pose de Hamlet con su calavera. Desestiman la visita; siguen caminando, dejan atrás una granja de madera con aspecto de auténtica granja de madera y, subiendo una cuesta, llegan a la imitación empequeñecida de un castillo medieval, con un torreón que se eleva sobre el lago. Hay unos chicos subidos en lo más alto, pero parecen cohibirse por la presencia de adultos y bajan enseguida. T y Suzanne suben entonces. Desde lo alto se domina una buena extensión sobre el lago: hacia el norte, los árboles formando un confín hasta Harlem, al frente las terrazas del Upper East Side con sus molduras de piedra caliza reluciente, y al sur, lejos, de nuevo Camelot emergiendo con sus torreones de cristal coloreado.

—Los primeros días venía por aquí a relajarme un rato —dice Suzanne, con gesto de fumar marihuana y bailar reggae.

—¿Cuando echabas de menos el *skyline* de Sligo…?

Ella cambia el paso de reggae por el de bailarina celta que hasta ahora sólo había imitado con los dedos: manos a la espalda y pies de punta-tacón, punta-tacón. Se ríe de su propia parodia y saca un paquete de Marlboro Light. Ofrece uno a T. Él lo acepta. No sabía si ella fumaba y se alegra de enterarse de que sí.

—En Sligo no hay mucho *skyline* que digamos… Hay —hace gesto de enumerar con los dedos— casas de piedra y…, espera, qué más… Ah, sí: un río que pasa por en medio. —Gesto de río por en medio—. ¿Has estado alguna vez en Irlanda?

—No, pero eso tiene fácil remedio.

—Es un país de pueblos diminutos y casitas diseminadas sobre la hierba… Pero puedes ver el arco iris casi a diario, y a veces el aire brilla por efecto del polvo de lluvia, como si lo hubieran tocado con una varita mágica. —Gesto de varita mágica haciendo relucir el aire—. Es una tierra que siempre se añora, no sé…, como un jersey viejo, o una infancia feliz.

Algo le dice a T que ella empieza a relajarse.

—Suena bien… ¿Y qué está haciendo una melancólica celta en esta ciudad de locos?

Ella se vuelve para dar la cara y apoya la espalda y los codos en la almena. Durante varios segundos no hace muecas, sólo pone cara de pensárselo: su auténtica cara de pensárselo. Y T vuelve a ver el rostro que anda buscando.

—¿Que qué hago en esta ciudad de locos? Pues no sé… Me apetecía experimentarla, se me presentó la oportunidad y aquí estoy. Ya sabes lo que se dice: lo que no veas aquí no lo verás en ninguna parte… —vago gesto de marciano moviendo tentáculos.

—Viaje de experimentación…

Otra vez se lo piensa un poco:

—Más o menos… —Gesto de químico fatigando matraces—. Y de paso dejo pasar un poco de tiempo antes de tomar decisiones importantes. —Gesto de entrecomillar «decisiones importantes»—. A veces pienso que estoy esperando que ocurra algo… —Cejas rápidamente arriba a lo Groucho Marx—. ¿Y tú?, ¿qué has venido a hacer a esta ciudad de locos?

T también se toma un tiempo para contestar:

—Digamos que estoy buscando una segunda oportunidad. Ésta siempre ha sido la tierra de las oportunidades, ¿no?, al menos eso dice la propaganda.

—Bueno, supongo que depende del tipo de oportunidad que te interese...

—Ninguna en concreto... Solo que..., bueno, he superado la mitad de mi vida y, vista en perspectiva, resulta que la primera parte no me ha gustado nada. Supongo que es una variante de la crisis de los cuarenta; una variante complicada, seguramente...

—Ah, ¿hay más crisis después de los dieciocho? —cara de aprensión.

—Todas las que quieras, cada cual se hace su *planning*.

—Pues yo no pienso tener ni una más, ya lo pasé bastante mal con los granos.

—¿Tenías granos?

—Todos: los míos y los que en justicia hubieran tenido que corresponderles a mis amigas. Justo al revés de lo que pasaba con, en fin..., con otras cosas. Sólo te diré que el gracioso de la clase me llamaba «la Feldespato»...

—Pues has cambiado mucho desde entonces...

—Uf, una barbaridad —gesto de coquetería retirándose la cola.

Pausa.

—Oye, te agradezco mucho que hayamos quedado —dice T—. Espero que no te molestara que fuera tan insistente el otro día por teléfono, debí de parecerte un chalado...

—No... Esta ciudad es difícil para venir solo, sobre todo si no dominas el idioma.

—Si quieres que te sea sincero, no es sólo la ciudad y el idioma... También es que... Bueno, pensé que eras alguien especial. Y no me refiero a que seas tan guapa ni nada de eso —ella sonríe y frunce el ceño como para rechazar el halago, pero inmediatamente vuelve a retirarse la cola con coquetería fingida—, me refiero a otra cosa... Es algo que se nota sólo a veces..., cuando te relajas.

—No sé si tomarlo como un piropo... La verdad es que para ser un piropo es un poco raro.

—No es un piropo. Lo que quiero decir es que estuve seguro de que podríamos ser amigos.

Ella desvía un poco el tema:

—Aquí no es fácil hacer amigos... La ciudad termina por contagiarte su adustez..., la gente va por la calle metida en un caparazón —gesto de cangrejo inasequible al trato.

T acepta el rodeo:

—¿Y cómo es la gente en Irlanda?

—Uf, nada que ver: ruidosa, cálida, confiada... —gestos de bebedores de cerveza alborotados—. Sobre todo en la República, del otro lado son un poco más *British*, incluso los católicos, pero también allí es muy distinto.

—¿Y dónde está Sligo?, ¿en la República?

—Sí, en la costa Atlántica...

—Bueno, pues me alegro de que no seas nada *British*. ¿Y sabes qué otra cosa me gusta de ti?, que pronuncias las zetas. Contigo me siento como en casa.

—Tampoco es que yo tenga muchos amigos en la ciudad, no te creas... Bueno, está Deby: la señora de recepción...

¿Eso es también un cambio de tema? quizá...

—Se parece a Diane Keaton...

—Sí, es muy guapa, y encantadora, medio australiana, pero excepto en algún almuerzo rápido nunca nos vemos fuera del Instituto.

—¿Y tus compañeras de piso?

—Las dos son norteamericanas, una de New Jersey y la otra de Vermont, pero llevan en la ciudad desde que terminaron la secundaria y es como si fueran de aquí. Apenas las veo, la mayoría de las noches duermen por ahí, con alguien que han conocido durante el día... Por eso solemos quedar para comer los domingos, siempre hay algo que decidir con respecto al apartamento; la limpieza, las compras...

Los dos han terminado el cigarrillo. T deja de apoyarse en la almena y se endereza:

—Bueno, y qué te parecería si inaugurráramos una especie de Hermandad Hispano-Irlandesa tomando algo en alguna parte...

—Me apetece un café. ¿No me ofrecías un café el otro día por teléfono?

—Pero que sea un *espresso*: por hoy ya he tomado bastante del otro.

★ ★ ★

Bajando del castillo, cruzan el parque a lo ancho hasta salir del otro lado por la 79. Después pasan un rato curioseando entre las paradas de los pintores que exponen en la acera del Metropolitan. T se fija en unas pequeñas acuarelas originales a treinta dólares. Elige una que representa una flor geométrica coloreada en distintos tonos de rojo. Parece vagamente una rosa.

—Para ti —dice, haciendo gesto de entrega a Suzanne—. No necesita agua.

Ella la recibe con discreta sorpresa, sólo ligeramente impostada:

—Ah, muchas gracias... Es muy bonita.

La toma con las dos manos y finge que la huele con fruición, cerrando los ojos. Cuando T paga, el vendedor, que también es el artista, quiere saberlo todo de ellos: de dónde son, si les interesa la pintura, si llevan mucho tiempo en la ciudad... Ante las respuestas ambiguas de T, el hombre los toma por una pareja de turistas en vacaciones y les pregunta si tienen hijos. «*Not yet*», contesta T sonriendo en dirección a Suzanne, y en ese momento piensa que la confusión del pintor indica que después de todo no se ve tan mayor al lado de ella. Por otro lado la conversación en la almena ha servido para romper definitivamente el hielo, apenas un rato después ya se sienten como si se conocieran de tiempo. A T le gusta que cada vez haga menos falta hablar para evitar silencios, y también que se dé esa naturalidad, ese acuerdo tácito, en la manera de caminar el uno junto al otro, cada cual siguiendo su propia iniciativa al detenerse aquí o allá pero en realidad siguiendo una coordinación casi coreográfica. En dos o tres ocasiones se han rozado un brazo, o un hombro, o han acercado las caras a un mismo objeto de interés sin esa precaución con que se guardan las distancias en otros casos: en el metro, en una tienda, o incluso entre amigos.

Después de dejar al pintor en su parada, caminan en dirección a Park Avenue en busca de algún lugar tranquilo donde tomar café. Imponentes porteros con gorra de plato y uniforme hasta las pantorrillas hacen guardia bajo las marquesinas de los edificios de apartamentos, y, tras las cristaleras de los *halls*, aposentadas sobre pequeños trípodes, se han dispuesto placas invariablemente doradas advirtiendo que no se admiten visitas que no hayan sido anunciadas.

Suzanne se pone la gorra de béisbol del revés e imita el andar y el hablar de los raperos:

—*Hey, brother, think I better move on 'round here...*

—A mí también me gustaría vivir aquí... —dice T.

—No creo que la beca del Ministerio te dé para tanto...

—Pero ¿no estaría mal, eh?

—Bueno, en realidad un piso en el Upper East Side no

es lo que más me apetece en el mundo. Creo que se me ocurriría un lugar mejor en el que gastar veinte millones de dólares.

—¿Por ejemplo?

—Uf, no sé… A veces tengo esas fantasías de vivir en una casita en el campo.

—Ya, *La casa de la pradera…*

—¿La de Frank Lloyd Wright?

T ríe un poco:

—No… *La casa de la pradera* era una serie de televisión. Perdona, me olvidé de que te llevo veinte años…

T identifica una cafetería en la acera opuesta de Madison Avenue y señala en su dirección. Suzanne asiente para aprobarla; tiene un aire coqueto, con una terraza compuesta por mesitas de mármol rodeadas de pequeños limoneros, adornada de banderitas italianas. El escaso tráfico del domingo por la mañana les permite cruzar la avenida por cualquier parte. Se sientan a una de las mesas; Suzanne expone su flor pintada apoyándola contra el servilletero y finge regarla. Enseguida sale un camarero con pajarita y aspecto de italiano de verdad. Suzanne, ante la interminable carta de cafés, logra decidirse por un *espresso machiatto with a dollop of foamed milk*, y T por un sutilmente distinto *espresso doppio streamed milk machiatto*, que promete ser lo más parecido a un simple café cortado que puede tomarse allí.

—¿Y cómo sabes que son veinte? —pregunta Suzanne, cuando el camarero ha anotado el pedido.

—El qué…

—Los años que me llevas. Has dicho que te habías olvidado de que me llevabas veinte años…

—Bueno, yo tengo cuarenta y tres. Pero no pienso perder los modales hasta el extremo de preguntarte cuántos tienes tú, aunque evidentemente no tengas necesidad de quitarte ninguno.

—*OK*: tus modales están a salvo: tengo veinticuatro años, así que me llevas sólo diecinueve.

—Ah, qué alivio: sólo diecinueve... De modo que cuando tú ya tomabas papillas yo ni siquiera había terminado el servicio militar... Perdona: ¿sabes lo que era el «Servicio Militar»?: eso que te obligaban a hacer antiguamente en España, vestido de soldado...

Susanne finge enfado:

—Ya sé lo que es el servicio militar, muchas gracias. —Pausa—. Pues a mí no me pareces tan mayor, la verdad...

—Eso es porque no me has visto sin dentadura ni peluquín...

—Bueno, eso es como lo de conocer Irlanda, también tiene fácil remedio...

A T se le hace evidente que Suzanne está empezando a coquetear de manera franca. Y a lo largo de la conversación empieza a ser él el que hace gestos y mímicas y bromas, ella le cede en parte ese papel para situarse como espectadora, en cierto modo como homenajeada por el ingenio de él, que progresivamente se despliega hasta formar algo parecido a una cola de pavo real. Quizá ha llegado el momento de no ser tan tacaño con el sentido del humor.

Después del café vuelven hacia el oeste por alguna de las Setenta, casi sin hablar, disfrutando un poco más del buen tiempo y el tráfico escaso. T entra en un *Deli* a por tabaco y comete el error de comprar también la voluminosa edición dominical del *Times*, «Es que voy a empapelar mi habitación del hotel», le dice a Suzanne. De nuevo en el parque se paran unos minutos para escuchar a un músico que versiona a los Beatles, *If I fell in love / Oh, please, I must be sure...*, y T deposita un billete de diez dólares en el estuche de su guitarra. Luego toman el camino que pasa por el zoo hasta salir a la calle en Grand

Army y enfilar la Quinta Avenida hacia el sur. Éste parece el momento propicio para hablar del almuerzo, así que T pregunta a Suzanne adónde le apetece ir a tomarlo. Ella hace un mohín y dice que lo siente pero no puede faltar a la comida con sus compañeras de piso. T se alegra de que a ella parezca apetecerle más quedarse con él que acudir a esa cita previa, pero no insiste. Ella mira entonces su reloj y se sorprende (ambos se sorprenden) al comprobar que son las dos y cuarto. Suzanne dice que lo mejor será tomar un taxi hasta su apartamento. T se ofrece a acompañarla. Ella dice muy segura que no, que es una tontería bajar tan al sur para luego tener que subir hasta su hotel.

—Bueno, ¿cuándo podemos volver a vernos? —pregunta él.

—No sé… Cualquier día de éstos. Tenemos una Hermandad Hispano-Irlandesa, ¿no?

—«Cualquier día de éstos» me parece un poco tarde: en cuanto te subas al taxi empezaré a echarte de menos. —Ella ríe—. Podemos ir al cine, al circo, al dentista…, a donde tengas costumbre de ir. ¿Quedamos para cenar esta noche?

—No puedo…, de verdad.

—¿Te llamo mañana por la mañana al Instituto?, ¿a qué hora sales a desayunar?, estoy haciendo un estudio antropológico y necesito saber cómo untas las tostadas.

—¿Con cubiertos de plástico?… Mira, por ahí viene un taxi…

Es T el que alza la mano para pararlo, y después abre la portezuela para que ella suba; en el interior del habitáculo suena el *Red, red, wine* de Ub40. Vuelven a besarse las mejillas a modo de despedida. T cierra la puerta y espera para echar a andar a que el taxi arranque y se pierda en el tráfico.

Después se encamina al hotel cantando: *Red, red, wine, you make me feel so fine...* Ya en alguna de las Cuarenta, cerca de unas bolsas de basura, ve una rata, gordezuela pero no muy grande, quizá como una ardilla del parque. Está estúpidamente desprevenida, con medio cuerpo metido en una bolsa de papel de McDonald's, sólo le asoma la cola y la bola ventral. T se acerca a la carrera y la patea fuerte de puntera, como un delantero lanzando un penalti. Es un golpe que produce cierto placer sensual, incluso a través del calzado: el placer que da el golpear algo pesado y blando, un *punching ball*, o un globo lleno de agua.

La rata y la bolsa de McDonald's salen volando hacia la calzada. La puntera de la zapatilla derecha de T se ha manchado un poco. Parece ketchup, quizá con algunos grumos de mostaza.

Inmediatamente, T siente una fuerte erección.

★ ★ ★

El lunes a primera hora T bebe su acostumbrado primer café en la calle y apura su acostumbrado primer par de cigarrillos junto al grupo de fumadores de la acera. Cuando vuelve al hotel son las nueve. Le preocupa esperar demasiado y va directo a los teléfonos.

Contesta la misma Suzanne; T la reconoce sin vacilar esta vez, pero de todas maneras pregunta por ella en inglés para ponerla a prueba, *May I speak to Ms Ortega, please.*

—Hola, soy yo —contesta ella en tono alegre.

—No puede ser...

—Cómo que no puede ser...

—Déjame que me frote los ojos... ¿Así que existes de verdad?, ¿no eres un sueño...?

Ella ríe al otro lado de la línea y luego carraspea ostentosamente:

—Eh… Instituto de Estudios Aplicados, al habla Ortega. ¿En qué puedo servirle?

—Vale, estás trabajando… Al grano: ¿quieres desayunar conmigo?

—Uf… ¿hoy, esta mañana?

—Bueno, la oferta es extensiva a los próximos cincuenta años…

—¿Piensas vivir hasta los noventa y tres?

—Si pudiera desayunar contigo a diario, puede que valiera la pena. —Hace una breve pausa para que ella asimile el requiebro—. Además tengo que decirte una cosa.

—Pues hoy va a ser difícil, tengo montañas de papeles sobre la mesa…

—Pero ¿desayunarás tarde o temprano, no? Puede que esta ciudad no duerma, pero nadie se salta el *breakfast* a menos que lo estén operando de amígdalas.

—Déjame que consulte la agenda… No, ninguna operación de amígdalas para hoy —cambio a tono más serio—: Pero no sé a qué hora podré salir, y no creo que tenga más de quince o veinte minutos libres…

—Suficiente, dime a qué cafetería vas y dame una horquilla horaria. Yo te espero comiendo un donut tras otro para que no me quiten la mesa.

—No, en serio…

—Completamente en serio: ¿no te apetece oír mis zetas? Soy de las pocas personas de esta ciudad con la que puedes desayunar un verdadero zumo de zanahoria.

Ella hace una pausa un poco más larga, él la imagina sonriendo al otro lado del aparato. Al fin concede:

—Suelo desayunar en Berny's. Está en Lexington entre la 43 y la 44, muy cerca del Instituto. Puedo intentar estar allí sobre las diez, pero tendrás que perdonarme si te hago esperar un poco, es posible que me llegue alguna visita justo a esa hora.

—*OK*, pero no olvides traerte esos ojos que tienes, los grandes.

Cuando cuelga el aparato, T mira el reloj: las nueve y cinco. Caminar hasta el lugar le llevará unos veinte minutos, tiene tiempo de subir a la habitación y vestirse adecuadamente.

Ante el armario abierto considera distintas posibilidades y decide que ha llegado el momento de disfrazarse de petirrojo: camisa encarnada y el resto combinando gris y negro. Al bajar, el guardia de seguridad de las mañanas parece quedarse un momento pensando si el tipo que sale del ascensor es el mismo que ha subido cinco minutos antes con unos vaqueros y camisa de mecánico. T, de un humor exultante, lo saluda llevándose la mano a la sien y el tipo devuelve el saludo sonriendo y moviendo la cabeza de derecha a izquierda.

Cuando llega a la cafetería precisa en Lexington, T observa el interior a través de los cristales: típico lugar donde se sirve desayuno americano, con algunas mesas libres pese a la hora. Queda un buen rato para las diez. Gira sobre sus talones y la punta estilográfica del edificio Chrysler se cierne sobre él con esa inesperada naturalidad con que se elevan los rascacielos: sin ruido, como si no costara ningún esfuerzo ser tan alto. Se le ocurre acercarse y hacer tiempo curioseando el *hall*, que según su guía de la ciudad tiene fama de maravilla Art déco. En realidad resulta una distracción muy corta y dos minutos después vuelve a estar en la calle buscando un lugar donde sentarse. No es fácil. A uno puede darle un vahído en lo más profundo de Central Park y las ardillas tendrán tiempo de devorar el cadáver antes de que alguien lo encuentre; sin embargo, una simple replaceta con dos bancos en el Midtown es pedir demasiado. Piensa todo eso con estas mismas palabras, a modo de ejercitación de su recién desenterrado sentido del humor: «Devorar», «Replaceta», «Vahído»..., le divierte esa mezcla de registros. Fuma mientras le da vueltas a la manzana como para ponerla en hora: Lexington, calle 44, Tercera Avenida, calle 43 y otra vez Lexington. Entretiene el periplo contando limusinas, da igual blancas o negras. ¿Será más gracioso «lipotimia» que «vahído»? Dos limusinas. A él le gusta «vahído», es sin duda el sonido que articularía una doncella victoriana al desplomarse sobre el diván: *vahíiiido*, la onomatopeya misma de la pusilanimidad. Tres limusinas. Definitivamente es un tipo con sentido del humor, lo único que necesita es un buen motivo para ser generoso con él. Cuatro limusinas. A la undécima limusina faltan cinco minutos para las diez y se encamina a la cafetería convencido de que su capacidad para los juegos de palabras es ilimitada. Doce limusinas. No entra todavía en el local, como ve que hay mesas libres se queda apoyado en la fachada junto a la puerta y ahí empieza otra etapa de la espera que esta vez entretiene contando ejecutivos con maletín.

Suzanne aparece entre el séptimo y el octavo, resplandeciendo en su vestido blanco como una reina de las oficinistas:

—¿Hace mucho que esperas?

—Doce limusinas y ocho ejecutivos con maletín, pero ha valido la pena.

Entran en la cafetería y se sientan a una mesa junto a la cristalera. Miran la carta de desayunos sin hablar; enseguida llega una camarera negra y estatopígea, vestida con delantal y gorra de barquillo. Toma nota: el número 2 para ella, el 3 para él y café para los dos.

—Bueno —dice Suzanne—, ¿alguna novedad desde ayer?

—Una sola. Pero para ponerte al corriente tendré que hablar un rato en serio. ¿Estás preparada?

—Espera. —Ella hace la pantomima de arreglarse el peinado y el cuello del vestido—. Ya.

—Verás: he estado pensando en nuestra Hermandad Hispano-Irlandesa. Creo que deberíamos redactar algunos estatutos.

—Ajá... ¿Por ejemplo?

—Para empezar creo que nos convendría celebrar una reunión de trabajo al menos una vez al día.

—Uf...

—Vale, ya sé que eres una mujer muy ocupada. Pero no creo que sea tan difícil, yo no tengo horarios: estoy disponible para desayunar, para almorzar, para comer, para subir al Empire State por las escaleras a medianoche...

—Siempre he querido subir al Empire State por las escaleras a medianoche, pero no sé si tendré algo adecuado que ponerme...

—Lo ideal es un Jean Paul Gauthier, casco y rodilleras... —Ella ríe—. Bueno, qué, ¿cuento contigo para una sesión diaria?

—En fin..., tengo pendiente un *jumping* desde el puente de Brooklyn con mis compañeras de piso..., pero haré lo que pueda.

—Estupendo, entonces ya tenemos el primer estatuto establecido: «Las reuniones de la Hermandad tendrán carácter diario salvo *jumping* de alguno de los participantes». Sólo hay un pequeño problema... No quisiera que pensaras que ahora me retracto, pero si alguna vez quedamos para subir al Empire State mejor que sea en ascensor, tengo una rótula un poco resentida...

—*OK*, nada de subir escaleras a medianoche...

—*OK*, entonces se terminó la conversación seria. Y ahora haz el favor de comer algo, no puedes pasarte toda la mañana con el estómago vacío.

Ella mira el plato con cara de poco apetito:

—Uf...

—Venga, si no vendrá la camarera del culo gordo y se te llevará con las oficinistas anoréxicas. —T se estira para tomar los cubiertos de ella, corta un pedazo de salchicha y se lo acerca con el tenedor a la boca. Ella acepta el bocado pero trata de tomar el control del tenedor al tiempo que protesta:

—Que no tengo hambre...

—¿Cómo que no tienes hambre? Mira, yo también como. —Corta un trozo de salchicha, esta vez en su propio plato—: Mmmm, qué rico... Ahora moja la tostada en el huevo, ¿ves?, auténtico huevo electrocutado, *Made in USA*.

A Suzanne se le escapa la risa:

—No quiero huevo electrocutado, quiero zumo...

—Ni hablar: no hay más zumo si antes no le das un par de untos al huevo. Que yo te vea.

—Mejor tostada con mantequilla...

—Primero huevo. Y unas pocas patatas. ¿Quieres quedarte veinteañera para siempre? Luego te doy un Lucky sin filtro en la calle, ¿quieres?, y contamos limusinas de camino al Instituto, a ver quién ve más.

—No me gusta el Lucky, quiero Marlboro Light...

—Bueeeno, Tomás te compra después Marlboro en un *Deli*. Pero primero el huevo.

★ ★ ★

El miércoles se han citado para su primer almuerzo juntos. Suzanne dice disponer de una sola hora, de dos a tres, y T ocupa parte de la mañana en buscar un restaurante adecuado en las cercanías del Instituto. No debe ser ni demasiado vulgar ni demasiado lujoso, algo intermedio, lo propio para una agradable pero informal comida en día laborable. En la Tercera con la cuarenta y pico encuentra uno que desde fuera promete encajar: *Goldberg and McQuency, Steak and Chops*, dice el rótulo; ocupa los dos únicos pisos de un pastiche de *cottage* nórdico, cabaña japonesa y palacete Art déco rodeado de rascacielos.

—¿Te tira la carne? —le pregunta a Suzanne cuando la ve salir por la puerta giratoria del edificio del Instituto.

—Qué carne…

—La de comer.

—Psssí…

—Pues vamos a comer carne.

—¿Adónde?, tengo que estar de vuelta en una hora…

—A siete manzanas *uptown*. Y no sueñes con encontrar un taxi libre, ¿quieres que te lleve a cuello o prefieres correr?

—Mmmm… mejor llévame a cuello.

—Entonces tendrás que quitarte la falda, no puedes sentarte a horcajadas con eso puesto. Y no te preocupes por la gente, el otro día vi a un negro en calzoncillos en la Quinta Avenida y nadie hacía caso.

Caminan deprisa, más aún que el común de los transeúntes, y apenas hablan por el camino. Cuando llegan al restaurante acalorados se encuentran con dos grupitos de oficinistas esperando mesa en la barra de la entrada, y otros que comen allí mismo, sentados en un taburete. T quiere que Suzanne le pregunte al camarero cuánto tardará en quedar libre una mesa para dos, pero ella lo anima a practicar su inglés. Después de pensarlo un poco, él propone una fórmula para hacer la pregunta: *Should we wait too long for a table?* Suzanne arruga la nariz y aconseja *How long should we have to wait for…* T se lo repite a sí mismo y, muy despacio para no atrabancarse, interpela al primer camarero que se le pone a tiro. Es un tipo sospechosamente bajito y moreno, y en efecto contesta en español que unos diez minutos. Piden dos medias pintas para hacer tiempo y el camarero las sirve junto con dos ejemplares de la carta. T no sabe lo que es *Prime Rib* ni *Sirloin*; Suzanne explica que chuletón y solomillo. Él encuentra más palabras que no entiende, pero son tantas que renuncia a seguir preguntando y anuncia que va a pedir un *Cajun Steak Rib*. No tiene muy claro lo que será eso, pero aparte de la langosta es lo más caro que hay en la lista y quiere que Suzanne se sienta cómoda respecto a los precios, bastante altos por lo demás. Ella le pregunta si ya sabe lo que es un pedazo de carne de 28 onzas (*28 oz.*, dice en la carta, junto al nombre del plato). Él niega y ella le advierte que son más de tres cuartos de kilo de chicha roja. «Bueno, tengo apetito», dice él. «Pues yo voy a pedir la sopa del día y *Roast Beef Hash*», dice ella. «Qué significa *Hash*.» «Picadillo.» T no conoce los vinos, todos franceses o californianos, y Suzanne dice que tampoco, pero que prefiere no probar ninguno porque tiene que trabajar por la tarde. T trata de reprimirse pero no puede evitar preguntar qué demonios es el *Crackling Pork Shank with Firecracker Applesauce* que viene anunciado como plato del año según *USA Today's*. «Algo como pierna de cerdo crujiente con compota de manzana». «Ah...» Cuando al fin otro camarero les avisa de que pueden seguirlo hasta el comedor del piso alto no han hecho más que hablar de comida.

El salón al que son conducidos es acogedor pese a sus dimensiones. Bonitas lámparas colgantes y lucernarios en el techo que dejan ver las puntas lejanas de los edificios colindantes. La mayor parte de las mesas están ocupadas por parejas de anglosajones excepcionalmente discretos, el murmullo de voces resulta tan suave como el estándar de

Cole Porter que suena de fondo. La mesa que les indica el camarero es buena, junto a una ventana a la Tercera Avenida. Hacen el pedido y T se alegra de contar con la ayuda de Suzanne para responder a la batería de preguntas respecto a los acompañamientos, las aguas y todo lo demás. Enseguida les traen la bebida, panecillos y mantequilla, y se quedan solos.

—¿Has visto?, manteles —dice T acariciando el paño—. Es la primera vez que veo un mantel de tela en la ciudad.

—Y cubiertos de metal —dice Suzanne alzando tenedor y cuchillo como el coyote de los dibujos animados—. Nos lo harán pagar, ¿has visto los precios?

—Bueno, invito yo, estoy celebrando que hace una semana que te conozco… ¿Sabes qué me gustaría?: un día tenemos que ir al Ambassador.

—Ah… Por alguna razón especial…

—Porque de niño fui pobre. Paupérrimo. Si te fijas en el fondo de mi mirada, verás la cicatriz.

Suzanne lo mira a los ojos tratando de encontrar algo adecuado que decir:

—Yo no veo nada…

—Porque no miras bien. La pobreza vivida en la infancia siempre deja huella. En el mejor de los casos da lugar a un sentimiento de superioridad condescendiente respecto a todos los que fueron niños acomodados. Y en el peor deja una amargura que reclama desquite constante. Yo lo llevo bastante bien, pero tengo que medicarme con algún lujo de vez en cuando.

Ella no termina de tomarlo en serio, quizá por el tono desenvuelto con que él habla. Parece querer resultar ingenioso; forzadamente, incluso.

—A ver, cómo de pobre fuiste, a qué se dedicaba tu familia…

—Tendrás que reformular la pregunta: el concepto «familia» no tiene para mí el mismo sentido que para ti.

Tono más serio de Suzanne:

—¿Eres... huérfano..., o algo así?

T ríe sin emitir sonido:

—Técnicamente soy un expósito. Es una palabra de sonido feo y ya nadie la usa, pero eso es exactamente lo que soy. Un expósito.

—No estoy segura de saber lo que significa...

—Equivale al inglés *foundling*, que supongo que deriva de *found*: encontrado, hallado, como Moisés en su canastilla. Pero la etimología latina tiene connotaciones más sórdidas. «Expósito» viene del verbo *expono, exponere,* etcétera, que significa exactamente «poner fuera», «sacar». En latín se le llamaba así a cualquier recién nacido expulsado de su casa, literalmente puesto de patitas en la calle. Los griegos solían matar a sus hijos no deseados, pero en Roma el *paterfamilias* sólo tenía derecho por ley a sacarlos a la calle y dejarlos allí para que se murieran. O para que cualquiera los recogiera. Si tenía algún interés en ellos, siquiera como esclavos... ¿Te aburro?

—En absoluto. Es... No me aburres en absoluto.

—¿Seguro? En mi desquiciado universo emotivo siento que todos los niños abandonados de la historia son mis antepasados, así que puedo hablar de estas cosas como si contara batallitas familiares.

Suzanne tarda un poco en responder:

—Me parece interesante saber de tu familia, sea cual sea la que tú consideres tu familia. Yo..., me sonaba que los expósitos eran los niños huérfanos que vivían con las monjas...

—También. Eso fue después. En la Edad Media se agudizó el concepto de culpa y vergüenza asociado a la generación de niños y la gente empezó a exponerlos anónimamente a la puerta de las iglesias, o en las plazas públicas. Pero a menudo eran devorados por los perros antes de que nadie tuviera oportunidad de recogerlos, así que en el siglo XVII la Iglesia empezó a crear lo que llamó «Casas de Expósitos». Eran edificios muy particulares, con un mecanismo llamado «torno» a la entrada. ¿Sabes lo que es un torno? —ella niega con la cabeza—. Era una especie de vertedero de niños. Solía tener forma de nicho giratorio, empotrado en el muro exterior del edificio, muy parecido a un nicho de cementerio, y solía tener una inscripción grabada en el frontón: *Mi padre y mi madre me arrojan de sí / la caridad divina me recoge aquí.* La madre o quien fuera dejaba sus desechos orgánicos en aquel contenedor y hacía sonar una campanilla. Los de dentro le daban vuelta al torno y el niño pasaba al otro lado del muro sin que se supiera quién lo había dejado. La mayoría moría en cuestión de semanas, por la sífilis congénita, o la desnutrición, pero para un cierto porcentaje de ellos allí empezaba el calvario de vivir.

—¿A ti te dejaron en un torno? —pregunta Suzanne muy seria. T ríe:

—No, yo tuve más suerte… Los tornos dejaron de funcionar hace mucho, al menos en España. Y también hace mucho que es ilegal abandonar niños sin darse a conocer, aunque de vez en cuando aparece alguno en un contenedor de basura. Pero las cosas han cambiado, de hecho ya ni siquiera está permitido usar a niños expósitos para hacer experimentos médicos. ¿Conoces la historia de la primera vacuna?

—No.

—Bueno, otro día te la cuento, no es conversación para tener en la mesa.

T ha pronunciado las últimas palabras viendo que llegaban los entrantes. *Bon apetit*, dice antes de probar la sopa.

Suzanne se queda unos momentos pensativa, como si estuviera haciéndose muchas preguntas y no supiera por cuál empezar:

—¿Nunca has tenido una familia adoptiva? Disculpa si te parezco indiscreta, es que… me interesa.

—Sí, una vez, durante unos meses, cuando tenía cinco o seis años. Pero casi no tengo recuerdo de eso. Me devolvieron al orfanato, al parecer en no muy buen estado… De eso sí me acuerdo: del día que volví al orfanato, aunque procuro no tenerlo presente. Luego era ya demasiado mayor para que nadie me quisiera.

Suzanne finge que come, pero apenas da unas cucharadas desganadas antes de volver a preguntar.

—¿Y nunca has sentido curiosidad por saber quiénes eran tus padres?

—Como la mayoría de los huérfanos. En cuanto cumplí la mayoría de edad cometí el error de rastrear mi origen, de hecho creo que ésa fue mi primera investigación policial.

—Por qué «el error»…

—Porque a veces más vale no saber.

Suzanne pone cara de no entender. T hace una mueca como de impaciencia:

—Bueno, te pondré un ejemplo: imagínate que descubres que eres hija de un violador de menores que dejó preñada a una de sus víctimas…

Suzanne no se atreve a decir nada y T se siente obligado a alegrar un poco el tono:

—De todas maneras sí tengo algo parecido a una familia… quiero decir un matrimonio mayor con quien comer en Navidad, y a quien llamar por teléfono para avisar de que llegué bien aquí, por ejemplo.

—¿Ah sí?

—Sí… Él ha sido una especie de mentor, en realidad

lo más parecido a un padre que conozco. Y su mujer viene a ser como una tía cariñosa, más o menos. No tienen hijos, así que, bueno…, nos tenemos un poco ese cariño filial.

—¿Viven en España?

—Sí. Él es comisario de policía…, comisario principal, en realidad, está a cargo de la Jefatura Central, pero hoy día es casi un cargo honorífico, y además se jubila este año. Fue mi instructor cuando ingresé en la Academia, hace como veinticinco años de eso.

Se acerca el camarero con los segundos. El de T es una costilla que parece de dinosaurio, servida en un enorme grial adornado con montañitas de puré de distintos colores.

★ ★ ★

El jueves por la tarde, después de la comida, a T se le ocurre entrar en Tiffany para hacer tiempo hasta que salga Suzanne del Instituto. Naturalmente no es todavía el momento de regalar joyas, y además comprar algo asequible en Tiffany tiene un punto de vulgar, de tópico para turistas, así que casi se alegra de encontrar bastante anticuado todo lo que ve en las primeras vitrinas.

¿Qué más puede hacer hasta las cinco? El poder de fascinación de la ciudad se ha ido difuminando en los últimos días hasta quedar en nada. Había sido Adán explorando un extraño paraíso hiperpoblado, en cualquier dirección en que mirase encontraba algo relevante, sustantivo; pero ahora todo le parece circunstancial: lo que era tema se ha convertido de repente en simple escenario. Quizá porque Adán ha encontrado su propia historia que vivir con Eva, piensa T, y ahora el mundo vuelve a ser tan pequeño como suele serlo para la mayoría de las personas, un universo centrado en los propios deseos y necesidades, siempre vistos tan de cerca, tan delante de los ojos, que a su lado toda una ciudad con su gente y su trepidar se empequeñecen hasta formar un fondo vago. Eso es: el perro muerto se ha convertido en fondo vago.

Y en el fondo vago hace calor esta tarde, de manera que interrumpe el callejeo para entrar a tomar una cerveza en un bar que parece la versión tronada de un viejo pub inglés. La anglosajona que sirve en la barra es muy atractiva según los cánones en vigor: facciones angulosas, cuerpo escuálido, movimientos elásticos y grandes pechos de silicona, todo ello bajo el gobierno de la mirada dura y la voz desabrida de las mujeres de la ciudad. Cuando T paga su cerveza ella dice *Thank you* y se lo queda mirando fijo. Sin duda es otra invitación sexual, la enésima, de modo que T desvía los ojos hacia su copa para desentenderse. Ella, consciente del rechazo, vuelve tranquilamente a sentarse sobre la nevera corrida y reanuda su conversación con otra blanca sentada en la barra, gordita y feúcha pero tan *metropolitan* y segura de sí misma como la otra. Al menos aquí las mujeres aceptan con deportividad una negativa, piensa T, están acostumbradas a tomar la iniciativa y por tanto a ser desestimadas.

Entonces se le ocurre que es extraño que justamente en esta ciudad haya encontrado a Suzanne. No puede imaginársela insinuándose a un desconocido: no tanto por timidez o tradicionalismo: sobre todo por orgullo. Ese anticuado orgullo femenino: la mujer como criatura excelsa que el hombre ha de esforzarse en merecer, vanidad femenina perdida para siempre, sobre todo aquí. Y sin embargo, paradójicamente, quizá sólo aquí es posible encontrar a una mujer como Suzanne, del mismo modo que sólo aquí puede encontrarse un punki negro o unos zapatos de piel de sapo venenoso. Pero Suzanne es única, aquí y en cualquier parte: es la madona de Bellini, y ha tenido que venir a encontrarla al otro lado del mundo.

Saliendo del bar después de tres cervezas, camina despacio de vuelta al Instituto, con las manos en los bolsillos. Sin saber cómo, simplemente al azar de sus pasos, se encuentra de pronto en una de esas calles intimidantes, de película de pandilleros. No hay tránsito de vehículos ni de personas, sólo tres jóvenes negros sentados en las escaleras de acceso a un edificio abandonado, y, frente a ellos, en la misma acera por la que camina T, otro joven negro baileoteando junto a un contenedor de escombros. No se sabe qué hace detrás del contenedor, sólo se distingue que es alto como un jugador de baloncesto y que lleva en la mano una toalla húmeda que hace restallar como un látigo. En conjunto, los cuatro parecen estar esperando a que pase alguien propicio para ser asaltado.

T siente un impulso inapelable, radical, que lo hace buscar en el bolsillo de los pantalones las llaves de su apartamento en España. Siempre las lleva encima, cuando menos son útiles para improvisar un arma con ellas. Basta tomar en la palma el llavero, cerrar el puño, y dejar salir entre las falanges la punta del llavín. Eso le da al puño más peso y dureza, pero, sobre todo, otorga la ventaja de un punzón hiriente, sólo hay que tener la precaución de golpear partes blandas.

En cuanto tiene pertrechado su pequeño artilugio toma aire profundamente y se encamina hacia el joven negro de la toalla dando pasos cortos y elásticos. Está claro el objetivo: el chico es demasiado alto para alcanzarle la cara con eficacia, hay que interpelarlo para que se sitúe de frente y entonces ir al vientre, directo al vientre, clavar y desclavar, suficiente para dejarlo perplejo. Después habrá que buscar algo en el contenedor repleto de escombros, un trozo de tubería, un palo, un ladrillo, e irse directo a por los otros, antes de que puedan reaccionar coordinadamente.

Lo que T no ve porque lo oculta el mismo contenedor de escombros, es que detrás hay aparcado un Mercury de color granate, y que todo lo que está haciendo el joven negro con su toalla enrollada y húmeda es sacarle brillo a los cromados del coche de su jefe, frutero de origen bengalí que le paga a cinco dólares la hora por hacer un poco de todo. Y ni él ni los tres estudiantes que fuman en las escaleras, tienen la más remota idea de lo que trae en la cabeza ese blanco atlético que se acerca con tanta decisión.

A las cinco en punto, después de pasarse por el hotel para lavarse bien las manos y cambiarse la ropa, T está ante el edificio del Instituto, relajado, compuesto y sin mácula. Y enseguida aparece Suzanne entre una avalancha de oficinistas con traje y corbata.

—¿Qué has estado haciendo toda la tarde? —pregunta ella.

—Darme cuenta de que ya no puedo dejar de pensar en ti —responde él.

—Bueno, bueno… Eso se lo dirás a todas…

—No, sólo a las que me vuelven loco.

EN EL MUNDO

Quique Aribau el escritor no ha olvidado traerse su libro de primero de bachillerato, lo tiene abierto hacia él sobre la mesa de despacho del comisario:

—Vamos a ver…, son todos de siete sílabas, ¿no?: heptasílabos…

—No todos —dice el comisario—, por ejemplo éste… —Señala un verso en el folio mecanografiado y gira el papel hacia su interlocutor. Quique cuenta tamborileando en la mesa con los dedos:

—Que-sees-con-deen-el-ver-so… Heptasílabo también…, hay dos sinalefas…

—Dos ¿qué cosa?

—Sinalefas: cuando una palabra acaba en vocal y la siguiente empieza también con vocal se cuenta como una sóla sílaba, ¿ve?, como aquí. Y cuando el verso acaba en palabra aguda se suma una sílaba, como aquí, y cuando acaba en esdrújula se resta.

—Ah…, eso no lo sabía yo…

Quique consulta el libro mientras va hablando:

—Vamos a ver, *Estrofas de Arte Menor…* —Pasa páginas, se detiene un momento y piensa—. En principio podría ser una copla: *arte menor con rima asonante de los pares…* Estos son asonantes…

154

—¿Y eso qué es?

—Rima asonante es cuando sólo se repiten las vocales a partir de la penúltima sílaba, como aquí: «guerrero» y «secreto», ¿ve? —señala el papel con la poesía mecanografiada—, se repiten sólo la «e» y la «o». Y rima consonante es cuando se repiten también las consonantes…, como…, no sé…, «salchichón» y «colchón», aunque francamente iba a ser difícil reunir estas dos palabras en un verso…

—*Guardo un salchichón / dentro del colchón* —dice el comisario, casi de inmediato.

—Eso es… —Quique sigue hojeando el libro.

—En cambio *Guardo un millón / dentro del colchón* sería rima asonante, ¿es eso?

Quique se detiene un momento para contar sílabas y le salen cinco y cinco:

—Comisario, ¿sabe usted que tiene talento para esto?

—De pequeño en el pueblo jugábamos a buscarle rimas a las cosas… *El cura tiene cara dura y el boticario trae mal fario…*

Quique parece no escucharlo ahora:

—Espere, ya lo tengo. —Lee en el libro—: *Romance Endecha: Serie indeterminada de heptasílabos con rima asonante en los pares y sin rima en los impars…* Vamos a ver si funciona…

Quique gira hacia sí el poema mecanografiado y comprueba:

—Perfecto: es un perfecto romance endecha, no había oído hablar de semejante estrofa en la vida pero es justamente eso: 7 suelto, 7a, 7 suelto, 7a… Lo único que no acaba de encajar es que el último debería de ser un 7a y es un 7 suelto…

Al comisario le interesa lo que ha oído:

—Cómo…, ¿qué pasa con el último?

—Nada, que según los ejemplos del libro el último debería rimar. ¿Ve?…

Quique gira el libro para que el comisario pueda leer una estrofa de Gerardo Diego que se propone como modelo:

(7-) *Una humilde corona,*
(7a) *dulce Enrique Menéndez*
(7-) *de eternas siemprevivas*
(7a) *quisiera entretejerte,*
(7-) *que sobre tu sepulcro*
(7a) *dobladas balanceen*
(7-) *sus espigados tallos*
(7a) *al soplo del nordeste.*

—Todos los romances que aparecen como ejemplo acaban en un verso rimado, ¿ve? *romancillo, romance heroico, romance endecha...* Claro que a lo mejor es casualidad, y de todas maneras los poetas hacen lo que les da la gana con la métrica, así que...

El comisario ha vuelto a examinar el poema mecanoscrito, se concentra en él, tarda un poco en hablar:

—Quiere usted decir que si añadiéramos a estos diecinueve versos un vigésimo y último, rimado como el resto de los pares, todo encajaría mejor.

—Psí... De hecho ya da la sensación de estar inacabado...

—Sí, como una adivinanza —dice el comisario, pero ya está pensando en otra cosa—. Oiga: ¿así para el asunto de la rima sólo se consideran las dos últimas sílabas?

—Lo que venga a partir de la última vocal tónica...

—Es que me he fijado en una cosa...

—En qué...

—Mire... Todos los versos pares, los que riman..., tienen las misma vocales: *es el noble guerrero, en el Monte Perverso...*, todas igual: *del león es derecho, es el hombre de negro...*, siempre es E-E-O-E-E-E-O. Bueno, menos donde hay esas cosas que dice usted de las vocales seguidas…, ¿cómo era?

—Sinalefas… —Quique está leyendo en el folio vuelto hacia sí—. Tiene razón, no me había fijado. Pero no sólo se repiten las vocales, los acentos también, o las sílabas tónicas, fíjese… ¿Puedo escribir aquí? —toma un lápiz del vaso de cuero que hay en la mesa, el comisario le da permiso para escribir en el folio mecanografiado:

E-E-Ó-E-E-É-O

El comisario se queda mirando las letras que Quique ha escrito a lápiz y parece calcular algo mentalmente:

—¿Eso tiene algún nombre técnico? —pregunta—. Quiero decir lo de escribir siempre versos así…

—Seguramente, pero me parece que en el libro de primero de bachillerato no lo explican… Lo podemos buscar en Internet…

—Pero en cualquier caso ceñirse a ese patrón hace más difícil escribir el verso, ¿no?: que el número de sílabas sea el mismo, que rime, que tenga sentido y, además, que coincidan las vocales y los acentos…

—Bueno, cuantas más condiciones le imponga usted al verso más difícil es encontrarlo, desde luego.

El comisario se reclina en su butaca y se lleva las manos detrás de la nuca:

—Amigo Quique, no sabe usted lo que me ha ayudado… Le invito a un desayuno de tenedor en la cafetería, nos lo hemos ganado.

—Es que Sanchís me quería llevar a ver una autopsia, y no sé si sería buena idea ir con el estómago lleno… Claro que si lo manda el comisario principal siempre podría posponer la visita…

—Bah: las autopsias de los miércoles no suelen ser gran cosa… Las mejores son las del lunes, después del fin de semana.

—Pues casi que me paso un lunes…

El comisario se ha levantado de su butaca y está poniéndose la americana:

—Cambiando de tema —dice—, ¿así que no cree usted que tengo aspecto de notario?

★ ★ ★

El comisario llega a casa algo más tarde de lo habitual, con un folleto de Audi en la mano.

—Hola-hola —dice. Desde el recibidor trata de aspirar algún aroma que llegue de la cocina, pero no huele a nada salvo al nuevo ambientador de melocotón, o albaricoque, algo afrutado.

—Estoy en la plancha —vocea su mujer desde la habitación pequeña, junto al dormitorio. El comisario se dirige hacia allá. Recibe un beso en el bigote.

—Acaba de llamar Tomás ahora mismo… Hoy llegas tarde, ¿no?

—Sí, ahora te explico, me voy a quitar los zapatos… —Se aleja hacia la cocina—: ¿Qué cuenta Tomás?

—Ahora te explico yo también, no andes gritando por toda la casa que están las ventanas abiertas.

En la cocina, el comisario se detiene en los fogones para levantar la tapa de una cacerola. Albóndigas en salsa de almendras. De cerca sí huelen, muy bien: el comisario está tentado de meter un dedo en la salsa para probarla, pero todavía no se ha lavado las manos y se reprime. Después se quita los zapatos en la galería. Habla de regreso por el pasillo hacia el dormitorio, desabrochándose el cinturón:

—Bueno, qué, qué dice Tomás: cómo sigue la Gran Manzana. ¡Hola, Garfield!

Su mujer desde el cuarto de al lado:

158

—Pues… la cosa es que ya no está en Nueva York, llamaba desde Irlanda.

El comisario sale al distribuidor con los pantalones en la mano, deteniendo un momento la labor de doblarlos siguiendo la línea de planchado:

—¿Desde Irlanda?

—Sí, me ha dicho el nombre en inglés de un pueblo pero no me acuerdo de cómo era, sonaba como «Laigo», o algo parecido. Está en la costa atlántica del país, según me ha dicho.

—¿Y qué demonios hace en Irlanda?

—Pues no sé…, ha hablado poco, no parecía tener muchas ganas. Sólo ha dicho que estaba bien y que llamaba para decir que ya no estaba en el hotel de Nueva York. No ha dejado ningún otro número, pero dice que seguramente volverá a España en unos días.

—¿No ha pedido la beca de residencia en Estados Unidos?

—No sé, no me ha dicho nada de eso…

El comisario vuelve al dormitorio con sus pantalones ya doblados. Los cuelga en el respaldo de la silla, termina de ponerse la ropa de casa y entra en la habitación de la plancha abrochándose.

—¿No le habrá pasado algo malo? —pregunta.

—No creo… No, seguro que no. Pero la verdad es que sí que lo he encontrado un poco tristón. También me ha dicho que ha atravesado el país en tren y que no para de llover, que el clima es un poco deprimente. A lo mejor es eso. Y recuerdos para ti y que volverá a llamar si tarda en volver. Nada más.

El comisario se ha quedado con los pulgares prendidos de los tirantes, observando con atención la manga de la camisa blanca que su mujer está planchando.

—No sé —dice—, me parece un poco raro…

—A lo mejor es que no le ha gustado Nueva York. Una cosa es hacer planes desde aquí y otra cosa es llegar y ver aquello…

—Me extraña. La primera vez que llamó parecía muy contento. Cuánto hace de eso, ¿tres o cuatro semanas?

Su mujer sólo levanta las cejas y guarda silencio un momento:

—¿Y tú?, que es eso que tenías que explicarme —dice, sacando a su marido de la aparente concentración con que la está mirando planchar.

—Nada. Que me he pasado por un concesionario de coches. He traído un folleto para que lo veas.

—He hecho albóndigas para cenar, ¿te apetecen? Y de primero tengo para hacer una ensalada variada, con rabanitos de esos que te gustan. Iba a hacer una sopa de arroz pero empieza a hacer calor para sopas.

—Ya he visto las albóndigas en la cazuela…

—¿No habrás metido el dedo sin lavarte las manos?

—Noooo —el comisario se suelta los tirantes y se mira las manos—, ahora mismo me las voy a lavar.

—Bueno, pero deja las albóndigas tranquilas hasta que cenemos.

—Bieeeen, a las órdenes de vuecencia.

Saliendo del lavabo el comisario recoge el catálogo de Audi que ha dejado en el recibidor y se lo lleva al salón para remirarlo con tranquilidad. Pero ve el aparato de música y se le ocurre volver a oír el disco de Supertramp. Suena realmente raro, a veces parece que suena una orquesta de fantasmas, pero ha ido marcando algunos temas con un rotulador rojo a medida que se ha ido acostumbrando a ellos y empiezan a gustarle. Se lleva a la butaca la portada del disco, el rotulador rojo y el catálogo de coches. Cuando entra su mujer en la sala con un balde lleno de ropa para doblar suena *Even in quietest moments* y el comisario está mirando a las musarañas con el catálogo abierto sobre las rodillas.

—Mira que te ha dado fuerte con la musiquita… —se sienta en la mesita que usa para coser y empieza a volver calcetines del derecho metiendo la mano hasta el fondo.

—Si te molesta, me pongo los auriculares…

—Deja… Y no le des más vueltas a lo de Tomás, seguro que está bien. Le habrá apetecido conocer Irlanda…

—No…, estaba pensando en el chico que me vende los discos. No sé qué pasó que no me acordé de decírtelo el otro día: le dieron un cabezazo y le dejaron la nariz como un pimiento.

—Por Dios…, ¿al mariquita?

—Sí… Entraron dos a robar la caja y se ve que les hizo un comentario de los suyos. Uno se calentó y le arreó un cabezazo con el casco de la moto puesto.

—Madre mía…, ¿y está bien?

—Supongo. No era gran cosa, un par de puntos. Esta semana me pasaré a verlo.

—Pues dile que otro día no conteste, que esa gente son unos salvajes. —Pausa, enrolla calcetines—. Oye: ¿y el escritor?, ¿has sabido algo más de él?

—Sí, ayer desayuné con él —el comisario ríe—. Dice Sanchís que lo quiere ver todo y que lo tiene loco a preguntas, pero le da reparo ir a la sala de autopsias.

—No me extraña…

—Oye, ¿quieres ver el coche que me gusta?

—Bueno: a ver…

El comisario se levanta con alguna dificultad de la butaca y se sienta frente a su mujer, en la mesita convertida en muestrario de calcetines, bragas, calzoncillos y sujetadores. Abre el catálogo por la página que muestra un A3 gris oscuro metalizado, en escorzo frontal:

—Qué: qué te parece…

—Bien… ¿Cuánto vale?

—Un diésel que esté bien…, unos treinta mil euros.

—Uh…, ¿cinco millones?, qué barbaridad.

—Mujer, es un buen coche…

—¿Y no nos apañaríamos con algo más barato?

El comisario hace una mueca antes de contestar que sí. Luego vuelve el catálogo de nuevo en su dirección y se queda mirando la foto.

—Pero a ti te gusta ése, ¿no? —dice ella.

—A mí sí. Es un capricho, ya lo sé…

—¿Y qué nos darían por el nuestro? Está bien cuidado, y ha dormido siempre en el garaje.

—Psé, puede que medio millón…, poco más. Es un modelo antiguo.

Durante unos minutos el comisario sigue hojeando el catálogo con una mejilla apoyada en la mano. Su mujer enrolla calcetines, todos negros excepto unos marrones. Cuando termina con ellos empieza con los calzoncillos, que va amontonando a la derecha bien doblados, todos blancos. Por último se ocupa de las bragas, de rosa y azulón y color carne, y después de un par de sujetadores cuyas copas encaja la una en la otra. Rompe el silencio justo cuando el aparato de música hace una pausa entre canciones:

—Bueno, pues si a ti te gusta ése, compramos ése, ya está.

Se levanta de la silla para amontonar en el balde la ropa ya doblada. Pero ahora es el comisario el que se echa atrás:

—No… es caro, podemos mirar otra cosa.

Ella ya está de espaldas, saliendo del salón, cuando dice:

—Ya es hora de que te permitas algún capricho. —Después, desde el pasillo, añade en voz alta—: Y apaga esa música, anda, que van a dar las noticias y es hora de cenar.

★ ★ ★

Al comisario le preocupa un poco lo que ha estado leyendo en el libro de Hare sobre la mirada de los psicópatas. Fría, dura, como de tiburón, o de muerto. Le viene a la memoria una foto de Boris Karloff caracterizado de Frankenstein que recuerda desde niño, con los párpados caídos sobre pupilas de pez, grandes, oscuras y enteladas. El comisario ha oído decir que cuando uno lee sobre una enfermedad tiende a encontrar en sí mismo muchos de sus síntomas, y también sabe que ni remotamente puede atribuírsele a él ningún rasgo de psicopatía: ni tiene una mente fría y superficial, ni una personalidad egocéntrica y presuntuosa, ni es incapaz de arrepentimiento, ni poco empático, ni manipulador, ni mentiroso. Pero aun así no puede evitar mirarse los ojos al espejo de su baño privado cuando se levanta para ir a orinar antes de salir del edificio. Mirada de muerto, sí: como Boris Karloff en el papel de Frankenstein, de no ser porque Frankenstein no es capaz de sonreír como el gato Gardfield... Prueba a quitarse la corbata y arremangarse. Sigue pareciendo Boris Karloff: más gordo y quizá en pleno bodorrio de puros y aguardientes, pero con los mismos ojos. Prueba después a ponerse la americana sin la corbata. La imagen que ve ahora es la de un notario venido a menos. Con ojos de Boris Karloff... Pero algún día tiene que ser el primero si uno decide prescindir de la corbata, así que no se mira más y sale de su despacho.

En el Departamento de Criminología está Puértolas de guardia. Eso es justamente lo que el comisario ha previsto.

—Comisario..., qué sorpresa... A qué se debe..., a qué se debe, la..., cómo diría...

—¿La visita?

—El placer, sí…, naturalmente…, el placer… inesperado, ¿verdad?

El comisario procura ir al grano cuanto antes. Saca unos folios doblados que trae en el bolsillo de la americana.

—Ahora se lo explico, primero lea esto.

Le tiende una de las hojas con el poema mecanografiado:

> *Hábil, astuto, cruel,*
> *es el noble guerrero,*
> *oro calza la yegua*
> *del Señor que en secreto*
> *rige con voz de mando*
> *en el Monte Perverso.*
> *¡Luz se hará sobre el nombre*
> *que se expone de lleno*
> *a quien supla la falta*
> *en el orden perfecto!*
>
> *Consejero de diablos*
> *es el hombre de negro,*
> *emplear bien sus zarpas*
> *del león es derecho.*
> *Rogad al mal romance*
> *que se torne sereno:*
> *descubrís que el virrey*
> *que se esconde en el verso*
> *ofrendó sacrificio…*

Puértolas emplea medio minuto en la lectura y ya está a punto de abrir la boca cuando el comisario decide no dejarlo hablar todavía.

—Déjeme que le explique de dónde lo he sacado… ¿Se acuerda de la última vez que hablamos, sobre el asunto Uni-Pork?

164

—Sí, naturalmente…, sí.

—Teníamos un cadáver descuartizado en un matadero. Y teníamos un mensaje que alguien dejó junto a los restos: EN EL NOMBRE DEL CERDO. Bien: pues una semana antes de encontrarnos con todo eso, el propietario del matadero en cuestión publica en el periódico local el poema que acaba de leer…

—Interesante…, sí, interesante… Muy…, muy, ¿cómo diría?…, sugerente, ¿verdad?

—Espere… La composición es lo que se llama «romance endecha», versos de siete sílabas con rima asonante de los pares… Fíjese ahora en la frase que encontramos en el cadáver —el comisario tamborilea en la mesa—: *En el nombre del Cerdo*: también siete sílabas, con rima idéntica a la del poema… Pero fíjese aún más: esas siete sílabas contienen las vocales E- E-O-E-E-E-O, exactamente igual que los versos pares de la poesía, y no sólo eso: exactamente con el mismo ritmo, con acentos en la tercera y la sexta vocal: pa, pa, pam, pa, pa, pam, pa.

Puértolas, mientras el comisario habla, ha vuelto a revisar el texto mecanografiado:

—Mmmm…, no es muy bueno pero es…, delicioso…, delicioso, sí: delicioso… De dónde…, cómo ha podido, ¿verdad?…, ¿sabe…, sabe usted algo de…?

—¿De poesía?, ni papa. Hablé el otro día con Quique Aribau…

—Ah…, Quique…, muy simpático, eh…, sí. Precisamente hablamos…, del Jardín…, del Jardín de las Delicias, naturalmente, sí…, simpático…

El comisario está a punto de perder el servicio pero en el último momento lo recupera:

—Sí, muy simpático… Pero verá: mire: vamos ahora con lo que dicen los versos. Al principio no entendía quién era el Señor del secreto, ni el noble guerrero, ni nada de nada. Pensé que podía ser el Diablo…, cruel y todo eso… Pero fíjese en este trozo: *Oro calza la yegua / del Señor que en secreto / rige en el Monte Perverso.* Bien: se me ocurrió que era una metáfora con la que se pretendía expresar que el Señor en cuestión era rico, ¿de acuerdo?, pero ¿qué pensaría si le dijera que el propietario del matadero, es decir, el autor del poema, tiene un Porsche con las llantas chapadas en oro?

—¿Oro?, ¿en serio?… Qué…, qué exquisita escatología…, ¿llantas chapadas?

—Como lo oye: chapadas en oro mate. Eso me hizo pensar que el autor estaba haciéndose un autorretrato. Y desde ese punto de vista todo coincide: «virrey» y «consejero de diablos»…, la mitad de los alcaldes de la comarca son parientes suyos, tiene influencias en todas partes, sería largo de explicar pero he recabado información en la Provincial y el pájaro viene a ser casi un señor feudal, su familia mangonea en aquel territorio desde hace generaciones… *El hombre de negro*…, siempre viste de negro. ¿Y qué es el Monte Perverso? Pues es el Monte Horlá: es dueño titular de media montaña, hasta la lleva en el apellido, Juan de Horlá, no es un pseudónimo, es su nombre de nacimiento…

Puértolas, inopinadamente, no tiene nada que decir, sólo sigue mirando atentamente el verso con una mano tapándole el embozo y cabecea ligeramente, como asintiendo. El comisario continúa pues:

—Pero vamos a tirar por otra parte… Fíjese lo que dice: *Luz se hará sobre el nombre / … / a quien supla la falta / en el orden perfecto.* Al principio tampoco lo entendía, pero fíjese: un romance endecha suele terminar en un verso par, rimado como el resto de los pares, y en cambio éste termina en verso impar, sin rima. ¿Cuál es esa falta que hay que suplir entonces? —el comisario toma la hoja mecanografiada de las manos de Puértolas y, con un lápiz que saca del bolsillo de su camisa, escribe una línea final añadida al poema:

Hábil, astuto, cruel,
es el noble guerrero,
oro calza la yegua
del Señor que en secreto
rige con voz de mando
en el Monte Perverso.
¡Luz se hará sobre el nombre
que se expone de lleno
a quien supla la falta
en el orden perfecto!

Consejero de diablos
es el hombre de negro,
emplear bien sus zarpas
del león es derecho.
Rogad al mal romance
que se torne sereno:
descubrís que el virrey
que se esconde en el verso
ofrendó sacrificio
EN EL NOMBRE DEL CERDO.

El comisario sigue hablando mientras Puértolas considera el añadido:

—Ahí lo tiene: torne usted el romance sereno, es decir, complételo hasta equilibrarlo y descubrirá que el Señor que se esconde en el verso ofrendó sacrificio en el nombre del Cerdo. Es él.

Puértolas se decide por fin a decir algo:

—Brillante..., eh, brillante, ¿verdad?..., brillante, no hay duda, naturalmente. Pero creo..., creo..., creo que se ha centrado usted... Los pares, naturalmente, los pares...

rimados. Pero quizá hay algo más que… le… interesará…, sí, sin duda…

—Qué…

Puértolas le pide al comisario el lápiz y, con él, rodea con un círculo la primera letra de todos los versos impares. El resultado permite leer de arriba a abajo «H-O-R-L-A» en la primera estrofa y «C-E-R-D-O» en la segunda. El comisario queda por un momento atónito y se da un palmetazo en la frente:

—*Luz se hará sobre el nombre / que se expone de lleno*: que se expone de lleno: ¡de lleno!: con todas sus letras… No me había dado cuenta de eso…

—Comisario…, mis… felicitaciones: lo tiene usted.

El comisario se queda mirando fijo a Puértolas, sin darse cuenta de que está poniendo ojos de interrogatorio, asomando justo por encima de las gafas:

—Lo tengo sí: sé quién es, pero no tengo ni una sola prueba sólida. Sólo la convicción…

—Suficiente para… investigar por ese… camino, ¿verdad?: suficiente, sí.

—Sólo me preocupa saber por qué nos lo está poniendo tan claro.

—Bueno… en realidad, no tan claro, ¿verdad?, naturalmente si usted…, si usted no… hubiera, no hubiera captado la importancia… Pero también por…, la vanidad, ¿verdad?, la típica… vanidad del psicópata…

—Sí… he leído en el libro que me recomendó. Lo estoy terminando.

—En efecto, sí…, les gusta…, les gusta ser muy…, listos, ¿verdad?, naturalmente…, inteligentes y…, audaces…, sí, audaces.

★ ★ ★

Calabrava, domingo por la mañana. Mercedes, la mujer del comisario, está preparando su capazo playero en el vestidor. El comisario asoma a la puerta:

—Mercedes: que vengo contigo a la playa.

Ella se gira y lo mira incrédula:

—¿A la playa-playa?…, ¿en bañador?

—Claro.

Ella no añade más, se limita a ir al cuarto de baño para recogerse el cabello en un moño y atarse un pañuelo a la cabeza. Mientras, él se prepara a solas en el vestidor y, antes de que ella termine ante el espejo del lavabo, aparece a su espalda. Se ha puesto el bañador nuevo, granate, largo hasta medio muslo, ajustado con una lazada del ceñidor que le cuelga por delante. También lleva las gafas, unos calcetines negros y las zapatillas de andar por casa.

—¿Qué tal estoy?

—¿No te afeitas?

—No…, hoy no. Qué: qué tal.

—¿No te habrás puesto calcetines para bajar a la playa?

—Bueno, cuando lleguemos me los quito.

—¿Y vas a bajar así?

—No mujer: ahora me visto encima. ¿Se me ve muy gordo?

—Mmmno —consigue pronunciar ella. El comisario se encara al espejo. Es una imagen conocida: él sin camiseta en el espejo del baño: desde Buda nada nuevo bajo el sol. Pero algo falla porque su mujer no lo está animando mucho.

—Oye, ¿no te dará vergüenza que te vean conmigo en la playa?

—¿Serás tonto…? Venga, quítate esos calcetines y ponte algo encima.

—¿Qué quieres que me ponga?

—Pues nada: una camisa de manga corta y los mocasines blandos. Pero quítate los calcetines, haz el favor.

—Pues yo he visto a muchos turistas llegando a la playa con calcetines…

La protesta no merece respuesta, sólo un fruncimiento general del rostro.

—¿Y pantalones tampoco?

—¿Para qué quieres pantalones?, ya llevas el bañador, ¿no? Lo que sí habrá que comprarte para otra vez es una gorra. Y unas chanclas.

Al comisario le produce aversión la mera palabra «chanclas», es un repelús incluso fonético, pero se siente lo bastante inseguro como para no contradecir de momento a la experta. Vuelve al vestidor, se quita los calcetines, se pone una camisa blanca abrochada hasta el penúltimo botón y vuelve a presentarse ante el jurado: «Qué». El jurado se acerca, le desabrocha tres botones de la camisa y se aleja, pero el efecto sigue siendo el de un mantel sobre una mesa para cuatro, así que termina de desabrocharle la camisa, le abre un poco los faldones y le remete los cordones del bañador por dentro.

—¿Así tengo que ir, enseñando toda la pelambrera por la calle?

—Bueno, si quieres te depilo antes de bajar…

Por un momento al comisario se le pone cara de alarma. A ella casi se le escapa la risa:

—Venga, no seas tonto, que estás bien. Si estás harto de ver a señores como tú que van así por la calle, aquí todo el mundo va igual…

—Ya, pero son turistas…

—Y qué: tú y yo también somos turistas. Nacionales pero turistas.

El momento de abandonar la penumbra del portal es difícil para el comisario. Hay gente por la calle, pero no ve a nadie en bañador, al menos a nadie como él, así que trata de ocultarse tras la menuda figura de su mujer, que camina delante por la acera. Otro problema importante es qué hacer con las manos. Decide enlazarlas a la espalda, aunque eso deje los faldones de la camisa libres para abrirse tanto como quieran. Afortunadamente la playa está apenas a cien metros, si bien hay que superar el cruce del paseo, justo el más concurrido de la población, y como un *beatle* obeso y en calzones recorre las franjas blancas del paso de peatones procurando no mirar a ninguna parte. Sí él no ve a nadie, puede que nadie lo vea a él, ésa es la lógica.

Por fin superan también la acera ajardinada del paseo, el aparcamiento de coches, y llegan al borde de la arena, punto donde de ordinario el comisario le da un beso a su mujer y retrocede tierra adentro buscando la sombra del bar de la estación de autobuses, asistido del periódico de la mañana y de una deliciosa ración de boquerones rebozados. De modo que su mujer le pregunta si hoy no pasa por el kiosco para tener algo que leer y él tiene que negar con la cabeza, incapaz de hablar porque lleva un rato reteniendo aire para convertir en tórax una parte de lo que en condiciones normales es abdomen.

Todavía antes de pisar la arena (un pequeño paso para el hombre), se gira hacia las dos feas torres de apartamentos de primera línea de mar como quien contempla la catedral de Amiens, lo que le da ocasión de soltar todo el aire sin que su mujer escuche el resuello. Y ahora es el momento de imitar el gesto de ella de quitarse las chanclas, esa palabra, haciendo lo propio con sus mocasines blandos, que sin la intermediación de calcetines se han convertido en criaturas de vientre húmedo y pegajoso.

No hay nadie cerca sobre la arena, los bañistas se apiñan al fondo, cerca del agua, y el comisario puede concentrarse en caminar equilibrándose con los brazos. Le agrada el contacto de sus pies desnudos sobre la arena caliente y seca, es una caricia conocida pero largamente olvidada, y por primera vez se alegra de haberse lanzado a la aventura. Sin embargo, quedan todavía algunos momentos difíciles, quizá su mujer lo intuye y por eso le toma la mano, como para formar equipo cuando llegan a la estrecha franja ocupada por toallas, y sillas plegables, y bañistas sin otra distracción que observar tras las gafas de sol a los recién llegados. Una vez hallado un hueco, mientras su mujer revuelve en el capazo en busca de crema solar y demás adminículos, el comisario comprende que tarde o temprano tendrá que quitarse la camisa, así que sopesa a los posibles espectadores. A la derecha una pareja de ancianos, los dos muy tostados, cuyo componente masculino muestra una panza blanda y colgante sobre un diminuto bañador a todas luces indecente. Nada de qué preocuparse por ese flanco. A la izquierda un hombre solo que parece dormir tendido de espaldas. Bien. Detrás una muchacha con los senos desnudos; pequeños, redondos y desnudos, no cabe duda. ¿Cómo actuar en semejante situación para no parecer un viejo verde?, pues por lo pronto girándose 180 grados y oteando la lejanía en busca de aletas de tiburón, insignias piratas o cualquier otra cosa susceptible de ser avistada mar adentro. Enseguida la voz de su mujer lo devuelve a tierra firme:

—Ven, quítate la camisa que te pongo crema, si no te vas a despellejar en cinco minutos.

Ella se ha desprendido del pareo y su cuerpo enfundado en el bañador azul añil, aunque archiconocido, le parece al comisario especialmente agraciado a esta nueva luz: redondo y mullido pero firme, y mucho más exuberante que el de la muchacha de los…, sin sujetador.

—¿Hay que ponerse crema antes de bañarse? —pregunta el comisario, tratando de concentrarse en el diálogo.

—¿Te vas a bañar?

—Claro.

—Mira que estamos en junio: el agua estará fría…

—Pues yo he venido a bañarme, si no, no le veo la gracia a la playa…

Ése es el momento en que el comisario se quita la camisa y la deja caer hecha una pelota sobre la toalla que su mujer ha dispuesto para él. Durante un segundo se mira a sí mismo desde arriba y le extraña lo blanquísima que parece su propia piel a la luz del sol. Y también comparada con la piel de la muchacha de los…, la muchacha.

—Ahora no vayas a meterte muy adentro… ¿Ya te acordarás de nadar?

—Claro, mujer: eso no se olvida.

De modo que el comisario avanza hacia el agua, donde en verdad sólo se ven unos pocos bañistas muy distanciados. No muy lejos están ancladas las barcas de pesca, posible objetivo para alcanzar a nado. Una olita llega dócil, le moja los pies y se va llevándose parte de la arena bajo sus plantas, lo que le produce la sensación de hundirse un poco en el suelo. Cosquilleante, divertido. Avanza un poco más y empieza a notar agujas en las pantorrillas. Pero no piensa echarse atrás, al fin y al cabo es un montañés avezado en los rigores del frío, así que sigue todavía unos metros hasta mojarse la pernera del bañador. De momento bastante bien, sensación de poder y autodominio. Es entonces cuando llega una ola más alta que las otras y el nivel del agua le sube de repente hasta cerca del ombligo. Desazón intensa, tela empapada pegada a la piel cuando la ola se retira. El comisario sabe que llegados a este punto lo mejor es sumergirse del todo y nadar enérgicamente hasta entrar en calor, pero su humillación es plena cuando descubre que ha entrado en el agua con las gafas puestas.

Demasiado tarde para retroceder: se las quita, avanza con decisión y se zambulle agarrándolas con firmeza con la mano izquierda, que de este modo deja de ser útil como remo para convertirse en un simple muñón. Con todo, bracea y patalea tratando de hundirse cabeza abajo. Durante largos segundos su lucha es feroz, exasperante por la respiración contenida y el frío que casi duele, pero el efecto boya de su propio cuerpo lo mantiene con la rabadilla a ras de superficie y al poco ha de cambiar a una braza espasmódica con la cabeza fuera del agua.

Quizá avanza unos metros así, pero las barcas parecen seguir igual de lejos que al principio, y el cansancio empieza a vencer al frío. Nota que ya no hace pie en el fondo, de manera que se resigna a hacer el muerto para recuperar el resuello. «Humillante», ésa es de nuevo la palabra. Se toma unos segundos boca arriba y, con los oídos sumergidos, descansa y escucha su propia respiración amplificada. Ahora o nunca: en un repentino arranque de furia, se lleva las gafas a los dientes a modo de machete de buscador de ostras, gira sobre sí mismo hecho una bola blanca y granate, y empieza a bracear con todas sus fuerzas hacia el fondo. Esta vez, ya con dos manos capaces de darle impulso, consigue hundirse lo bastante como para tocar la arena, en realidad a menos de dos metros de profundidad; luego se impulsa con un amplio movimiento de los brazos y las articulaciones de los hombros le responden enviándole dolorosos pinchazos.

De todas maneras siente toda su musculatura en activo, como si el joven atlético que ha permanecido tantos años encerrado en una prisión de grasa volviera por sus fueros, y por unos instantes goza también de la inmensa alegría de ser ingrávido en aquel universo denso y azul. Otra sensación agradable olvidada y recuperada. Pero dura poco porque enseguida ha de regresar a la superficie, con satisfacción aunque obligado a quitarse las gafas de la boca a toda prisa para dar una bocanada que termina en un trago de agua salada.

En conjunto ha sido una experiencia gratificante, pero se siente exhausto y decide volver al confortable estado de bipedestación con la moral razonablemente alta. Resopla cuando camina de regreso a la orilla con las gafas en la mano. Sus piernas debilitadas por el esfuerzo notan el enorme peso que han de volver a trasladar sobre el firme movedizo, pero siente una felicidad de orden físico, sensual, una suerte de plenitud emparentada con otras plenitudes que suceden a otros esfuerzos musculares intensos. A todo esto, sin la asistencia de las gafas, el mundo aéreo se ha convertido en un gel tan borroso como el subacuático, no se distingue nada de nada, aunque lo mismo se ocupa de impedir que el bañador se le adhiera al cuerpo de forma indecorosa mientras piensa en cómo localizar a su mujer entre tantos bultos varados en la arena. Sin embargo, no hace falta preocuparse por esto último, porque ella lo ha estado esperando con el agua por las rodillas y le sale al paso:

—¿Qué hacías?, ha habido un momento en que pensaba que te ahogabas, he estado a punto de pedir socorro…

El comisario chasquea la lengua entre dos resuellos:

—Qué me voy a ahogar, mujer…

—¿Qué, está fría, no?

Otro chasquido de negación mientras caminan hacia las toallas.

—Pues estás temblando, y tienes el labio de abajo morado…

Durante un rato, como si en vez de en una playa turística estuviera a solas con su hembra en una isla perdida, el comisario se abandona al dulce cansancio, se tiende boca arriba en la toalla con la respiración entrecortada, y se deja embadurnar de crema solar en una deliciosa caricia que le recorre el pecho y el vientre. Siente entonces unas ganas irreprimibles de dormirse con los ojos cerrados al sol que traspasa los párpados y convierte la oscuridad en un espacio vivo, amarillo y naranja. Pero a instancias de ese ángel que tan amorosamente lo acaricia, ha de volverse boca abajo y enseguida vuelve a sentir la mano menuda que le pasea por la espalda y los riñones. Hasta que empieza a notar una tensión entre agradable y desazonante favorecida por efecto del peso de su propio cuerpo boca abajo. Para abortarla antes de que llegue a mayores se gira y atrapa al ángel en un abrazo, esta vez sobre una toalla y a plena luz del sol:

—Me parece que después de comer vas a tener que echarte la siesta conmigo.

—Sí, hombre…

—¿Por qué no?

—Pues porque hoy es domingo, y hay que volver a casa temprano…

—Pues anoche me supiste a poco, que lo sepas.

—No te pongas pulpo, anda, que hay gente. Y además pinchas, haz el favor de afeitarte en cuanto lleguemos a casa.

★ ★ ★

El lunes por la mañana el comisario oye unos golpecitos de aviso en la puerta de su despacho y el sonido del picaporte abriéndose. Se seca las manos y sale del baño para ver quién es, aunque de hecho sólo puede ser Varela:

—Comisario, está aquí el inspector jefe Rodero. Pregunta si puede pasar.

—Sí, claro, que pase…

El comisario sale a recibirlo al antedespacho a pesar de que es un inferior en rango; de hecho el inferior ya ha tenido la deferencia de desplazarse hasta la comisaría para oír lo que el comisario tiene que decirle.

Rodero tiene poco más de cuarenta años, pálido, estrecho de hombros, delgado y, sin embargo, con una pequeña panza que le asoma como un melón. Chaqueta de punto color musgo, pajarita y caramelos de menta. Se estrechan las manos.

—¿Lo pillo en mal momento?

—No, en absoluto…, pase, le agradezco que haya venido a verme, podría haber ido yo…

—No tiene importancia, así de paso veo la nueva comisaría por dentro, me han explicado maravillas.

—Sí, no está mal… ¿Cómo va por la Brigada, todavía aguanta el edificio?

—Bueno, a duras penas, ya sabe cómo es aquello…

—Sí, bien que lo sé… ¿Le apetece un café?, me han puesto una máquina para mí solo.

—Ya veo que está bien instalado… No tomo café a estas horas, pero si tiene agua se lo agradeceré, hace calor en la calle.

Entran en la sala de juntas, el comisario toma un vaso de plástico y señala una portezuela de madera oscura que parece un armario, «¿No prefiere un refresco?, tengo una nevera bien surtida, como en los hoteles». No, Rodero quiere agua. «¿Fría o del tiempo?», Rodero dice que del tiempo. El comisario acciona la espita correspondiente en el surtidor de acero inoxidable y llena el vaso antes de entregárselo en mano. Luego se concentra en manejar la máquina de café que funciona con pequeños cartuchos precintados:

—Bastante más cómodo que la Brigada, ¿eh? Y ahora por lo menos tienen aire acondicionado, en mis tiempos no se imagina cómo se ponía ese despacho suyo en cuanto llegaba el mes de junio.

—¿Ocupaba usted mi mismo despacho?, no lo sabía…

—Seis años, estuve allí. Creo que todavía tengo la espalda despellejada por aquella butaca de escai. Y antes de eso había estado ocho años como inspector pululando por las oficinas, con Morillos de inspector jefe. ¿Llegó a conocer a Morillos?, ¿bigotito de falangista?, ¿gafas oscuras? —Rodero asiente—. En comparación esto es gloria, hasta tengo un tresillo para las visitas. Claro que a buenas horas: para tres meses que me quedan…

—Ya he oído que se jubila este año…

—A principios de septiembre… No sabe las ganas que tengo: no quiero volver a oír hablar de amas de casa descuartizadas en lo que me queda de vida.

Ya se han sentado en un extremo de la enorme mesa de juntas, ocupando dos de las diez sillas basculantes de acero y cuero.

—Siento que tuviera que subir allá arriba un domingo por la mañana, pero no había nadie en la Brigada que estuviera en condiciones de hacerse cargo y me pareció lo más oportuno pedirle a usted el favor. De todas maneras nadie mejor: tengo entendido que se crió usted en un pueblecito de montaña, ¿no?

—Sí, bueno, pero era otro mundo. En realidad todos los pueblos de montaña son diferentes, sólo se parecen en el aislamiento, y hoy día ya no están tan aislados como antes. Hay televisión, y teléfonos móviles, y todo el mundo tiene coche.

—¿Qué le pareció aquello? —Rodero saca un diminuto caramelo del bolsillo de su chaqueta de punto y se lo ofrece primero al comisario, que declina con el gesto.

—La verdad es que después de salir del matadero sólo tuvimos tiempo de darnos una vuelta en coche. Bueno, y entramos a tomar café en uno de los bares, en la calle que parecía la principal, cerca de la iglesia y el ayuntamiento…

Bastante opresivo, con ese círculo de montañas y ese Monte Horlá allí arriba… En invierno tiene que ser tremendo…

—¿Qué le pareció Berganza?

—Buen elemento. Hablé por teléfono con él hace un par de semanas, y luego ha sido tan amable de recopilar algunas informaciones para mí, extraoficialmente. Ya me contó que habían transferido el caso a la Central…

—¿Le contó también que tenemos identificado el cadáver?

—No estaba confirmado. Del valle, ¿no?

—Del valle, confirmado, tenemos la prueba de ADN. Pero lo más significativo es que su hijo es un emigrante afincado en la Provenza francesa. ¿A que no sabe dónde trabaja?

—Tal como lo dice supongo que en un matadero de cerdos.

—En un matadero de cerdos… Habrá que husmear por ahí. Pero hay más caminos. Por ejemplo, he estado en Informática y he encontrado otro homicidio sin resolver bastante interesante. Año 97, la víctima es una muchacha de dieciséis años que aparece degollada a cuchillo en un bosque del Piamonte italiano, a diecisiete kilómetros de Penerolo. El cadáver se encuentra desnudo, sin signos de violación o abusos, pero le faltan las dos manos que no han aparecido hasta la fecha. También en ese caso cuesta identificar el cadáver y finalmente resulta ser hija de un transportista que hace rutas internacionales, ¿adivina qué transporta en su camión?

—¿Cerdos?

—Cerdos. ¿Huele a vendeta entre narcos?

El comisario tuerce los labios hacia abajo.

—¿Se le ocurre otra cosa? —dice Rodero.

—Por qué narcos y no…, no sé…, psicópatas que juegan a rol… Cualquier departamento de homicidios tiene entre un uno y un cinco por ciento de casos anuales sin resolver, eso si hablamos de países con una policía seria. Relacionar entre ellos sólo los que tienen remotamente que ver con los cerdos es un poco tendencioso, a pesar de la nota.

—En realidad no he partido de la nota… Claro que la hemos mandado analizar, pero el Luma Lite no da nada, la escribieron en el dorso de una hoja de pedidos del propio matadero, con un rotulador que también estaba allí mismo, o al menos con la misma clase de tinta, y las letras están trazadas ayudándose de una regla, así que ni siquiera podemos hacer un examen grafológico en condiciones.

—Pero contiene un mensaje…, EN EL NOMBRE DEL CERDO…, es una frase bien curiosa. De eso precisamente quería hablarle…

—Ya me lo imaginaba…

—Ya le adelanté por teléfono algo sobre el propietario del matadero y el poema que publicó en el periódico…

—Sí…, muy interesante. Tengo el fax que me envió a la Brigada: las siete sílabas, y todo eso…

—Bueno, no son sólo las siete sílabas…, hay un montón de coincidencias, puedo enseñárselo si tiene usted diez minutos…

—Bueno, la verdad es que de momento estoy pensando en otra cosa. ¿Sabe usted que muchos de los cerdos que se matan en el país llegan de Holanda?, ¿y que no sería la primera vez que vienen con regalito cosido a las tripas? Entre otras cosas he encontrado también en la base de datos un informe de Sanidad muy interesante, del año 99. Un camión pasó la frontera francesa con ochenta animales insuficientemente documentados, varios de ellos llegaron muertos… Bueno, pues los de la Científica tuvieron el buen tino de abrir a uno de los cinco que llevaban la panza llena. Junte eso con que el veterinario del matadero de San Juan del Horlá es un francés que trabajó antes en una granja en Amsterdam y que pasó directamente desde allí a San Juan. ¿No le parece significativo?

—No sabía eso… —el comisario cabecea—. De todas maneras queda algo por explicar. Estaría de acuerdo con usted si hubiéramos encontrado un cadáver con un tiro en la nuca. Pero lo que hemos encontrado es un perfecto y ordenado puzle de carne humana, y sabemos que la víctima fue drogada con estramonio y que pasó un largo y complicado proceso hasta el momento de la muerte. Alguien se ha recreado con todo eso, no es el típico ajuste de cuentas.

—Siempre se pueden ajustar cuentas a través de alguien que se recree en ello.

—No sé… —El comisario piensa un poco—. ¿Si el cadáver hubiera sido el de un concejal del ayuntamiento, pensaría usted que se trata de un crimen político?

—No estoy seguro de lo que quiere decir con eso…

—Quiero decir que alguien tenía ganas de matar a una mujer como a un cerdo y lo ha hecho a conciencia. Y eso tiene que ver sobre todo con el individuo en cuestión y con la relación que ese individuo mantiene con las mujeres, o con los cerdos, o con las dos cosas, y no tanto con el tráfico internacional de estupefacientes, o sólo secundariamente con eso.

Rodero pone cara de escepticismo:

—¿Ha estado usted hablando con algún psiqui?…

—Sí, he estado hablando con un psiqui, con Puértolas, pero porque desde el principio me pareció cosa para hablar con un psiqui… Tenemos suficientes indicios para investigar al tal Juan de Horlá, basta echarle una mirada al poema para darse cuenta de que estaba al tanto de lo que iba a pasar… Tenga en cuenta que la prensa no hizo público el mensaje que encontramos…, sin embargo, el propietario conocía el patrón formal de ese mensaje…

—Comisario, perdone pero en primer lugar el propietario del matadero tuvo muchas oportunidades de saber lo que decía ese mensaje, no hacía falta que lo publicaran los periódicos. Podemos controlar hasta cierto punto lo que se publica, pero no lo que dicen los testigos por ahí, basta con que alguno de los empleados que encontraron el cadáver se lo hubiera dicho.

—¿Una semana antes del asesinato? El poema se publicó una semana antes…

Rodero comprende que su razonamiento ha sido erróneo:

—Bien, de acuerdo…, también es posible que el homicida leyera el poema en el periódico, le gustara, y una semana después decidiera escribir el mensaje según ese patrón rítmico, o lo que sea que haya encontrado en el poema. Sabe usted perfectamente que ningún juez va a admitir una cosa así como prueba de nada.

—No como prueba de cargo, y además está claro que el autor material del asesinato no es el autor del poema, no *de facto*, pero el poema es suficiente prueba de convicción para admitir a trámite una investigación sobre ese individuo…

—Ese individuo, comisario, no es un individuo cualquiera.

—¿Quiere usted decir, Rodero, que hay individuos en este país blindados a una investigación de la Brigada Central de Homicidios?

—Quiero decir, comisario, que lo usual es llegar al instigador a través del autor material, no al revés. Si llegamos a saber quién manejó el cuchillo, tendremos alguna oportunidad de probar a instancias de quién lo manejó, mientras tanto no pasaremos del terreno de la especulación. El camino a seguir es el del tráfico de estupefacientes, es evidente que en la comarca se da, yo también tengo informes de la Provincial. El siguiente paso es relacionar ese tráfico con los empleados del matadero que son probablemente los que tocan el material. Y el propietario, si es que tiene algo que ver, caerá después.

—De acuerdo, quizá se ha puesto usted sobre la pista real de una red de transporte de cocaína…, muy bien, adelante. Pero si quiere que le diga la verdad, a dos meses de jubilarme me importa muy poco que alguien se esté haciendo rico vendiendo coca, lo que me pone los pelos de punta es que por ahí anda suelto un individuo aficionado a la tortura recreativa, probablemente dos individuos, y puede que más. Es por ahí por donde yo insistiría, al fin y al cabo sabemos algunas cosas sobre él, o podemos intuirlas.

—¿Por ejemplo?

—Por ejemplo sabemos que tiene veleidades literarias, que le gusta el riesgo y que está jugando a algo con nosotros o con el resto del mundo. Y también que seguramente actúa en asociación con uno o varios individuos susceptibles de asociarse a un psicópata, es decir, con un complementario, alguien que probablemente depende emocionalmente de él.

★ ★ ★

—Varela, voy un momento a cortarme el pelo, me llevo el móvil por si hay algo.

El comisario abandona el edificio agradecido al aire tibio de la calle, aire de verdad, sin acondicionar, y se da cuenta de que cada vez le cuesta más pasar ocho horas seguidas metido en su despacho.

Camina despacio, con las manos en los bolsillos, hasta salir a la vieja rambla fangosa convertida en paseo cosmopolita: estatuas humanas, músicos callejeros, pintores de acera, puestos de flores, un comisario de policía con barba de una semana que pasa con las manos en los bolsillos...

Cuatro travesías más abajo el comisario abandona el paseo y vuelve a internarse en la maraña del viejo arrabal. Hace años que se arregla el pelo en el mismo establecimiento, Barbería Siberia, con su tradicional distintivo a rayas azules, blancas y rojas. «¿Lo de siempre, comisario?», «Lo de siempre.» Pero esta vez el comisario está pensando en hacerse algo distinto y, antes de alcanzar el distintivo de la Barbería Siberia, se detiene ante el escaparate de otra peluquería nueva en la calle, o quizá es que no había reparado antes en ella: HAIR PLAY, PELUQUEROS, dice el rótulo. El escaparate muestra fotos de modelos recién peinados, hombres de entre treinta y cuarenta años, correctamente vestidos, uno de ellos con barba y pelo cano. Cambiar de peluquero es como cambiar de amante: el momento propicio para probar cosas nuevas, y por un momento el comisario piensa en darle el salto a la Barbería Siberia y entrar allí, en aquel agradable interior decorado con madera clara donde además sólo se ve a un cliente esperando tanda, y es casi calvo.

Gana su sentido de la fidelidad y sigue caminando hasta la Barbería Siberia, un poco más allá en la misma acera. Cuando llega se da cuenta de que la persiana está bajada y han enganchado un rótulo escrito a mano: «Cerrado por reformas. Próxima apertura, 1 de septiembre». «Los tiempos cambian», se dice el comisario, y como no puede esperar a septiembre para cortarse el pelo, vuelve sobre sus pasos y sin pensárselo mucho entra en HAIR PLAY, PELUQUEROS preguntándose qué demonios querrá decir *Hair Play*.

Tres cuartos de hora después, su habitual peinado a raya se ha convertido en un corte uniformemente corto dirigido hacia delante, su bigote ha sido drásticamente podado al dos y, sobre la barba incipiente, le han recortado una perilla que se une al bigote por las comisuras. Lo de la perilla es sólo un intento que el comisario no tendrá más remedio que someter al criterio de su mujer, pero de momento se siente bien con su esbozo y va mirándose en el reflejo de los escaparates. Tanto que, poco antes de llegar a la comisaría, se le ocurre desviarse hacia la tienda de discos.

Entra sin pensárselo mucho, con naturalidad, como si no pasara nada:

—Buenos días, jóvenes —dice.

Contesta el del *piercing* en el ombligo, que ahora luce además un par de finas tiritas que le cruzan el puente de la nariz:

—Vaya, qué sorpresa… ¿Viene a atracarnos, caballero?

—¿Tengo aspecto de venir a atracar?

—Bueno, como luce esa perilla tan bizarra… digo a ver si el brigadier se ha pasado al enemigo. Si no puedes detenerlos, únete a ellos.

—Pues no: venía a comprar uno de esos discos modernos que vende, y de paso a ver qué tal terminó lo del otro día…

—Si se refiere usted a mi pequeño combate, he resultado ganador por puntos, como puede ver. Uh, ¿y ese moreno de playa…? Qué envidia, a mí me ha dicho el médico que no tome el sol hasta que me cicatrice bien la nariz o me quedará marca. En realidad no sé qué hacer: son tan sexi las cicatrices… Por cierto, ¿me permite un consejo sobre su nuevo estilismo?

—Mmmm, sea prudente, joven, ya sabe cómo suelen terminar sus consejos sobre estilismo…

—Bueno, ya que no lleva casco de moto me arriesgaré... Debería cambiar el modelo de gafas. Esas doradas no van bien con el peinado y la barba de candado. Le recomiendo un modelo tipo director de cine años sesenta: rectangulares, de pasta negra. Con cristales amarillos son lo más...

Esta vez el comisario sale a la calle con un CD de Simply Red y la confianza en su nuevo *look* bastante alta. La siguiente piedra de toque es entrar en la comisaría.

Naturalmente todo el mundo se fija en él, sobre todo en la perilla, el comisario se da perfecta cuenta, pero nadie se atreve a hacer comentarios. Excepto Quique Aribau, que está en la cafetería con Sanchís. «Le queda bien la perilla —le dice—, pero ya no tiene tanto aspecto de comisario, ahora empieza a parecer... no sé, un director de cine...»

El comisario toma nota de la coincidencia y por la tarde, de camino a casa en el autobús, le va dando vueltas a la idea. Director de cine está bien, mucho mejor que notario, y tiene connotaciones de mando que le gustan. Pero no se juzga a sí mismo un hombre creativo, y tampoco tiene mayor interés en parecerlo. Él es hombre de principios, de leyes y de fidelidades, eso es. Mientras observa como siempre el tráfico desde la ventanilla del autobús, se le ocurre pensar en qué disfraz le gustaría ponerse en caso de asistir a un baile de máscaras. Sin duda de gángster de película: camisa negra, corbata blanca, sombrero de fieltro y abrigo largo de pelo de camello. Al fin y al cabo un capo mafioso no es tan distinto de la de un Comisario de policía, piensa el comisario: los dos se ven obligados a inspirar respeto pero también confianza, a mostrarse inflexibles o magnánimos según el momento, a intimidar y ofrecer protección en un delicado equilibrio de contrarios...

Cuando llega a casa ha olvidado completamente el último y definitivo examen al que debe someter su nuevo *look*. La idea cae sobre él justo en el momento en que gira el llavín.

—Hola-hola, por dónde andas…

—En la cocina, ¿ya estás aquí?

—Sí, tengo que enseñarte una cosa, no te asustes.

Naturalmente ese aviso hace que su mujer se alarme y aparezca de inmediato en el quicio de la cocina, secándose apresuradamente las manos con un paño. El comisario prende la luz del recibidor para dejarse ver sin sombra de duda:

—¿Qué te parece?

Como primera reacción, su mujer levanta las cejas y se lleva la mano a la boca.

—Ah: qué susto me habías dado… ¿Por eso llevabas desde el sábado sin afeitarte? —dice al fin.

El comisario asiente y se toca el pelo incipiente del mentón:

—Sabía que si te preguntaba, me ibas a decir que no. Quería probar…, pero si no te gusta, me afeito ahora mismo.

Silencio. Mirada detenida:

—El corte de pelo no está mal, pero eso de ahí debe de pinchar, ¿no?…

Se acerca, le toca primero la cara con el dorso de la mano y después le tira de la solapa para agacharlo y poder pasarle la mejilla.

—Uh, sí que pincha…

—Cuando me crezca un poco más, ya no pinchará, será como el bigote…

—La verdad es que estás guapo; con otras gafas… Pero ahora voy a tener que cambiar yo también de peinado…

—Así ¿qué?, ¿me lo dejo?

—Bueno, déjatelo unos días hasta que me acostumbre, y si luego no pincha…

El comisario principal que hubiera querido disfrazarse de gángster se va de buen humor al dormitorio, «Hola Gardfield», se quita las gafas y se contempla los ojos de Boris Karloff en el espejo del tocador.

EN EL PARAÍSO

A las cinco en punto, después de haber pasado por el hotel para cambiarse, T está ante el edificio del Instituto: relajado, compuesto y sin mácula. Enseguida aparece Suzanne entre una avalancha de oficinistas encorbatados.

—¿Qué has estado haciendo toda la tarde? —pregunta ella.

—Darme cuenta de que ya no puedo dejar de pensar en ti —responde él.

—Bueno, bueno… Eso se lo dirás a todas…

—No, sólo a las que me vuelven loco.

Cuando echan a caminar sin mucha decisión por Lexington, T va pensando en algo concreto que hacer, a estas horas no se puede simplemente pasear, con todo el mundo moviéndose frenéticamente. Pregunta a Suzanne si conoce algún almacén de discos con buen surtido de *folk* y *blues*. Ella sugiere llegarse a Tower Records, recuerda una tienda de la cadena en Broadway con la sesenta y algo. Eso es desde luego algo concreto que hacer, pero para llegar allí hay que cruzar el centro en hora punta, algo como atravesar el mar Rojo.

Les parece lo mejor intentar el milagro en metro, así que caminan hasta Grand Central, toman el *shuttle* hasta Penn Station y allí empalman con la IRT de Broadway. El vagón en dirección al Bronx está menos abarrotado de lo que cabía esperar, y en el último tramo pueden sentarse juntos y charlar. Suzanne le pregunta a T si ya se aclara en la maraña del metro y él, exagerando cómicamente, le cuenta los problemas que tuvo los primeros días: los *token*, los locales y los expresos, las bifurcaciones de las líneas, los vagones que se enganchan y desenganchan, lo del día que quería llegar al Distrito Financiero y acabó en algún lugar de Brooklyn...

Emergen en Columbus con la 66, Suzanne gira sobre sí misma haciendo gesto de apache avistando la lejanía y luego indica el camino a seguir. Un poco más al norte identifican la tienda, que ocupa varias plantas abiertas a la calle en grandes ventanales. Al entrar, Suzanne le dice a T que se encargue de preguntar por la sección de folk, para practicar. T se acerca a una dependienta negra de uniforme y consigue formular la pregunta correctamente, o al menos la muchacha señala las escaleras mecánicas y dice que *upstairs*. Mientras suben, Suzanne le pregunta a T qué discos son los que busca. Él contesta que le interesa cualquier cosa de Joe Jackson (el *bluesman*, no el *country singer*) o de *Burl Ives* (esta vez pronuncia «Burl» tal como aprendió de la chica oriental de Virgin's, con su extraña vocal y como haciendo rodar la lengua al final de la palabra). Suzanne se sorprende al oír el nombre, dice que lo conoce, que recuerda una canción suya desde niña: *Big Rock Candy Mountains*. T empieza a entonar el estribillo, Suzanne se le une siguiendo la estrofa, poniendo cara de niña con lazos y trenzas... Ya han salido de las escaleras automáticas cuando T la acerca a él tirándole del brazo y le besa una mejilla. Es un breve contacto que ella acepta un poco perpleja, y luego él le toma la mano, tira de ella hacia las estanterías y empieza a leer los rótulos ordenados alfabéticamente, *Bluegrass, Blues, Cajun, Country & Western, Dixie, Folk*... Enseguida encuentran dos CD de Joe Jackson y cinco de Burl

Ives y T los compra todos, incluido uno de villancicos en cuya portada parece estar retratado el mismísimo Santa Claus con un jersey de lana tricotada.

De retorno en el metro bajan en el West Village, a dos manzanas del apartamento de Suzanne. Entran en un bar, se sientan a una mesa pequeña y piden cerveza. Sólo hay un cliente en la barra; suena Bruce Springsteen, *Sad eyes*. Al parecer Suzanne no está ahora en vena para hacer gansadas, parece que le ronda algo por la cabeza:

—¿Y por qué Homicidios? —pregunta de pronto.

T no entiende la pregunta. De pronto ha visto otra vez en Suzanne el rostro del retrato.

—¿Por qué qué?

—Tu ficha del ordenador está llena de archivos de acceso restringido, pero dice en alguna parte que estás adscrito a la Brigada Central de Homicidios.

—Ya. No sé…, seguramente porque me da miedo la gente violenta, capaz de matar.

Pausa, cerveza.

—¿Y te dedicas a una cosa que te da miedo?

—Hay muchas maneras de conjurar el miedo, la mía es pelearme con el monstruo. Si hubiera nacido en la Edad Media me hubiera echado al monte a cazar dragones.

Nueva pausa de Suzanne. Cambio de tono y tema de T:

—Ésta es la única canción del Springsteen que tolero, al menos no canta como si estuviera metido en un pozo lleno de ratas. Me gustaría saber qué dice.

—Escucha bien, seguro que conoces las palabras.

—No me fío. Me pasé la adolescencia pensando que *Smoke on the water* significaba «fumando en los lavabos». Fumando marihuana, claro… Todo parecía encajar: *Smoke on the water and flying to the sky*.

—*And FIRE IN the sky*. «Humo en el agua y fuego en el cielo», habla de un incendio.

—¿Lo ves?, pues así me pasa siempre.

Suzanne ríe.

—¿Sabes que está muy feo burlarse de la gente mayor? —dice T.

—No me burlo, es que dices cosas que hacen gracia.

—Ah, pues me alegro. El otro día oí por la radio que lo que más valoran las mujeres en un hombre es que las haga reír. Supongo que no es más que una patraña políticamente correcta, pero decidí creérmela.

Suzanne lo piensa un momento:

—No está mal el sentido del humor. Pero hay otras cosas mejores aún.

—¿Por ejemplo...? Me interesa el tema.

—No sé. La capacidad de conmover. Y de conmoverse. La mayoría de los chicos que he conocido eran como niños jugando a ser tipos duros. Y los hombres de más edad siempre han tratado de impresionarme de alguna manera: por su posición, por su dinero, por su inteligencia... Es difícil encontrar a alguien que..., no sé, alguien a quien le gusten las canciones de Burl Ives... Incluso esos heterogays tratan también de impresionarte a base de músculos y cremas hidratantes.

—¿No te gustan los hombres fuertes?

—Me gustan los hombres que son fuertes como sin querer..., ¿sabes lo que quiero decir? —gesto de fortachón despistado—. Por ejemplo, me encanta un italiano que regenta una charcutería cerca de mi apartamento. No es nada guapo, debe de tener como cincuenta años y lleva siempre el mismo delantal rayado. Pero tiene ese algo... Es como si transpirara paz y seguridad a través del delantal, dan ganas de estar cerca de él y recibir su influencia... Ya ves que no soy nada moderna, y además no estoy acostumbrada a beber cerveza.

—Yo tampoco soy nada moderno. A veces me parece

que todo el mundo está tratando de hacer justo lo contrario que sus abuelos, sea lo que sea lo que hicieran sus abuelos.

—A mí hay un montón de cosas de mis abuelos que me encantan. Viven en Llanes…, ¿conoces Llanes?, está en Oviedo, es un sitio precioso. Siempre nos reunimos allí por Navidad, y en cuanto llego a su casa me entra la añoranza de un mundo que en realidad no he conocido: el fuego, la mesa, la gran familia… —Suzanne juguetea con el encendedor y sigue después de darle un trago a la cerveza—: ¿Sabes?, llevo toda la tarde pensando en lo que me has contado mientras comíamos.

—¿Lo de los expósitos…?

—Sí… —Suzanne ha dejado de mirar a los ojos de T y observa el pie de la copa de cerveza—. En mi clase, en el colegio, había un niño adoptado. Todo el mundo se burlaba de él: tenía dos o tres años más que el resto, y era muy… feo, desgarbado, con el pelo estropajoso y los dientes manchados de color naranja, como si no se los hubiera lavado nunca. Decían que ya lo habían rechazado dos familias porque era muy raro, y que tenía los dientes así porque comía excrementos… Esas cosas que se dicen en las escuelas… A mí siempre me dio pena, pero nunca se me ocurrió tratar de ser su amiga, la verdad. Creo que me daba miedo… Y me quedó la idea de que un niño huérfano tenía que ser necesariamente raro y feo. Entiéndeme: me parecía tan fuerte la idea de no tener familia que pensé que dejaba estigmas horribles…

—Bueno, yo tengo algunos estigmas horribles…

Suzanne compone la expresión de no estar de acuerdo:

—Tú no das nada de miedo. Eres educado, amable…, guapo —se pasa una mano por la cara y mira a lo lejos muy seria, como un galán cinematográfico en una foto de *book*.

—Bueno, me alegro de que lo hayas notado… —T sonríe.

—No, en serio… Si me preguntaran…, no sé: también pareces feliz, en paz, un poco como mi charcutero italiano.

La sonrisa de T pierde un poco de alegría:

—Eso es por efecto tuyo —toma el vaso de cerveza pero no bebe—. Hace una semana jamás se me hubiera ocurrido hacer un chiste. No tenía a nadie a quien hacer reír, ¿te parece poco estigma?

—¿No tienes amigos en España? —gesto de bullicio en una fiesta.

—La amistad es un sentimiento tibio. Vale durante la adolescencia y la primera juventud, pero más allá de los treinta años significa muy poco.

—¿Eso crees?… No estoy de acuerdo.

—Te faltan seis años para cumplir los treinta. Ya me contarás…

—No creo que sea una cuestión de edad…

—Precisamente ésta es una cuestión de edad, como la presbicia. Te llevo veinte años de…, iba a decir «desengaños».

—Diecinueve…

—OK: diecinueve.

Pausa.

—De todas maneras me parece increíble que no tengas amigos.

—No es muy buen currículum, ya lo sé, pero me basta con mi familia subrogada… Y además también tengo compañeros de trabajo, colegas…

—Qué significa «subrogada» —cara de topo miope y completamente estúpido.

—Que no son pero hacen la función de. Más o menos.

—¿El comisario y su mujer?

—Sí.

—¿Y por qué has dicho antes que él es como un padre y en cambio ella es como una tía cariñosa?

—Antes cuándo…

—Mientras comíamos…

—Ya… Pues porque la relación entre padre e hijo es más fácil de reproducir espontáneamente que la de madre-hijo —el tono de voz le sale expositivo y se deja llevar en esa dirección—. Para un niño o un joven varón un padre es sobre todo un modelo, un patrón de conducta que se imita, y para eso vale cualquier hombre con el que el joven tenga trato frecuente y del que reciba algún afecto. A partir de ahí hay muchas posibilidades de que se desencadene un proceso de identificación mutuo, y de hecho desde que todo el mundo se divorcia está lleno de niños con dos padres: el biológico y la nueva pareja de la madre. En cambio la relación madre-hijo implica un acercamiento piel a piel que no suele darse fuera del marco tradicional. La madre suele ser única, y casi siempre es la mujer que te ha parido. O la que te ha amamantado, que no tiene por qué ser la misma, sobre todo en el caso de los huérfanos de madre.

—¿A ti no…?

—No, a mí no…, yo ya soy hijo del Pelargón. En los tiempos en los que a los expósitos se les asignaba una nodriza las mujeres que se prestaban eran siempre muy pobres y lo hacían por el dinero que pagaba la inclusa, pero muchas terminaban adoptando a los niños a los que alimentaban. La lactancia crea un lazo fortísimo entre la mujer y el bebé, algunas nodrizas incluso morían contagiadas de la sífilis congénita que el niño les transmitía, pero se dejaban morir antes que destetarlo. Era lo que ahora llamaríamos «relaciones de riesgo»: irracionales, apasionadas, como las de esos tipos que no hacen nada por evitar contagiarse del sida de su pareja… La cuestión es que a principios del siglo pasado se terminó con las nodrizas y todo lo que representaban. Yo viví entre monjas durante los primeros años de mi vida, pero las monjas suelen ser muy poco maternales, al menos las que yo conocí. Supongo que habían inhibido tan radicalmente su sensualidad que parecían sargentos más que madres...

»Oye: ¿estás segura de que ésta es una conversación apropiada?

—Apropiada para qué...

—¿Quieres no hacer contrapreguntas de psicóloga, *monky face*?

—No puedo hacer contrapreguntas de psicóloga porque me licencié en Historia.

—Me alegro. No me gustan mucho los psicólogos.

—¿Por...?

—Hacen demasiadas preguntas...

Pausa.

—Perdona si...

—No, no pasa nada, lo digo porque rara vez se obtiene buena información preguntando directamente, aunque se responda la verdad. Las respuestas siempre están determinadas por la pregunta, y además dan un retrato incoherente y fuera de contexto, como las fotografías de un viaje. Así que no me gustaría que sacaras muchas conclusiones de mis respuestas.

—Bueno, de momento sólo he sacado la conclusión de que eres amable y educado.

—Y guapo, no te olvides.

—Y guapo, no me olvido —otra vez pone cara de galán de Hollywood, muy seria.

—Claro que ya me has contado que no te gustan los guapos musculosos que se dan cremas...

—Bueno, creo que puedo soportarlos, al fin y al cabo

el físico no es lo más importante. De hecho tuve un novio guapísimo en Santander.

—Y qué pasó…

—Nada, que quería presentarse a Mister Cantabria y se apuntó a un gimnasio.

★ ★ ★

Saliendo del bar, caminan al sur junto a las deslucidas tiendas del final de la Sexta hasta girar una esquina que los introduce en otra película. En ésta, estrechas aceras punteadas de acacias flanquean la calzada de sentido único, y la última luz del día hace brillar el asfalto que un gato pardo cruza a contraluz, como deslizándose sobre una chapa de cobre. Se ha levantado de pronto un viento tibio que hace volar el polen, igual que un diminuto confeti reluciente que se pega a la ropa y a los cabellos.

El apartamento de Suzanne ocupa el segundo piso de una casa de ladrillo pintado de amarillo tostado, con una escalera de incendios que zigzaguea por la fachada y un puentecillo escalonado que trepa hasta la entrada principal salvando el acceso al sótano. El resto de los edificios de la calle son parecidos: tres o cuatro pisos, restaurados y pintados en la gama de los óxidos, los ocres, los anaranjados, apretados unos contra otros formando un largo mural de colores tras la fronda de los arbolitos alineados. Algunas ventanas dejan ver algo de los pulquérrimos interiores: la esquina de un acrílico de gran formato, parte de una estantería llena de libros, una lámpara de pie, la trasera de un sillón orejero puesto de espaldas a la luz de la calle. T imagina tras aquellas ventanas a escritores consagrados trabajando en zapatillas, con una taza de café humeante sobre la mesa.

—Te diría que subieras a tomar algo —dice Suzanne—, pero Caroline estará paseándose desnuda por toda la casa en busca de algo que ponerse. Es su hora de vestirse para las citas nocturnas.

—No te preocupes… ¿Terminamos el cigarrillo?

Se sientan en las escaleras del edificio como dos escolares en el recreo, lo bastante juntos para tocarse hombro con hombro y rodilla con rodilla. El rumor del tráfico llega muy amortiguado y las ráfagas de viento hacen sonar las hojas tiernas de las acacias.

—Bonita calle, dan ganas de fotografiarla.

—Sí, tuve suerte de encontrar alojamiento aquí, es una buena zona.

—Casi me gusta más que el Upper East Side. Y debe de ser más barato…

—Bueno, sigue siendo carísimo. Nunca hemos sabido cuánto paga Caroline, pero Ashley y yo le damos 1500 dólares cada una, así que el apartamento debe de cotizarse ahora por encima de los 4000, y es un simple *three bedrooms*. Vete haciendo una idea.

—No entiendo cómo la gente normal puede pagar esos alquileres…

—Aquí no vive gente normal. Viven los que escriben en el *Times* o tocan el chelo en la Filarmónica. La gente normal vive en Long Island, o en New Jersey… No te dejes engañar por el encanto de la calle, estamos en plena selva capitalista.

—Pues es una selva capitalista muy confortable… —T hace gesto de estirar las garras y ronronea a modo de improbable fiera capitalista. Suzanne sonríe y apoya una mano en la rodilla de él para levantarse.

—Bueno, se terminó el cigarrillo: hora de recogerse.

—Podríamos cenar por aquí cerca. ¿Qué vas a hacer en casa a estas horas?, ¿ayudar a Caroline a vestirse para su cita?

—No quiero acostarme tarde, mañana a las ocho he

de estar en el Instituto, y tendría que lavarme el pelo esta noche…

—¿No cenarás algo?

—Normalmente me subo unos sandwiches, o pido algo por teléfono… —Gesto de hablar de mala gana por teléfono.

—¿Y no te da lo mismo cenar conmigo en algún restaurante de por aquí? En menos de una hora podemos estar de vuelta.

—Los restaurantes de por aquí son caros para una cena rápida… —Arruga la nariz y frota las yemas de índice y pulgar.

—Da igual, invito yo… Me siento rico, como si tocara en la Filarmónica.

—Espera, ahora que pienso…, hay un restaurante español no muy lejos. Fui una vez con Ashley y nos sirvieron una paella para dos buenísima, como a 20 dólares por cabeza. Y hacen sangría de verdad, con tropezones de fruta. —Mofletes repletos de trozos de melocotón.

—¿No es un poco raro comer paella para cenar?

—Pues ahora que se me ha ocurrido se me está haciendo la boca agua… Pero pago yo, ¿vale?

—Si pagas tú la próxima vez que nos veamos seré yo el que lleve un vestido de lana ajustado. Es lo mínimo que puedo hacer por la causa feminista…

—Trato hecho —dice ella—, la causa feminista agradecerá mucho verte las pantorrillas.

Se levantan de las escaleras con las nalgas frías por el contacto con la piedra húmeda —Suzanne hace gesto de niño con los pañales cargados de algo maloliente—, caminan en busca de la Séptima y bajan por ella hasta donde la cuadrícula de Chelsea empieza a romperse en travesías diagonales que traen viento racheado del oeste. «No sé aquí, pero en España esto es aire de tormenta», dice T. En el cruce con Chistopher Street indicado en un rótulo le viene a la memoria una canción de Lou Reed que no recordaba recordar. Canta un trozo en voz alta: *There's a downtown fairy / Singing out* Proud Mary / *As she crosses Christopher Street...*

—¿Qué significa «*downtown fairy*»? —le pregunta a Suzanne.

—Un hada del *downtown*..., a menos que en jerga gay signifique otra cosa; estamos entrando en el núcleo originario de la comunidad homosexual de la ciudad, por si no te habías dado cuenta. —Gestos de comunidad homosexual en plena fiesta.

—Me lo ha parecido cuando nos hemos cruzado con la pareja de bigotudos con *shorts* y patines; creo que debería haberme puesto el vestido de lana hoy mismo.

—Esos eran *Chelsea boys*; los *shorts* y los patines son potestativos, pero se recomienda encarecidamente lucir musculatura de lanzador de jabalina y bigote espeso. A ti sólo te falta el bigote.

—Ya...; un día un chico trató de ligar conmigo, y me parece que fue por aquí cerca.

—¿De verdad?, ¿sólo uno?

Giran por una bocacalle que parece seguir una dirección distinta a todas las demás, casi completamente ocupada por restaurantes con terrazas sobre la acera. La fachada de uno de ellos presenta dos ventanas con rejas de estilo andaluz de las que cuelgan unos geranios de plástico. «La guitarra, *Spanish Recipes*», dice el rótulo. Adentro paredes encaladas, azulejos hasta media altura, más geranios de plástico y varias guitarras flamencas colgadas de las paredes, todo bajo una iluminación plana de fluorescente. No hay clientes, ni siquiera hay un empleado tras la barra de bar, pero las numerosas mesas compuestas con candelabros y unos jarrones con claveles sintéticos parecen aguardar la afluencia de gran cantidad de comensales. De momento se oye a Alejandro Sanz muy bajito, *Corazón partido*, y sólo después de que T haya metido bastante ruido carraspeando y moviendo taburetes aparece un latino joven y grandote, con bigote reguero-de-hormigas y faja roja entre el negro de los pantalones y el blanco de la camisa. Suzanne le pregunta en español y levantando dos dedos si es posible una paella para dos. El joven mira su reloj y dice que sí, pero que tendrán que esperar una media hora; habla con acento sudamericano, o quizá mexicano, muy influido por el inglés. T y Suzanne se miran entre sí y se hacen gestos de asentimiento. «¿Podemos tomar sangría mientras esperamos?» Eligen una mesa resguardada por un retranqueo de la pared y el joven enciende para ellos las dos velas del candelabro. Afortunadamente se puede fumar, o por lo menos hay ceniceros en las mesas, de modo que se apresuran a encender cigarrillos a fin de tomar posesión cuanto antes de tan inesperado derecho. «No te fijes en la decoración *kitch*, la paella es de primera», dice Suzanne cuando el joven se marcha. De pronto se apagan los fluorescentes y sólo quedan encendidas las velas y varios apliques de pared disimulados por abanicos con estampas goyescas.

Con el cambio de iluminación cobran vida las flores de plástico, pero el rostro de Suzanne queda oscurecido, exactamente bañado en la misma luz que en el cuadro. El efecto dura poco porque el volumen de Alejandro Sanz se incrementa perceptiblemente, *Quién me va a entregar / sus emociones…*, y Suzanne empieza a parodiar una interpretación de karaoke, imaginario micro en mano. «Lo raro es que no haya ninguna referencia taurina —dice T—: unas banderillas, o por lo menos un torero disecado…» «Entre la comunidad gay está muy mal visto disecar toreros», dice Suzanne. «¿Ah sí?, pues un torero con bigote y patines haría la pareja perfecta de un *Chelsea boy*…». El joven latino se acerca con una jarra de litro y dos vasos de arcilla. Sirve la sangría con destreza, evitando con un cucharón que los trozos de fruta y hielo caigan en los vasos.

—Entre la cerveza y la sangría vas a tener que llevarme a casa en brazos —dice Suzanne cuando el joven se retira, e inmediatamente pone cara de beoda despeinada.

—Bueno, te haré precio de compatriota.

—Por cierto, todavía no sé de dónde eres exactamente. ¿Catalán?, en tu ficha pone nacido en Tarragona…

—Lo doy por bueno, allí estaba mi primer orfanato, aunque en realidad no sé dónde nací. Y la verdad es que casi me alegro, así me ahorro el papelón de tener orgullo patrio.

—¿Ni Dios ni Patria?

T le da un trago a la sangría antes de contestar:

—Bueno, digamos que a un inspector de homicidios le viene bien creer en algo. Pero además resulta que no soy un inspector de homicidios normal, soy más bien la versión posmoderna de un inquisidor. Y sólo hay dos clases de inquisidores: o somos psicópatas o somos justo lo contrario.

—Ah… ¿Y qué es justo lo contrario de un psicópata?

—Alguien que cree en alguna clase de justicia trascendente, o por lo menos en alguna clase de bien universalizable al que conviene contribuir.

—¿Y los psicópatas no pueden creer en eso?

—No. Pueden aprender a fingirlo muy bien, hasta el extremo de ser virtualmente indistinguibles de los que sí. Por ejemplo, el primer psicópata con el que me tocó bregar era sacerdote católico, y te aseguro que daba el pego. Yo tenía seis años… La cuestión es que aquel tipo no era un creyente auténtico, desde luego: un psicópata ni siquiera puede ser auténticamente satánico, aunque a veces les fascine la parafernalia luciferina.

—¿Por qué no?

—Porque toda fe religiosa trae siempre una moral asociada, unas reglas del juego, y un psicópata puro es siempre amoral, tan incapaz de ceñirse a un comportamiento ético como un tiburón tigre.

—Yo no soy una especialista, pero algo recuerdo haber estudiado en el cursillo de la Academia sobre motivaciones religiosas para el delito…

—En ese caso se trata del delito de un psicótico, nunca de un psicópata. Y si es un psicópata es que está jugando a algo, o tratando de hacerse pasar por un psicótico. A veces lo intentan, sobre todo los más inteligentes.

—¿Ah sí?, por qué…

—Porque si consiguen que se les diagnostique una psicosis pueden beneficiarse ante la ley de la consideración de enfermo mental. A los psicópatas no se les considera enfermos, de hecho ni siquiera suelen tener conflictos neuróticos, en general son bastante felices, seguramente gracias a su desinhibición fundamental. Si llegan a delinquir es para obtener alguna clase de beneficio, o por simple placer, por divertirse un rato, como quien hace deporte… Los más extremos llegan a torturar y matar recreativamente y se quedan tan anchos, a menudo hasta alardean de sus hazañas…, o juegan al escondite con la policía, sólo para darse importancia.

—¿Y a una persona que se comporta así no se la considera enferma? —La cara de Suzanne es de aprensión auténtica, sin muecas.

—Técnicamente no. Su examen psiquiátrico sólo detecta a las claras que empatizan poco; pero ni deliran, ni se les desdobla la personalidad, ni se les va la olla de ninguna otra manera.

—No estoy segura de saber exactamente lo que significa «empatizar»…

—Algo así como sentirse afectado por la felicidad o el sufrimiento ajenos. A los psicópatas extremos no les afecta en absoluto. Y el que te importe un bledo el sufrimiento ajeno difícilmente puede considerarse un atenuante, ¿no te parece?, a la mayoría de la gente incluso le parece todo lo contrario.

Pausa. Suzanne:

—A ver si lo entiendo: el Norman Bates de *Psicosis* es un psicótico porque delira y se desdobla en su madre —gesto de viejecita empuñando un cuchillo cebollero—; en cambio Anibal Lecter es un psicópata porque mata por simple placer. —Se relame rápidamente—. ¿Es eso?

—No del todo… Anibal Lecter se parece más a Robin Hood que a un verdadero psicópata. Cumple con algunos tópicos superficiales, el *charm*, la inteligencia, la frialdad, pero si te fijas sólo se come a los malos y en cambio ayuda a los buenos. Es casi un héroe justiciero. Un psicópata de verdad se parece más a…, no sé, a los extraterrestres de *La invasión de los ultracuerpos*: algo que parece humano pero que en realidad no lo es.

—¿Qué es *La invasión de los ultracuerpos*?

—Otra película que no has visto. Oye, cómo es que siempre elegimos el momento de comer para tener estas conversaciones, ¿no podríamos hablar de *Chelsea boys* mientras llega la paella?

★ ★ ★

La tormenta estalla en el Village cuando apuran el último arroz agarrado al hierro de la cazuela. Entretanto las mesas se han ido ocupando hasta la mitad del aforo, en su mayor parte con parejas de hombres, y también varios transeúntes de todos los sexos y colores han ido entrando en el momento álgido del diluvio para refugiarse tomando algo en la barra. Hay un cubano con más pluma que espalda, su amiga confidente, tres treintañeros de *look* Wall Street, una bellísima negra de metro noventa peleándose con el teléfono móvil... El desfile de Halloween parece haberse adelantado unos meses: *There's a Crawford, Davis / and a tacky Cary Grant / and some boys looking for troubles down by from the Bronx.* Para cuando Suzanne y T beben sus sorbitos de orujo helado, el local se ha convertido en una animada taberna llena de humo y voces en inglés y español, y los truenos y el estrépito de la lluvia no invitan a abandonar el cálido refugio ambientado con sones de Compay Segundo y éxitos de Juan Luis Guerra. T propone repetir la ronda de orujo gallego destilado en Baltimore y el joven del bigote incipiente les deja la botella en la mesa.

Suzanne, con la mirada brillante y tono de franqueza:

—¿Sabes?, en cuanto bebo un poco me encanta esta ciudad.

T, con la mirada menos brillante pero muy relajado:

—A mí me gusta incluso cuando no he bebido.

—¿Crees que podrías quedarte aquí para siempre?

Gesto de afirmación rotunda de T.

—¿De verdad?, ¿no echarías algo de menos?, ¿aire puro?, ¿silencio?, ¿tranquilidad?

—Puede que de vez en cuando me alejara hasta Connecticut a buscar setas. Pero volvería enseguida, básicamente soy un urbanita. Y a lo mejor hasta encontraría setas en Central Park...

—Yo no sé... A veces pienso que ésta es una ciudad monstruosa. Sobre todo me lo parecerá mañana por la mañana... —Labios abajo, párpados semicaídos.

—A mí me lo pareció en el momento de llegar. Me

amedrentaron los rascacielos, ya desde el avión se ven tremendos, severos, como esas estatuas de la Isla de Pascua… Pero ahora me resulta un lugar muy acogedor; si uno no encaja en ninguna parte, ésta es su ciudad… Fíjate a tu alrededor: la mayoría de los que ves comiendo y bebiendo tan felices languidecerían de tristeza y soledad en cualquier otra parte del mundo.

—Bueno, también hay gente feliz en cualquier otra parte del mundo, ¿no?…

—Ya, pero éstos requieren un hábitat muy complejo, exactamente como las setas: necesitan un bosque de rascacielos, y un montón de tiendas, y bares de copas, y exposiciones de arte, y aeropuertos internacionales… ¿Ves esa negra tan alta del traje de noche?, parece una modelo de pasarela; mírala.

—Es increíble, sí…, guapísima…, y altísima. —Gesto de extrema esbeltez con una mano.

—¿Te la imaginas en una aldea con boñigas de vaca y un abrevadero en la plaza? Y mira ese señor que le da aritos de cebolla en la boca a su amigo…, ¿lo ubicas en el casino de una cooperativa agrícola, viendo un partido del Racing de Santander, con esos… zapatos?

Suzanne, riendo:

—Bueno, pero a ti sí que te imagino jugando al dominó en una cooperativa agrícola, sobre todo si te pones aquella gorra del otro día.

Imitación de enfado de T:

—Puede que no tenga ascendencia watusi ni lleve zapatos amarillos, pero soy más *sophisticated* de lo que parezco, que lo sepas…

Suzanne parece estar pensando algo:

—Sí que a ratos das la sensación de tener…, no sé, algún misterio…, un lado oculto. Pero parece el tipo de lado oculto que hace atractivo a un hombre. De todas formas casi todos los de Homicidios que he tratado tenéis algo de eso —pausa para cambiar de expresión—. ¿Puedo preguntarte algo?, no sé si te está permitido hablar de eso, pero prometo reservarme la información.

—*OK*, dispara.

Otra pausa de ella.

—¿Has trabajado alguna vez como agente encubierto?

—En los últimos diez años, constantemente.

Mirada un poco ladeada.

—Pero ahora no, ¿no?…

T sonríe.

—No, ahora mismo no… ¿Tengo pinta de agente encubierto? Si la tengo es que no soy muy bueno…

—No viene en tu ficha, pero la verdad es que era fácil imaginárselo… ¿Puedo hacerte otra pregunta?

—Venga, dale.

—¿Cómo es que sabes tanto de psicópatas?

—Esa es fácil: porque soy policía, de la Brigada Central de Homicidios, y a menudo tengo que bregar con alguno.

—¿Y por qué Homicidios? Ya sé que ya te lo he preguntado antes, pero tu respuesta me ha parecido…, no sé…, evasiva.

—No era evasiva. La gente que hace daño para obtener beneficio o placer me da miedo, por eso me hice policía.

—Vale, puede que no sea una respuesta evasiva pero sí que es incompleta. También te darán miedo los terremotos, y los incendios, ¿no?… Y no eres bombero, eres policía.

—De niño no fui víctima de ningún incendio.

Pausa. Suzanne:

—¿Puedo deducir lo que parece que debo deducir?

—*OK*, deduce, pero preferiría no abordar el tema abiertamente.

Otra pausa.

—¿Lo has hecho alguna vez, supongo?

—El qué...

—Abordar el tema abiertamente.

—No. No me conviene.

—Ah.

T suspira porque el «Ah» de Suzanne le suena a una mezcla de discreción e incredulidad, pese a que no lo acompaña ninguna mueca. De modo que cambia de tono para explicarse:

—A pesar de lo que digan los manuales de divulgación psicológica, la confesión no siempre tiene el deseado efecto catártico. Una cosa es hacerse consciente del propio dolor, tener noticia lúcida de él para poder elaborarlo como adulto, y otra cosa muy distinta es hacerlo público. A veces puede ser contraproducente.

—Sin embargo no debe de ser fácil vivir con, no sé..., una especie de... secreto.

—A menudo es la única manera.

—Ah...

Otra vez suena a incredulidad. A T le molesta ese tono:

—Piénsalo bien... Pongamos un ejemplo truculento. A ver... Supón a una joven violada en grupo, salvajemente, una joven vejada y maltratada hasta el extremo más cruel que puedas imaginar, quizá en presencia de sus vecinos o familiares, se dan casos así de horribles en países en guerra, no hay más que leer los periódicos. Bien, ahora dime: ¿podrá esa joven reconstruir su vida en la misma pequeña población en la que todo el mundo conoce los detalles de lo ocurrido?

Suzanne no mueve ni una pestaña.

—Pero esa joven no tiene ninguna culpa de...

—Y qué, no importa, no importa nada en absoluto. Da igual si uno es víctima o verdugo, el caso es que ante la sociedad ha quedado estigmatizado. A veces la única oportunidad que tiene la víctima es abandonar su entorno, empezar de nuevo. Es inconmensurablemente cruel e injusto, pero es así, el mundo es cruel e injusto. Por ejemplo, piensa en Michael Jackson, el cantante.

Suzanne pone cara de extrañeza. Auténtica. T sigue argumentando:

—Se supone que Michael Jackson está majara, ¿no?, eso dice la *vox populi*: que es un acomplejado, que tiene problemas para aceptar su color de piel, etcétera, etcétera, etcétera…

Suzanne hace gesto de bailar como un robot y asiente.

—Vale, supongamos que sea verdad. ¿Qué hace la gente en consecuencia? Se mofa de él, lo parodian, hacen chistes a su costa, lo escarnian. Si de verdad el pobre tipo tiene problemas para aceptarse a sí mismo, él es la única víctima, ¿no?, él es quien sufre en primera persona y nadie más que él desearía que las cosas fueran de otro modo. ¿No debería despertar la piedad del mundo?, ¿no sería eso lo justo y razonable? Sin embargo no suscita piedad sino que estimula el sadismo.

Suzanne mira hacia alguna parte del techo, como considerando lo que le están diciendo.

—Así es y así ha sido siempre —sigue T, más vehemente de lo que acostumbra—, los adultos no somos tan distintos de los niños, el más débil tiene todas las papeletas para convertirse en blanco de cualquier crueldad, aunque sea inocente. ¿Y sabes por qué?…

—Dímelo tú…, yo no estoy de acuerdo.

—… porque a los verdugos se les tiene miedo. El verdugo es percibido como poderoso y cruel, capaz de venganza. La víctima no, especialmente la víctima más vencida y humillada, ésa aguantará los palos y se hundirá en su dolor y en su soledad. Pero además se desencadena otro mecanismo perverso: lo más tranquilizador para todo el mundo es considerar que la víctima ha merecido la acción del verdugo. «Él se lo ha buscado, a mí no me pasará nada malo porque yo no lo merezco». Eso se dice la gente, así conjura el miedo al verdugo y de paso disuelve su propia vergüenza por ser tan cobarde.

—Uf…

—Sí, uf.

—¿De verdad crees que todo el mundo es cruel y cobarde?

—No todo el mundo. Pero siendo moderadamente cruel y cobarde se tienen más posibilidades de sobrevivir, así que los moderadamente crueles y cobardes abundan como una plaga. Y los más extremos en crueldad y cobardía, sobre todo si poseen una inteligencia brillante, pueden llegar a lo más alto.

—No puedo estar de acuerdo. Y creo que tú tampoco lo estás. Si fuera tal como dices estaríamos…, no sé, gobernados por psicópatas.

T se acerca el orujo a los labios y sonríe con media boca.

—Es que estamos gobernados por psicópatas.

★ ★ ★

Atmósfera limpia después de la tormenta. Gotillones cayendo desde toldos y resaltes. Clientes asomando la cabeza a las puertas de los bares. Rótulos y farolas multiplicados en los charcos. El tráfico de la Séptima, a lo lejos, como una fiesta de matasuegras. T dice que no le apetece meterse en el hotel. «¿No tomarías la penúltima?, ya sé que tienes que levantarte temprano, pero…» Ella indecisa: «Uf, tendré que lavarme el pelo por la mañana y secármelo con el secador; pareceré una loca»; gesto de majareta con los ojos cruzados. «Pero una loca bastante guapa», zanja T.

Giran al norte en Bedford Street para alejarse del barullo de las calles principales. Enseguida ven un rótulo prometedor en una de las travesías: *Sunrise, Jazz Club*. Tras la puerta abierta hay una recepción con fotos de músicos y un portero panzudo, casi albino, con las facciones gruesas y chatas de Copito de Nieve. Da las buenas noches sonriendo y, muy amable, dice algo que T no entiende. Suzanne traduce: la actuación empieza en media hora, si quieren quedarse a verla hay que pagar entrada. T entrega un billete y Copito suelta otra parrafada que T tampoco entiende. Le pregunta a Suzanne mientras andan por el pasillo hacia la barra: «Tiene acento escandinavo y además habla un poco *slang* —informa ella—; dice que las dos primeras copas cuestan a 5 dólares con las entradas». «¿A quién te recuerda?», pregunta T. «¿A ese gorila blanco de Barcelona?», gesto de gorila panzudo buscándose algo profundo en la nariz. Ambos ríen. En el interior suena Tom Waits a discreto volumen, *Step Right Up*. Penumbra. Gran barra en forma de L. Enfrente un escenario elevado apenas dos escalones. Abajo unas 20 mesitas formando platea, solo una de ellas ocupada. Una camarera latina y otra negra moviendo banquetas por el centro del local. Sobre el escenario un piano vertical, una batería, un contrabajo…

—Uf, llegamos temprano a todas partes… —dice Suzanne—. ¿Nos quedamos en la barra?

—Sí… Soy hombre de barra.

—Yo lo digo porque hemos estado sentados a una mesa mucho rato…

—Pues me alegro de que lo hayas dicho.

—¿Por?

—Porque me gustan las mujeres que dicen sencilla y claramente lo que quieren. Y también me gusta mucho cuando dices «Uf».

—¿Digo «Uf» muchas veces?

—Uf…

El camarero de la barra, negro con camiseta negra, americana negra, ojos amarillos y dientes blanco nuclear, ya se ha ocupado de ponerles dos posavasos y un cenicero. Suzanne pide Southern Comfort con hielo. T tiende las entradas y pide un Jack Daniels triple. El camarero dice que tendrá que pagar un suplemento. T no entiende nada. Suzanne lo saca de apuros.

—¿Siempre tomas copas triples? —le pregunta después.

—Bueno, en esta ciudad todo es grande excepto las medidas de alcohol.

—Ya… ¿Y sueles beber mucho? Perdona pero ya sabes lo indiscreta que soy…

—Mucho comparado con quién…

—No sé…, con quien tú quieras…

—Comparado con Boris Yeltsin, lo normal.

—Uf…, ¿cada día?

—Casi cada noche desde que pedí la excedencia. Pero cuando estoy en activo es igual. Incluso de servicio ocurre a menudo que tengo que beber. Aunque entonces procuro emborracharme lo menos posible.

Llegan las copas. Suzanne alza su vaso: «A la salud de Boris Yeltsin», dice con acento ruso y tono ebrio.

Pausa para beber.

—Bueno, ¿y tomas otras cosas, además de alcohol? —significativa rotación de la punta de la nariz.

—Cuando estoy de servicio cualquier cosa que convenga. Lo más frecuente son efectivamente los sucedáneos callejeros de la cocaína.

—¿Y cuando no estás de servicio?

—Nada de coca. Me pone nervioso, solo me apetece después de mucho alcohol, o alguna mañana de resaca, pero entonces procuro arreglarme con zumo y café caliente. Para mi consumo privado siempre he preferido los depresivos, básicamente soy bebedor. Qué más… Nunca he tomado alucinógenos, ni siquiera de servicio…, me dan miedo, como los psicópatas. Creo que con eso ya tienes mi retrato toxicológico completo.

—Bueno, sin contar el tabaco… —Gesto de fumador compulsivo.

—*OK*, también fumo tabaco. Lucky Strike. Pero eso es porque me gusta el diseño del paquete.

Pausa.

—Oye, ¿sabes que llevas una vida un poco rara?

—Comparado con Boris Yeltsin no tanto…

—Ya… Supongo que tendrá sus compensaciones…

—Sí, algo en qué ocuparse, pero empieza a no ser suficiente. En realidad hace ya años que no lo es. Te lo conté en el castillo, creo que es lo primero que te conté: soy un cuarentón al que no le gusta su pasado. Mi infancia fue un asco, no tengo amigos, no duermo ni veinte noches al año en mi apartamento alquilado, y me gano la vida fingiendo ser lo que no soy entre gente desagradable y a menudo peligrosa… Y en mi tiempo libre no tengo nada mejor que hacer que beber. Preferiblemente en algún bar tranquilo donde nadie me dé conversación.

—¿En serio?, ¿no prefieres charlar con alguien?

—¿De qué?, ¿de fútbol?

—No necesariamente de fútbol. No sé…, de tus cosas.

—Bueno, a veces hablo con algún camarero. Lo bueno que tienen los camareros es que sólo los ves cuando tú quieres y siempre que los necesitas los encuentras en su puesto, en eso son netamente superiores a los amigos. De todas maneras a mi edad uno ya no confía lo suficiente en nadie.

—Qué manía con la edad…

—Tiene importancia.

—No tanta.

—¿Ah no?, pues la primera vez que hablamos me estuviste tratando de usted todo el rato…

—Porque le llamo de usted a todo el mundo que entra en el Instituto, aunque parezca mi hermano pequeño. Además, la primera vez que te vi me sentí como una boba, para que lo sepas.

—¿Ah sí? A ver, explícame eso…

—Pues…, no sé, impresionabas un poco: el inspector jefe con su barba canosa y su aire de Indiana Jones… Y además yo acababa de contar un chiste haciendo la payasa, como siempre.

—Por cierto, me gustaría que me contaras el chiste, no lo entendí.

—Un día de éstos, aún no sabes bastante inglés.

—Así que Indiana Jones…

—Bueno, eso con la barba, el día que apareciste afeitado parecías James Bond… ¿Sabes qué me dijo Debie cuando te fuiste?

—Qué…

—Que estabas como un queso. ¿Y sabes qué le contesté yo? Bueno, mejor no te lo cuento, me da vergüenza…

—Pues yo no noté nada…

—Las chicas educadas no dejan que un hombre note esas cosas… Bueno, las chicas educadas norteamericanas se pueden lanzar a pellizcarte el culo si te descuidas, pero yo no soy norteamericana.

—Me alegro, no me gusta que me pellizquen el culo. Y también me alegro de haber entrado en el Instituto para solicitar esa beca, aunque aceptarla signifique seguir siendo policía un año más.

—¿Ya no quieres seguir siendo policía?

—No…, creo que no. Al menos el tipo de policía que he sido hasta ahora.

—¿No decías que te gustaba cazar dragones?

T encoge los hombros.

—Estoy cansado, me he hecho viejo para ese trabajo…

—Otra vez con la edad…

—Bueno, no es solo por la edad… Me gustaría tener una vida auténtica, mía…, estoy harto de ser siempre otro y de responder a nombres que no son el mío. ¿Sabes cómo me llaman los de la Brigada?, me llaman «T», ni siquiera ellos pronuncian mi nombre completo. Soy simplemente T mientras nadie me ordene lo contrario.

Suzanne vuelve a estar seria por un momento y T vuelve a ver en ella el retrato de Bellini, fugazmente.

—¿Y qué tipo de cosas haces?, ¿qué investigas…?

—De todo, pero nunca nada agradable… Dos días antes de venir a la ciudad llegó a la Brigada aviso de un homicidio en San Juan del Horlá, una aldea de montaña, en el norte. Habían encontrado a una mujer descuartizada en el matadero que hay en las afueras… Ese tipo de cosas, ¿te haces una idea?

—No me cuentes más, sólo dime qué querrías ser si no fueras policía…

—Ahora soy yo el que dice «uf».

—Venga, inténtalo…

T se presta al juego.

—Siempre he fantaseado con ser panadero. O taxista…

—Y por qué panadero o taxista.

—No sé, son deseos antiguos… Creo que panadero porque elabora algo tangible y útil, pero al mismo tiempo cargado de significados. Hacer pan no es como hacer Sugus, el pan es un símbolo que se come, así que el panadero tiene algo de hierofante.

—Voy a tener que hacer un cursillo contigo, ¿qué demonios es un «hierofante»?

—Algo así como un sacerdote, un oficiante... Pero también está la idea de andar en camiseta al calor del horno, quizá mientras nieva en la calle..., tiene un lado muy sensual.

—¿Y lo de taxista?

—Lo mismo, supongo. Cualquier psiqui de la Científica te diría que remite a la morriña intrauterina: mientras fuera llueve, yo recorro la ciudad en mi burbuja climatizada, con música estéreo y un *airbag* blandito instalado en el volante...

—¿Y eso es todo lo que necesitas para dejar de beber copas triples?, ¿cambiar de oficio?, ¿dejar de ser policía y ser taxista?

—Bueno, puede que haya un par de cosas más.

—Por ejemplo...

—*OK*, ya sé lo que quieres saber. La respuesta es «sí».

—Estupendo, pero me encantaría conocer también la pregunta.

—La pregunta es si me gustaría ser un hombre de familia, tener hijos...

—¿Y qué te hace pensar que quería preguntarte eso?

—Primero: eres mujer y por tanto es probable que estés interesada en ese tema. Y segundo: tienes veinticuatro años y por tanto es probable que estés interesada en ese tema.

—¿Y la respuesta cuál era, que no me acuerdo?

—Tú qué crees: el siglo XXI me ha pillado ya muy mayor, y además mientras la gente de mi edad escuchaba discos de Kaka de Luxe yo entré en la Academia de Policía... A efectos prácticos, estoy cortado según el patrón finisecular de una ciudad de provincias, digamos Santander, o Sligo...

—¿No decías el otro día que te gustaría tener un apartamento del East Side, y hace un rato que eras demasiado *sophisticated* para Sligo?

—Si no me he perdido en la conversación, ahora hablamos de cómo me gustaría ser, no de cómo soy. Eso sin contar con que la contradicción también puede ser una de las formas de la sofisticación, ¿no te parece?, hay que ser muy simple para resultar siempre coherente. Pero la pregunta más interesante es la siguiente: «¿Puedo ser el hombre que quisiera ser habiendo sido el hombre que he sido?». O, más genéricamente, ¿hasta qué punto nos determina el pasado?

—Hasta el punto que nosotros queramos.

—Y un cuerno.

—¿Ah no?

—No. Por ejemplo, ya para siempre echaré de menos esta ciudad, si no vuelvo a ella soñaré con volver. Y también te echaría de menos a ti si no volviera a verte más. —Cambio a tono más ligero—: Eres horriblemente pegajosa, ¿te lo habían dicho alguna vez?

Suzanne hace el gesto de coquetería de siempre, retirándose una greña inexistente.

—Nunca un policía en la crisis de los cuarenta.

—De los cuarenta y tres.

—*OK*, cuarenta y tres.

Entretanto, los músicos se han subido al escenario y se preparan para tocar. El guitarrista puntea un poco sobre el *funky* ambiental y el baterista hace redobles cada vez menos tímidos.

—Me parece que si esperamos a que empiecen habrá que quedarse hasta el final —dice T apurando el segundo güisqui—, hay tan poca parroquia que quedaría feo que nos marcháramos a media actuación…

—Bueno, así puedes explicarme más cosas, venga…

—Ni hablar, ya te he hecho un montón de confidencias. Ahora te toca a ti explicarme ese misterio tuyo.

—Qué misterio mío…

—Es igual, ahora que lo pienso puede que no te guste saber de él. ¿No has visto esa película de Alejandro Amenabar, la de los fantasmas que no saben que lo son?

—¿Sabes que si me dejas a medias puedo sacudirte un botellazo?

—*OK*, bajo tu responsabilidad… Pero primero me han de rellenar la copa, me niego a hablar en seco.

Suzanne imposta un gesto de impaciencia, pone cara de loca y se muerde las uñas impecables, cortadas en óvalo, esta noche sólo lustradas, sin rastro del esmalte del día anterior.

★ ★ ★

Los músicos se han lanzado con un *bebop* especialmente soso mientras el camarero renueva únicamente el güisqui de T, el Southern Comfort de Suzanne está apenas mediado. Cuando se retira, Suzanne saca dos cigarrillos de su propio paquete, le embute uno en la boca a T y dice:

—Venga, ahora explícame eso de mi misterio fantasmagórico.

T aún se demora un par de segundos, exhala humo.

—¿Estás segura?

Ella vuelve a hacer el gesto de loca homicida.

—Vale, vale…

»¿Te suena un tal Giovanni Bellini?

Suzanne enarca las cejas.

—Ahora no caigo. ¿Fabricante de pasta fresca? —Gesto de lío de espagueti.

—No exactamente: pintor renacentista, hijo y hermano de otros Bellini pintores. Éste en concreto fue primero maestro de Tiziano y en sus últimos años discípulo suyo, un caso de humildad ejemplar. ¿No estudiaste Historia del Arte en la carrera?, está considerado el *alma mater* de la Escuela Veneciana…

—*OK*, repasaré mis apuntes de Historia del Arte, sólo explícame qué tiene que ver conmigo el *alma mater* de la Escuela Veneciana.

—Tiene que ver porque en 1510 te pintó un retrato.

—¿Un retrato para mi?, qué detalle…

—Un retrato tuyo, de tu persona.

—Ya… Eso también se lo dirás a todas…

—*Madonna ante un paisaje*, Pinacoteca de Brera, 85 **x** 118, óleo sobre tabla, búscalo en Internet. Ahí estás tú, sosteniendo a un niño de unos dos años en tu regazo. Tienes la cara un poco más llena, como si hubieras engordado un poco… Pero eso no es lo más sorprendente.

—Ya…, ¿también aparece un *Chelsea boy* con patines?

—¿Quieres que te cuente la historia o no?

—Vale. Pero para empezar dime cómo es que sabes tanto de ese cuadro: medidas, fechas, y todo eso.

—Ahí precisamente está el misterio. Lo que de verdad da miedo es que yo tuve ese cuadro delante muchas veces, entre los seis y los siete años, a veces durante horas. Era una reproducción enmarcada, el título y demás referencias venían en el margen. ¿Te parece muchísima casualidad?

—Mmm… tirando a moderada casualidad.

—¿Moderada?… Resulta que 500 años después de que Bellini te pintara y casi cuarenta años después de que yo te contemplara durante horas en una reproducción, llego a esta ciudad del otro lado del Atlántico, entro en unas oficinas de la calle 42 y me encuentro otra vez contigo.

Pausa. Los músicos con su *bebop*. Suzanne se ha puesto seria.

—Seguro que exageras el parecido…

—Búscalo en Internet y juzga por ti misma. En el cuadro tienes la cara un poco más llena, ya te lo he dicho, y además se te ve más seria que de costumbre, casi un poco malhumorada, como si tuvieras mejores cosas que hacer que posar para Bellini. Y también, no estoy seguro, pero da la sensación de que en el retrato eres un poco mayor que ahora, quizá un par de años..., la edad del niño.

—Uf... ahora sí que me está dando miedo de verdad...

—A mí se me puso el corazón a 100 el día que te vi en el Instituto...

Suzanne mira a T frunciendo el ceño.

—Supongo que una cosa así no te habrá pasado más veces...

—¿Qué sospechas, que soy el loco que anda por ahí buscando a la Mujer del Cuadro?

—¿Dónde estaba esa reproducción que veías de niño?

—Venga, no te pongas psicóloga otra vez... En la antesala de un despacho.

Pausa. Siempre los músicos de fondo.

—Debió de ser algo especial si se te quedó tan grabado...

—Ya sé que estás pensando: «Paciente carente de referente materno se obsesiona con icono femenino fijado en un momento traumático de su infancia y, años después, cree verlo encarnado en una mujer cualquiera»... —Cambia a un tono más pausado—. Has de ver el cuadro, en serio. Cualquiera puede darse cuenta de que es un retrato extraño, por muchas razones. Por ejemplo: tú, o la muchacha del cuadro, no os parecéis en nada al ideal de belleza renacentista. Hay madonas de la época que hoy resultan feísimas de puro raras, pero incluso las que siguen pareciéndonos bellas, las de Rafael, las de Andrea Mantegna, las del propio Bellini, siguen el canon heredado de los clásicos grecorromanos: pocos ángulos, facciones pequeñas, labios finos y rosados... Y de repente, a los setenta y pico años, Bellini ve un agujero en el tiempo y pinta a una joven belleza del siglo XXI… No lo había hecho nunca antes y no volvería a hacerlo después, ni él ni sus coetáneos. —T habla mirando muy fijo a Suzanne, su voz ha seguido progresando en pausa y gravedad hasta hacerse solemne—. Esa mujer eres tú, Suzanne, no me cabe la menor duda, y por fin te he encontrado…

Suzanne tiene los ojos como platos. T se acerca un poco a ella en el taburete y le pasa el dorso de la mano por la mejilla. Ella se deja hacer pero no puede evitar retirarse un poco.

—¿Y sabes quién es el niño Jesús que sostienes en los brazos?, ¿sabes de quién tiene la cara ese niño? —dice T, ya casi en un susurro.

Suzanne traga saliva.

—¿De quién?

T hace una pausa larga y se acerca al oído de Suzanne para murmurarle con voz fantasmagórica:

—De Alejaaandro Amenaaábar.

Suzanne parpadea. Por un momento parece confusa; T va ampliando una sonrisa, sorbe aire como Anibal Lecter antes de empezar a reír francamente. Suzanne reacciona, hace un aspaviento, le da un manotazo.

—Mira que eres ganso, ahora no me voy a creer nada de lo que me digas.

T sigue riendo, Suzanne bebe un sorbo de güisqui y se relaja hasta entrar poco a poco en el juego; se llama tonta, confiesa que se ha asustado… Pero el alcohol les está sentando bien a los dos, enseguida vuelven a estar contentos y relajados. En la platea algunas mesitas más se han ido ocupando y se oye el rumor de conversaciones. Nadie hace caso a los músicos, pero ellos siguen enlazando un tema tras otro sin incomodar demasiado.

—Deberías escribir la historia del loco peligroso que busca a la madona de Bellini… —Pausa—. ¿Cómo es que entiendes tanto de pintura..., todo eso de Andrea Mantegna, y demás?

—Entiendo de pintura como de ríos trucheros. Pero llevo años fingiendo saber lo que no sé. Y viceversa.

—Pues a mí casi me engatusas, y eso que era una historia increíble...

—¿Quieres que te confiese una cosa?

—Qué...

—Lo de Alejandro Amenábar es verdad.

—Venga ya...

—Bueno, búscalo mañana en Internet y mírale la cara al niño.

EN EL MUNDO

A las diez el comisario ha bajado a tomar un bocadillo a la cafetería de la primera planta. Está a punto de terminarlo cuando aparece Rodero, que saluda de lejos con un gesto de la mano. El comisario devuelve el gesto convencido de que no van a cruzar palabra, pero Rodero se acerca a su mesa.

—Le queda bien la perilla...

—Buenos días —dice el comisario, pero a él mismo le suena demasiado frío el tono que le ha salido y añade—: Se desayuna mejor aquí que en la Brigada, ¿eh?

—No he venido a desayunar, he venido a verle a usted... Me ha dicho su ayudante que estaba aquí, ¿le importa que me siente?

—No... ¿Quiere tomar algo?, yo voy a pedir un cortado para mí...

—Ya voy yo...

Rodero va a pedir a la barra y al poco se acerca con la taza para el comisario y un botellín de agua para él:

—Verá, he estado pensando en la conversación que tuvimos la semana pasada. Interesante...

El comisario se permite un punto de sarcasmo:

—¿Ah, sí?, pensaba que lo de las silabas y demás le parecía cosa de psiquis...

Rodero no lo capta.

—La verdad es que yo también he estado hablando con uno…, le llevé la copia del poema que me envió usted por fax… Creo que tiene razón en que no podemos conformarnos con seguir el rastro de los cerdos, y los cruces de datos no nos están dando nada nuevo.

—Igual es que se les ha quedado antiguo el ordenador central… Debe de tener ya un par de años, ¿no?

Rodero sigue sin captar.

—No, no creo que sea cuestión de investigación informática… Lo que estoy sopesando ahora es la posibilidad de enviar a un encubierto a San Juan del Horlá.

Rodero se queda callado. El comisario tarda en contestar lo que le entretiene echar azúcar en su café y removerlo un poco con la cucharilla.

—Pues no acabo de ver qué ganaríamos con eso —dice al fin.

—Si logramos que lo empleen en el matadero, mucho.

—Si viera usted aquello se daría cuenta de que cualquiera que aterrice allí y quiera trabajar en el matadero resultará inmediatamente sospechoso de ser policía.

—Va a ser difícil, ya lo sé. Incluso va a ser difícil mantener a alguien, no ya en el matadero, sino simplemente en el pueblo. Pero se me ha ocurrido una idea.

—Ah, una idea…

El comisario mira por encima de las gafas mientras sorbe café.

—Necesitamos a alguien con dos dobles personalidades…, con dos máscaras superpuestas sobre la cara auténtica. Alguien que parezca lo que no es y que, una vez desenmascarado, tampoco sea en realidad lo que parece. ¿Me sigue?, algo así como un agente doble.

El comisario espera a dejar el vaso sobre la taza para hablar.

—Le sigo pero la cosa es tan complicada que no consigo concretar a qué se refiere.

Rodero remueve el caramelo que lleva en la boca con tintineo de dientes. Se echa un poco atrás en la silla y se apoya en los reposabrazos.

—Conoce usted a Quique Aribau el escritor, ¿no? Me contó que entró en contacto con nosotros a través de usted.

—Sí…

—Pues este Quique me ha dado una idea sin querer. Verá, el viernes estuvo en la Brigada y me contó que se ha cambiado de domicilio y no quiere conceder ni una sola entrevista más para que nadie de su nuevo entorno lo reconozca. A mí me pareció un poco paranoico y le dije que cada día veo en el periódico la foto de algún escritor, o músico, o lo que sea, y que seguramente sería incapaz de reconocerlo si lo viera por la calle. Entonces él dijo algo que me hizo pensar. Dijo que uno no reconoce a alguien que ha visto en una foto porque una foto de alguien a quien no conocemos no nos dice nada y la olvidamos de inmediato. Pero en cambio sí se identifica con toda rapidez cualquier foto de alguien a quien conocemos en persona. ¿Me sigue?

Al comisario le irrita la costumbre de Rodero de preguntar a sus interlocutores si lo siguen en sus razonamientos. Le parece una fórmula impertinente.

—Le sigo perfectamente: cuando conoces a alguien en persona tienes memorizados sus rasgos en múltiples posiciones y por tanto lo identificas de inmediato en una foto. En cambio una foto fija deja poca huella mnémica a menos que se den circunstancias especiales, así que no siempre da lugar a un reconocimiento posterior de la persona. ¿Me he explicado?

El comisario ha dejado caer su propia fórmula para asegurarse de que lo entienden.

—Justamente. Es curioso, ¿no?, a uno no se le ocurre hasta que se detiene a pensarlo…

—Bueno, concedamos que es curioso… Lo que no veo es adónde quiere usted ir a parar.

—La cuestión es que eso me dio una idea. Suponga usted que Quique, en vez de un escritor que quiere pasar desapercibido, fuera en realidad un agente encubierto de la policía enviado a un pueblecito de montaña a investigar un asesinato.

El comisario se queda un momento pensando.

—No veo qué ganaríamos con respecto a un agente que se hiciera pasar por…, no sé, un ex heroinómano en busca de aire puro.

—Error, ganaríamos varias cosas. Para empezar algo sutil: siempre es más sencillo aparentar que uno no es algo que aparentar que sí lo es, ¿me sigue? Por ejemplo, es más fácil aparentar que uno no es escritor que aparentar que sí lo es… Si enviáramos a un agente que se hace pasar por heroinómano tendríamos la dificultad de mantener esa ficción, en cambio si lo enviamos aparentando ocultar que es escritor cuando en realidad es policía las cosas se nos ponen mucho más fáciles. Primero porque ese doble falseamiento nos otorga una especie de plan B en caso de que el sujeto resulte desenmascarado en su papel de no-escritor, ¿me sigue?: si alguien descubre que en realidad no es un no-escritor lo habremos convertido en un escritor, no en un policía, ¿de acuerdo? Y segundo porque nadie se ocupa de desenmascarar al que ya ha sido desenmascarado una vez, ¿de acuerdo también? Y fíjese que el momento en que nos interesara que nuestro agente parezca haber sido desenmascarado está bajo nuestro control, nos basta con hacer llegar al pueblo una entrevista de prensa donde aparezca en su papel de escritor, o un libro con una foto suya en solapa, o cualquier otra cosa. Y nadie se extrañará de no haberlo reconocido antes porque, sencillamente, antes no lo conocían.

El comisario no dice nada. Se rasca un poco la perilla, cabecea ligeramente… Pero Rodero necesita algo más que gestos.

—¿Qué le parece?

—Muy complicado. De hecho me parece que todavía no lo entiendo bien.

—Cuanto más complicado mejor, ésa es nuestra ventaja. Lo he pensado bien y es perfecto.

—Pero lo que pretendemos es introducir a alguien en el matadero, ¿no?, y no creo que sea mucho más fácil introducir a un escritor que a un policía. Nadie quiere tener a escritores pululando por sus instalaciones. Bueno, excepto nosotros, al parecer, pero eso es sólo porque nosotros no tenemos nada ilegal que ocultar, y tal como están las cosas debemos de ser los únicos.

—Bueno, lo del escritor desenmascarado es sólo un plan B que no tiene por qué entrar en funcionamiento, y si lo hace será a nuestra conveniencia, quizá al cabo de meses. Y llegado el caso tenemos otra ventaja adicional, ¿ha contado usted con la vanidad de la gente?

—¿La vanidad de la gente?

—La vanidad, sí. Por cada persona que no quiera cometer indiscreciones ante un escritor encontrará usted a tres que estarán encantadas de contarle cualquier cosa. Ante un policía todo el mundo calla, pero fíjese que ante un periodista con un micro está lleno de gente dispuesta a hablar por los codos. ¿No ha visto la televisión últimamente?, todo se basa en darle su cuarto de hora de gloria al primer pelagatos dispuesto a decir algo escandaloso, o ruin, o simplemente indiscreto. Cuanto más indiscreto y escandaloso y ruin más gloria para el pelagatos.

Pausa.

—No sé…, no me gusta —dice el comisario.

Rodero vuelve atrás en la silla y saca otro caramelo. Ahora parece un poco irritado.

—A ver, qué no le gusta exactamente.

—Para empezar, ¿a quién piensa usted enviar? No encontrará a nadie ni en Homicidios ni en Estupas con experiencia en un lugar como ése. Sabemos cómo tratar con cabezas-rapadas, con terroristas, con camellos y con estafadores de cualquier clase, pero no creo que ahora mismo haya un solo hombre en la Central que pueda trabajar permanentemente aislado en una población de 300 habitantes. Eso son 24 horas al día siete días a la semana, y probablemente durante meses.

—Yo creo que sí lo hay.

—¿Ah, sí?, dígame quién.

—T.

—¿T? —El comisario chasquea la lengua y niega rotundamente—: Ni hablar, y además ahora es imposible, ha pedido la excedencia no hace ni dos meses… Ni siquiera estoy seguro de que vuelva a la Brigada cuando termine, yo desde luego no se lo recomendaría, lo que le recomendaría es que pidiera el ascenso a comisario y se quedara en un despacho, ya ha corrido bastante con el culo al aire.

—Bueno, pues de momento ha solicitado su reingreso como inspector jefe en la Brigada Central de Homicidios.

El comisario mira a Rodero con cara de incredulidad.

—¿Cuándo?…

—Me llamó ayer desde algún lugar de Irlanda para ver si podía reincorporarse cuanto antes. Por cierto, que ayer tuve dos noticias de Irlanda…, por lo visto han encontrado el cadáver de una mujer en Sligo, sin identificar, aunque creen que es una prostituta y la Interpol sospecha que su último cliente pudo ser o español o norteamericano. Ahora hacen maravillas con el análisis del polen de las plantas, por lo visto han encontrado el de no sé qué acacia americana, de la costa este de los Estados Unidos, y por otro lado también pisadas de zapatillas fabricadas en España.

El comisario no ha prestado ninguna atención a lo que le están contando sobre acacias y zapatillas.

—¿En serio piensa enviar a T a San Juan del Horlá?

★ ★ ★

Miércoles, en la cocina, un rato antes de cenar. Mercedes, la mujer del comisario, está limpiando las puertas de los armarios. Sube y baja de un escalón de tres peldaños para aclarar la bayeta en agua jabonosa. El comisario está sentado a la mesa del *office*, intentando concentrarse en una comparativa de automóviles: Audi *versus* Mercedes *versus* BMW. Vista la última página, cierra la revista, se cruza de manos sobre ella y durante un rato observa en silencio a su mujer de espaldas sobre el escalón. Ella jadea levemente por el esfuerzo de frotar.

—Mercedes…

—Qué.

—¿Te puedo hacer una pregunta?

—¿Qué dices?

—Nada, que si te puedo hacer una pregunta…

Ella se gira un momento para mirarlo.

—¿Desde cuándo pides permiso para preguntar nada?

—Es que…, es algo de lo que nunca hablamos.

—Madre mía, a ver con qué me sales ahora. Qué quieres…

—Pues… quería saber por qué siempre hemos hecho el amor sólo los sábados…

Ella se gira otra vez con la bayeta en la mano y lo mira.

—Ya te digo yo: a la vejez, viruelas…

—Bueno, es sólo una pregunta…

—No sólo lo hacemos los sábados…

—Bueno, pero casi.

—¿Cómo «casi»?

—Casi. Siempre que te he buscado cuando no estaba previsto me has dado un codazo y a dormir. Así que llegó un momento que dejé de decirte nada a menos que fuera sábado, o víspera de fiesta, o algo así…

—Claro, porque si hubiera sido por ti hubiéramos estado todos los días igual. Los hombres no entendéis de estas cosas…

Pausa.

—¿Ah, no?

—No. No se puede abusar, en esta vida hay que administrarlo todo. —Más chirridos de frotamiento sobre la formica—. Así están los matrimonios de hoy en día, que no duran ni tres años. Y además en la época en que te daba con el codo nunca te conformabas con una vez… —Baja del escalón para aclarar la bayeta.

—Claro, porque iba apurado; como sólo lo hacíamos los sábados…

—No sólo los sáaabados…

—Vale, sábados y demás… De todas maneras ya no estoy para muchas repeticiones…, como no me tomara una Viagra…

—Sí, eso te falta a ti: Viagra, Dios nos libre.

—Bueno, la cuestión es que estamos en una vez por semana: los sábados.

—No sólo los… Y además, qué quieres decirme con eso.

—Nada, sólo te hacía una pregunta.

—Bueno, pues ya te he contestado —vuelve a subir al escalón.

—Ya, que los hombres no entendemos de estas cosas, ¿no?

—Eso mismo. Sois… glotones, como los niños. Si no se os ponen límites os empacháis de lo que os gusta y luego lo aborrecéis.

—Vale, respondido.

Pausa.

—Pues no es que parezcas muy convencido con la respuesta…

—No, si me parece bien que en eso mandes tú. Sólo preguntaba.

—¿Y a qué viene semejante pregunta a estas alturas?

—No sé… —Pausa—. A veces he pensado que a lo mejor a ti no te gusta y que lo hacemos sólo por mí.

Ella gira sobre el escalón.

—¿Eso has pensado? —Pausa, un brazo en jarras—. ¿Te ha parecido alguna vez que no estaba a gusto contigo?

—No es eso… Es más bien como si pudieras prescindir de… eso.

Pausa. Fregoteo; chirridos, jadeos.

—Las mujeres somos diferentes. —Pausa—. Pero que sepas que si no hubiera querido no me hubiera casado precisamente contigo. Me está mal el decirlo pero tenía donde elegir, y además te consta…

—Bueno, pero como no lo hicimos hasta después de casados… ya, una vez casada… Y yo para estas cosas siempre he sido muy simple, ya lo sabes.

Otra mirada.

—Oye, que casada o no casada podría darte codazos incluso los sábados, sobre todo a estas alturas… O qué me quieres decir, ¿que te gustaría que hiciéramos… acrobacias?

—No, si a mí ya me va bien… Pero si uno hace caso de lo que dicen en televisión que les gusta a las mujeres…

—Bueno, bueno, déjate de televisiones...

—Ya...

Ella se baja del escalón y se pone en jarras con la bayeta en la mano.

—¿Cómo que «ya»?..., ¿qué te crees?, ¿que todos esos de la tele que aconsejan tantas cosas han conocido lo que es la felicidad con su pareja? La vida íntima de un hombre y una mujer no es una cuestión de... —gesticula con la bayeta—, no es un deporte..., con aparatos, y técnicas, y cosas complicadas.

—Ya, ya lo sé...

—¿Entonces?, ¿no te lleno de besos?

—Sí —el comisario baja la cabeza sobre la revista.

—La única diferencia entre tú y yo es que tú me besas antes y yo te beso después, que es el único momento en que te dejas besar sin ponerte... como te pones. —Pausa, vuelta al armario—. Qué, ¿necesitas que te aclare alguna otra duda, o me vas a dejar terminar de limpiar tranquila?

Silencio. Suena el teléfono en la sala. El comisario va a atenderlo. Habla unos minutos y al poco da una voz que se oye en la cocina:

—Mercedes, es Tomás, que llegó a España anoche. Le digo que suba este domingo a comer a Calabrava..., ¿estaremos allí, no?

—Sí, que se venga...

Dos minutos después el comisario ha vuelto a la cocina.

—¿Qué?, ¿qué cuenta? —pregunta Mercedes, ya apeada definitivamente del escalón.

—Nada, que acaba de llegar de Dublín..., está en su casa.

—Madre de Dios, qué manera de dar vueltas por esos mundos... ¿Cómo está?

—No sé..., bien..., que ya nos contará el domingo.

—Bueno, haré una paella de pescado, ¿te apetece?

—Mucho, pero me apetece más lo del sábado.

—Anda, déjate de tonterías que hoy es miércoles…

★ ★ ★

Después de los arrumacos de domingo por la mañana, el comisario ha bajado solo a la playa, el sol inconstante y el ligero viento han arredrado a su mujer. El agua estaba especialmente fría, el comisario sólo ha nadado tres veces hasta las barcas y ha salido del agua sobrado de energía. A cambio, se ha tendido al sol durante tanto tiempo como lo ha entretenido el periódico dominical, casi una hora.

De vuelta a casa, en la ducha, ha notado el contraste entre la espuma blanquísima del jabón y su piel, ya definitivamente dorada más allá de los límites del bañador. Se le ha ocurrido que quizá debería comprar otro más corto sobre los muslos y más bajo sobre el vientre, para minimizar la zona de piel blanca. «¿Has visto?, estoy más moreno que tú?», le dice a su mujer cuando le pide que lo ayude a darse crema hidratante en la espalda. Pero no es sólo el color lo que ha cambiado, es también la tensión muscular que lo hace caminar más erguido. La panza parece intacta, y también las lorzas pectorales que le marcan una línea blanca inasequible al sol bajo los pliegues, pero se siente más ágil, parece estar despertando su vieja musculatura de instructor en la Academia. Hasta prueba, cuando su mujer vuelve a dejarlo a solas en el baño, a mostrarse a sí mismo los bíceps ante el espejo. Los cubre una capa de piel de naranja, cierto, pero son músculos potentes, bastante más poderosos que los de esos jóvenes que andan presumiendo con camisetas de tirantes. Tanto es así que sigue admirándoselos de reojo en el espejo mientras se afeita recortándose la perilla que por fin ha dejado de pinchar. Después se viste con los bermudas color vainilla a los que ya se ha acostumbrado, se calza los mocasines blandos sin calcetines y, en un arranque de audacia, se prueba la camisa playera que su mujer le compró en el mercadillo del pueblo y que todavía no ha estrenado, inseguro de su color rosa moteado en diminutas flores.

Sólo se abrocha los cuatro últimos botones de la camisa, se pone sus nuevas lentes con el suplemento que las convierte en gafas de sol y aparece en la cocina fragante de loción para el afeitado.

—¿Qué parezco? —le pregunta a su mujer.

—¿Te has puesto la camisa de flores? —Le coloca bien el cuello y le tira de los faldones que le repingan por delante—. Te está bien, pero mejor póntela por dentro.

El comisario se remete los faldones de la camisa ahuecando la cintura elástica de los bermudas.

—¿No es demasiado llamativa?

—No seas tonto, estás guapo —se estira para darle un beso—, y hueles muy bien. Anda, bájate ya, ¿a qué hora llega el autocar?

—Faltan diez minutos.

La estación de autobuses del pueblo está apenas a dos manzanas del apartamento, así que el comisario no se apresura. Pasea hasta la plaza que hay justo delante y se sienta en un banco a la sombra, con sus redescubiertos bíceps extendidos sobre el respaldo. Su figura entera se refleja en las cristaleras de la estación y, por un momento, desdibujados los rasgos faciales por la distancia, le cuesta compaginar su imagen especular con la que guarda de sí mismo en la memoria. Desde luego ya no parece un notario. En cierto modo hasta parece un gángster, un gángster de vacaciones, piensa…

A las doce y cinco según el reloj de la estación se interpone entre él y su reflejo la mole de un autocar que, según indica el cartel al frente, tiene que ser el que espera. Cuando se detiene, el comisario se levanta y lo rodea para situarse frente a la salida de los pasajeros. T es de los primeros en apearse; se ha cortado el pelo muy corto y se ha afeitado la barba entera con la que el comisario lo vio la última vez. Le cuelga del hombro una pequeña mochila de cuero; mira alrededor como buscando a alguien y pasa por delante del comisario sin reconocerlo. «¡Tomás!» T se vuelve hacia la voz, ahora sí lo reconoce y frunce el ceño aunque sonríe: «Madre mía: ¿qué le ha pasado?», se toca el mentón para indicar que se refiere a la perilla. «Ya ves, a la vejez me estoy volviendo un playboy»; los dos se acercan y se dan sonoras palmetadas. «Oye, tú estás más flaco, eh, ¿no dan bien de comer en el extranjero?» «No, no es eso, pero sí que he echado de menos el gimnasio, estoy un poco flojo.» «Ven, vamos primero a casa a saludar a Mercedes y después bajamos a tomar una cerveza y me cuentas.»

Recorren el breve camino de vuelta al apartamento, suben las escaleras, el comisario introduce su llavín, pero desde dentro su mujer ha oído las voces y se adelanta a abrir la puerta: «Bueno: aquí tenemos al viajero…, pasa hijo, que estoy trasteando en la cocina». Se besan. «¿Sabe que no he conocido a su marido cuando he bajado del autocar?», dice T. «Calla, chico, que me tiene frita; ahora le ha dado por escuchar música moderna.» El comisario está exultante, sonríe: «Bueno, los tiempos cambian…» «¿Y sabes que ahora de repente ha descubierto la playa?, no hay quien lo saque del agua, chico.» «Ya lo veo, parece un cazador de cocodrilos…»

Intercambian ligerezas durante algunos minutos más, hasta que Mercedes pregunta si quieren que les apañe un aperitivo o prefieren tomarlo por ahí y hablar de sus cosas. El comisario se adelanta para contestar que mejor bajan al bar de los boquerones; «Bueno, ¿y a qué hora le echo el agua al arroz».

Caminan de vuelta a la plaza de los autocares. «La Parrilla», dice el letrero del bar de la esquina. El comisario y T entran y se acercan a la barra. «Carmen, ¿qué nos pone para acompañar a esas Cruz Campo heladas que tiene escondidas su marido?», «Ahora mismo está la Montse rebozando unos boquerones, ¿le apetecen?…» Se sientan a una de las mesas de madera flanqueadas por bancos corridos: «Verás, vas a comer los mejores boquerones rebozados de tu vida».

No arrancan a hablar de verdad hasta que llegan las dos botellas de cerveza rezumantes de condensación y un gran plato de pescado caliente.

—Bueno, explícame el misterio —dice el comisario—. ¿Te gustan con limón?

—Sí, está bien… ¿Qué misterio?

—¿Tan mal se está en Nueva York para que salieras de allí disparado? —el comisario ha de tragar saliva porque tiene la boca echa agua.

—Al contrario…

—¿Te gustó?

—Me enamoré de la ciudad…

—¿Ah, sí…? Tiene fama de difícil, eso dicen…

—También dicen que cuando uno ha logrado sentirse cómodo allí ya ningún otro lugar del mundo parece lo bastante bueno para vivir. Yo llegué a sentir eso en cuestión de días.

—Debe de ser… interesante. —El comisario está tratando de que T se suelte un poco hablando, y además está ocupado con el plato de boquerones. T toma uno con los dedos, pero no tiene mucho apetito.

—Es algo más que interesante… Una madrugada, comiendo alitas de pollo en un coreano de la Séptima Avenida, pensé que si sólo se pudiera salvar una ciudad del mundo habría que salvar Manhattan. Si uno salva Segovia está salvando a los segovianos, pero si salva Nueva York está salvando a la humanidad, es como un Arca de Noé anclada en la desembocadura del Hudson.

—Bueno, no sé qué opinarán los segovianos… —El comisario sonríe y se cubre la boca para no enseñar el boquerón que acaba de empujarse dientes adentro—. ¿Y entonces…?, ¿no ibas a solicitar una beca de residencia?

—La solicité…, pero me marché antes de saber si me la concedían.

—Y eso…

T no puede evitar contestar con franqueza.

—No sé…, de pronto me pareció que no encajaba en el Arca de Noé.

El comisario hace una mueca de inteligencia, se chupa los dedos y le da un trago a la cerveza antes de hablar.

—Pues sólo se me ocurre una razón para que a uno le pase eso precisamente en el Arca de Noé…

—Y seguro que acierta.

El comisario se desentiende por un momento de los boquerones.

—Ha tenido que ser algo serio, en tan poco tiempo…

—Tan serio que llegué a comprar un anillo. Nunca antes había hecho una cosa semejante.

—Y qué pasó…, si puede saberse…

T contesta despacio, pensando lo que dice.

—No estoy muy seguro…

—¿Algo salió mal…?

—No lo sé. Llegué a pensar que de pronto le entró miedo al compromiso, por lo visto ahora también les pasa eso a ellas. —El comisario hace una mueca de comprensión—. Es igual, creo que ya no quiero saberlo, el caso es que me he venido con el anillo en el neceser. Debí tirarlo desde el Empire State la última noche, supongo que ahora tendré que buscar otro lugar lo bastante alto.

—Ya... ¿Y lo de marcharte de repente a Irlanda...?

T levanta las cejas y niega con la cabeza.

—Supongo que el ser irracional que habita en mí se fue para allá en busca de otra irlandesa. «La mancha de mora...»

—¿Era irlandesa? —T asiente; el comisario tarda un poco en seguir—. ¿Y ese ser irracional que habita en ti no estará pensando ahora en aceptar lo que te propone Rodero?

—Hablé con él ayer. Le dije que seguramente podría contar conmigo.

—Mal hecho. Tarde o temprano tendrás que dejar de hacer tonterías.

Los boquerones supervivientes han dejado de humear. T los mira sin verlos, suelta aire, cabecea.

—Mira, Tomás —sigue el comisario—, he tenido la suerte de que la única mujer de la que me he enamorado en la vida está ahora en casa preparándonos una paella, pero puedo imaginarme lo que sería perderla...

T interrumpe:

—No es sólo eso, y usted lo sabe, ¿se le ocurre algo que yo todavía no haya perdido en la vida?

—Sí, se me ocurren varias cosas. Por ejemplo la sensatez. Y no es sensato que sigas huyendo hacia adelante.

—Uno huye cuando en lugar de permanecer donde debe corre hacia otra parte. Y mi problema es que ya no sé dónde debería permanecer. ¿Dónde?, ¿lo sabe usted?

—A lo mejor sólo tendrías que quedarte quieto en cualquier parte. La felicidad no se alcanza corriendo tras ella, a veces hay que dar tiempo para que ella te atrape a ti.

—Perdone pero eso suena a proverbio zen...

—Déjate de proverbios, te estoy hablando en serio… Mira, lo de Rodero es pura soberbia…, se cree muy inteligente y quiere que todos lo sepamos, ¿te ha explicado lo que se le ha ocurrido, todo eso de hacerse pasar por escritor y demás?

—Sí, me estuvo contando…

—¿Y no te parece una estupidez disfrazada de genialidad?

T tarda en contestar:

—Si quiere que le diga la verdad me da lo mismo. Lo importante es que San Juan del Horlá parece estar lo bastante alejado del resto del mundo.

El comisario se adelanta sobre el asiento.

—¿Y a eso no lo llamas tú «huir»?

A T vuelve a costarle encontrar respuesta.

—A eso lo llamo encontrar en qué ocuparse cuando ya no te importa nada.

—¿Ni siquiera te importa ya ser un buen policía?

T ríe de mala gana.

—¿«Sacrificio, Técnica, Constancia»?

—Sentido común. Mira…, no sé qué te ha pasado exactamente pero nos conocemos lo bastante como para saber que no estás bien. No es el momento de encerrarte allá arriba. Hazme caso, soy más viejo que tú, un viejo montañés que sabe lo que es pasar un invierno aislado del resto del mundo, aunque sólo sea por eso te llevo alguna ventaja.

—No me parece mucho mejor encerrarme en un despacho en una comisaría de distrito.

—Muy bien, entonces súbete a otro avión y vuelve a Nueva York, mañana mismo. Tu sueño sigue allí, ve a por él. ¿También te parece un proverbio? Si aceptas este caso no vas a adelantar nada, estarás completamente solo allá arriba y ni tú ni yo sabemos a qué ni a quién puedes tener que enfrentarte. Lo único que sí sé y que puedo decirte es que corres el riesgo de hundirte en tu propia pesadilla.

★ ★ ★

Jueves tarde, reunión conjunta en la sala anexa al despacho del comisario. Asisten, además del comisario, Prades y Berganza de la Provincial, Rodero el jefe de Homicidios y T. Desde poco más de las cinco sólo ha hablado Rodero: sobre cerdos, sobre el tráfico de cocaína y otros estupefacientes, y sobre la conveniencia de impostar a un agente encubierto como escritor. A modo de prontuario ha ido anotando algunas palabras en la pizarra plástica que tiene a la espalda, y una hora después todavía sigue hablando:

—Bien, y yendo ya al contexto, nos hemos ocupado de investigar a tres individuos, sobre todo por su relación con el matadero. En concreto se trata del veterinario, el matarife y un encargado de la sección de empaquetado —apunta los tres oficios en la pizarra—. Enseguida vamos con ellos. Hemos tenido en cuenta que emplearse en el matadero por las buenas resulta prácticamente imposible, no sólo por la estricta lista de espera sino porque como norma no se acepta a nadie que no viva en la comarca y no tenga algún valedor ya empleado. De modo que entablar alguna relación con cualquiera de estos tres constituye el principal objetivo de nuestro agente. En primer lugar por la capacidad que tienen para intermediar con la dirección de la empresa, y en segundo por la información privilegiada que presumiblemente manejan. Sin embargo, puede haber otros individuos interesantes. También hablaremos de ellos…, de momento me gustaría que Berganza, que ha investigado *in situ*, nos hiciera una semblanza rápida del lugar, nos será muy útil oír cualquier cosa que pueda decirnos a modo de introducción...

Berganza carraspea para aclarase la voz después del largo silencio; se incorpora en la silla, cierra la libreta y empieza a hablar tocándose el pendiente, con aire de improvisar:

—Bueno... es un lugar... curioso. Para empezar la gente suele subir allí a suicidarse arrojándose desde el hombro del Horlá, aunque salvo una excepción reciente los suicidas suelen venir de fuera, así que nunca hemos tenido nada que investigar en el pueblo. Los únicos centros de relación son los tres bares: tenemos el Consorcio Ganadero, donde se dan principalmente comidas y cenas, frecuentado por los hombres de más edad, campesinos y ganaderos; tenemos el llamado «bar de los soportales», el más concurrido, donde se reúne la parroquia para ver el fútbol o beber; y tenemos lo que ellos llaman el Pub, que funciona a modo de bar de noche, sobre todo los fines de semana. Además hay un hostal, pero es como una cripta, sólo está la dueña del negocio y dos matrimonios de sordomudos que se alojan allí desde hace años, nunca vimos entrar ni salir a nadie más. En lo que a nosotros nos ocupa, creo que lo más interesante es la altísima rotación de camareros en el Pub: se toma y se deja el empleo a conveniencia, a veces basta que uno tenga resaca para que le pida a alguien el favor de sustituirlo, casi parece un trabajo comunitario. No creo que en caso necesario fuera difícil conseguir empleo allí, y quizá tampoco en el Consorcio Ganadero. Eso, naturalmente, una vez instalado y al cabo de un tiempo, no es verosímil que un recién llegado consiga integrarse fácilmente. Qué más puedo decir... Dos curiosidades: una, el consumo de estupefacientes es altísimo, los huertos entre las dos calles principales son verdaderas plantaciones de marihuana, y la cocaína se toma habitualmente en plena calle, apenas se molestaron en disimular ante nuestra presencia. Y dos…, a lo mejor les parece una tontería, pero en dos semanas no vimos a un solo niño, ni siquiera en las casas en las que entramos. Es… inquietante, no sabría cómo explicarlo… Por lo demás, ya en plena primavera aquello parece un limbo, se oye una sola emisora de radio, los canales de televisión se ven muy mal cuando se ven, y los teléfonos móviles sólo tienen cobertura en las afueras del pueblo, camino del valle, así que no quiero ni imaginar lo que debe de ser cuando quedan incomunicados por carretera en invierno. Me acuerdo…, en el bar de los soportales siempre hay un viejo al que llaman Betoven, aunque la verdad es que se parece más bien a Einstein, con bigotes… Bueno, la cuestión es que dice que Guy de Maupassant pasó una temporada en San Juan del Horlá antes de volverse loco… Desde luego la anécdota no tiene el más mínimo vestigio de verosimilitud, me he molestado en consultar la biografía de Maupassant, pero *si non e vero e ben trovato*, no se puede resumir mejor la impresión que causa aquello.

—Por cierto, volviendo un momento al asunto de los escritores y antes de que me olvide —retoma Rodero dirigiéndose a T—, tendremos que hacerte unas fotos posando con cara de novelista, y también habrá que presentarte a Quique Aribau para que te ambientes un poco. Ya te he hablado de él, supongo que disfrutaréis estudiándoos mutuamente…; quiero que te cuente su vida, vete de copas con él, o de excursión, o haz lo que quieras, pero has de ser capaz de decir las mismas cosas que él dice, ¿estamos? —T asiente muy serio—. Y otra cosa, que es a lo que iba: parece un asunto menor pero tenemos que buscarte un nombre y acostumbrarnos a llamarte así cuanto antes. ¿Se te ocurre algo que suene a escritor? —T hace una mueca vagamente negativa—. Si no podemos usar el mismo método de Quique…, dice que elige un nombre de pila cualquiera y añade a modo de apellido una calle de la ciudad. A ver, propuestas…

—«Nicolás Granvía» —se arranca el comisario, con inequívoco escepticismo que los demás no captan, aunque ríen.

—¿Qué tal «Alejandro Caspe»? —dice Prades, completamente en serio.

—Ése es bueno… A mí se me ocurre «Gregorio Aragón», pero a lo mejor suena demasiado serio. T, nos interesa mucho tu opinión, al fin y al cabo va a ser tu nombre durante una larga temporada.

—No sé…, me gustaría algo con «Balmes» —dice T—. ¿Qué tal «Pedro Balmes»?

Nadie opone nada, así que Rodero decide:

—Bien, adjudicado; a partir de ahora ya no eres T sino P, ¿todo el mundo de acuerdo?… Otra cosa. —Rodero toma de nuevo el rotulador para escribir algo en la pizarra plástica…

EN EL INFIERNO

P es varón caucásico, complexión atlética, cabello y ojos oscuros, cuarenta y cuatro años. Es el único pasajero del autocar en los últimos quince kilómetros de curvas ascendentes. Acaba de oscurecer, llueve un agua mansa y tenaz, las ventanillas empañadas transparentan el negro de un bosque profundo. El motor reduce al aproximarse a un indicador de carretera emborronado con pintadas: San Juan del Horlá. Los faros iluminan las fachadas de piedra mojada, embocan una larga calleja en cuesta, giran, se detienen; suena un resoplido de calderines. El conductor habla en voz alta para P en su asiento: «¿Seguro que no quiere volverse conmigo?». El Cochero en Transilvania. P contesta poniéndose en pie: «Gracias: traigo una ristra de ajos...». El conductor ríe; se oye el chasquido hidráulico de apertura de la puerta y P baja al asfalto con su bolsa de mano.

Luz de luna nublada; lluvia fina; huele a leña; hace frío. El autocar maniobra el cambio de sentido y P rota sobre sí mismo para situarse. Alrededor, la silueta oscura de las montañas, un circo angosto que lo abraza todo. En primer plano la iglesia, con el campanario iluminado por focos azulones, tan chato que parece retraído bajo la lluvia. No hay nadie en la calle; luz en tres ventanas. El motor del autocar se aleja por donde ha venido y queda el silencio; la lluvia, tan fina, no hace ruido al caer. A la izquierda se estrecha el asfalto y se pierde hacia las afueras; a la derecha una fila de soportales aloja las mesas exteriores de un bar. El cartel que anuncia cerveza está encendido. Al acercarse, P advierte que hay un hombre sentado a una de las mesas de la terraza, medio oculto en la oscuridad. Cuarentón flaco, con gorra de béisbol, pantalones cortos y botas militares. Bebe cerveza y mira la lluvia caer. Cuando P está cerca le da las buenas noches. El tipo no contesta, sólo lo sigue con la mirada. En el último momento, antes de que P traspase la puerta del bar, parece que se ríe. «Bienvenido», dice, pero no suena a saludo auténtico.

Hay que abrir dos puertas sucesivas para entrar en el local; son de cristal, pero los afiches pegados con cinta adhesiva no dejan ver bien el interior. Al atravesar la segunda se experimenta un fuerte contraste con el exterior: luz, humo de tabaco, sonsonete de fútbol televisado, voces de acento local. Treinta pares de ojos se desvían hacia P y vuelven de inmediato al resplandor verde de la pantalla. P pronuncia un «Buenas noches» dirigido a quien quiera leerlo en sus labios, pero la única mirada que lo sigue es la de una mujer de edad que permanece de pie tras la barra. P se hace un hueco entre dos parroquianos y se encara a ella: sesenta y tantos, cabello cuidado, corte actual, ojos color brandy, párpados caídos, discreto maquillaje. La Dama de la Taberna.

P pide un cortado con la leche caliente. La mujer no dice nada, lentamente da media vuelta y se acerca a la cafetera. Mientras P espera, sorprende la mirada de alguno de los parroquianos más jóvenes, que de inmediato vuelve al televisor. La imagen en pantalla es muy mala: nieve, interferencias; juega el equipo depositario del orgullo patrio, marcador 0 a 0, minuto 34 de la primera parte. Hay dos únicas muchachas sentadas a las mesas del fondo, junto a la chimenea de piedra encendida; no disimulan su aburrimiento, parecen cumplir un débito conyugal con los chicos sentados junto a ellas. El resto de la galera está formada por hombres, los jóvenes al fondo, los más viejos en primera línea del televisor; los viejos visten jerséis y chaquetas oscuras de punto; los jóvenes parecen punkis, con el pelo teñido de colores vivos: rojo, naranja, azul. La excepción es un anciano de bigotes sentado mucho más atrás de lo que le tocaría por generación. Su camisa es blanca, como el bigote y el cabello que peina hacia atrás; mantiene sobre la mesa un pequeño bolso de mano ligado a la muñeca por su correa de cuero. Einstein con Mariconera. Algo ocurre de pronto en el televisor, la mitad menos anquilosada de la concurrencia salta de su asiento y de la suma hiriente de alaridos se descuelgan juramentos, golpes en las mesas y entrechoque de botellería. Pasado el clímax, los más jóvenes reclaman bebidas en tono destemplado; la Dama de la Taberna, inmutable, sirve primero el cortado que le ha pedido P. «Perdone», le dice él, «¿encontraré alojamiento no demasiado caro para esta noche?» La mujer parece no haberlo oído y, con marcada lentitud, retira de la barra una botella de cerveza vacía. Los jóvenes siguen reclamando sus pedidos; la llaman «Susi» y la tutean pese a la abismal diferencia de edad. Ella, sin perder el aplomo, mira a P y señala hacia el exterior: «Siguiendo esta calle por la derecha verás el hostal, es el único que hay»; su voz es muy débil, casi inaudible.

P sale del bar después de tomar el café. En la terraza sigue el tipo de las botas militares bebiendo y mirando la lluvia. P le dice adiós y echa a andar de vuelta hacia la parada del autocar. El macizo campanario le queda ahora de frente tras la cortina de lluvia; el reloj tiene el cristal roto y marca una hora absurda, las tres casi en punto. Se hace visible el cartel luminoso del hostal más allá del límite de las farolas y el asfaltado de la calle. Justo delante, en la penumbra, se distingue un coche aparcado. Una sombra esbelta que parece salir del hostal se sube a él; enciende el motor y los faros, arranca con brusquedad produciendo ruido sobre la grava. Pasa junto a T a gran velocidad: es un Porsche negro, con capota de lona clara y llantas doradas.

Cuando T llega a la entrada del hostal suenan tres campanas desde la iglesia; la puerta del hostal al abrirse golpea una cuarta más aguda. En el interior, barra de bar a la izquierda, salita con butacas y televisor a la derecha. Dos ancianos en mangas de camisa siguen el partido. No se han vuelto hacia la puerta al oír la campanilla; el sonido del televisor está anulado; uno de ellos traza signos de sordomudo y el otro se lleva una mano a la cabeza y hace el gesto de chutar a puerta. Al fondo hay un comedor vacío, a oscuras; por allí llega una mujer de mediana edad, escuálida, cabello largo, lacio, muy negro. Morticia Adams en el Hostal. Mira a P de arriba abajo y dice buenas noches; fuerte acento local. P saluda y pregunta cuánto cuesta una habitación individual. Treinta euros con cama grande y baño. P pregunta si no hay nada más barato; la mujer intenta sonreír y niega con la cabeza. Silencio absoluto de fondo; P acepta lo que le ofrecen; la mujer saca el libro de registro que suena sobre el mostrador: plaf. Le pregunta el nombre a P. «Pedro Balmes», contesta él. La mujer también quiere ver su DNI; P lo entrega, ella lo examina por las dos caras y comprueba la foto en una mirada rápida. Se disculpa porque no hay personal para acompañarlo e indica a P el camino. De pronto los sordomudos se remueven audiblemente en sus butacas. En pantalla, un jugador patrio corre por el campo con la camiseta arremangada sobre la cabeza; de fondo, los espectadores se desgañitan en el silencio del televisor sin volumen.

P sube a la segunda planta por una caja de escalera iluminada por la luz de emergencia. Identifica el número 3 en un pasillo oscuro. Abre la puerta con el llavín que le han dado; busca a tientas el interruptor. La cama ocupa casi todo el espacio: flores grises y azules estampadas en la colcha de nailon; huele a humedad, hace más frío que en la calle. P abre el grifo lateral del radiador bajo la ventana; sube la persiana, abre los batientes. A contraluz de la luna nublada se ven casas con huerto trasero y, de fondo, el circo oscuro de montañas. Afuera huele mejor que en la habitación, a leña, y también a tierra mojada.

El interruptor del baño prende un fluorescente renqueante sobre el espejo. Espacio diminuto, sanitarios color rosa, alicatado marrón claro, cortina de ducha con almendros en flor. P abre el grifo del agua caliente y se oye una convulsión de tuberías. El chorro pierde medio caudal por las juntas; P tiende la mano y espera a ver si el agua se calienta. Se calienta. Vuelve al dormitorio, toca el radiador que también parece estar templándose; retira la colcha de la cama, se sienta sobre la manta con la bolsa de viaje al lado. La abre y extrae una lámina cuidadosamente enrollada: *Madonna ante un paisaje*, Giovanni Bellini, Pinacoteca de Breda. También extrae el neceser, en el que revuelve en busca de sus útiles de aseo. Nota al tacto algo que no espera, algo duro y cúbico. Un instante antes de recordar lo que es, lo saca y queda en su mano un pequeño estuche de joyería. «*Jewell Zoo*», dicen unas letras grabadas en la tapa de madera encerada.

P arroja el estuche al fondo del neceser y, mirando las paredes estucadas en blanco, se pregunta cuánto tiempo tendrá que quedarse allí.

EN EL MUNDO

En las dependencias del comisario, Rodero está a punto de escribir en la pizarra, pero duda y se vuelve hacia los reunidos en la mesa de juntas:

—Berganza, ¿cómo se llamaba la noruega?

Berganza no necesita consultar su libreta.

—Martha no sé cuántos, pero la llaman «Heidi».

Rodero apunta el nombre en la pizarra: «Heidi».

—Puede decirnos algo de ella, Berganza…

—Bueno… Es de trato bastante impertinente, se empeñó en hablarnos en inglés pese a que nos consta que habla español perfectamente. Debió de ser bastante atractiva de joven, le queda la arrogancia, ese aplomo de las mujeres acostumbradas a gustar a los hombres… Además está convencida de que es listísima y puede leer el pensamiento. Trabaja haciendo sustituciones como profesora de inglés en el valle, pero cuando necesita dinero ayuda en el bar de los soportales, friega platos, limpia cristales… Por lo visto hace buenas migas con la Susi, la dueña del bar…

—Bien… —interrumpe Rodero—, lo interesante para nosotros es que es la única habitante del pueblo suscrita a una publicación mensual que nos viene que ni pintada: *Qué Leer*, para el que no la conozca, una de las más conocidas revistas de novedades literarias —apunta el

250

nombre de la revista en la pizarra—. De modo que, llegado el momento, bastará con intervenir un solo ejemplar
de esa revista, el único que llega a San Juan del Horlá, para
filtrar la información que nos interesa respecto a nuestro
agente. ¿Tomamos nota?

Rodero ha dirigido la pregunta a T, y éste contesta re-
leyendo sus apuntes:

—Heidi, noruega, impertinente, lee el pensamiento, da
clases de inglés y limpia en el bar de los soportales; suscrita
a *Qué Leer...*

EN EL INFIERNO

Por la mañana el silencio es absoluto en el hostal. P encuentra desayunando en el comedor a los dos ancianos sordos, acompañados ahora por las que parecen ser sus esposas, también sordomudas. Los cuatro mantienen una conversación fluida pero silenciosa, puntuada por los ruidos de la vajilla. No hay rastro de Morticia Adams, pero se ha dispuesto un pequeño *buffet* del que P se sirve café para acompañar el cigarrillo.

Sale a la calle hacia las ocho, cuando el reloj de la iglesia marca la una y veinte. De camino al bar de los soportales se cruza con un tractor. Conduce un treintañero. Cráneo rasurado sobre los temporales, cresta central de cabello muy rubio, apelmazado; camiseta listada en blanco y celeste, muy deformada por el uso continuado. Nexus 6, Unidad de Combate. Al paso mira detenidamente a P desde su altura en el asiento. P levanta las cejas y musita un saludo. El Nexus no responde, se aleja dando la espalda de la camiseta: «10, Maradona».

El segundo ser humano aparece un trecho más adelante. Es una mujer también muy rubia que limpia los cristales de la doble puerta del bar de los soportales. Al ver a P acercarse, detiene un momento la labor y desdobla y vuelve a doblar el paño. Figura delgada, vaqueros ajustados, polo ancho sobre pecho escaso, manos sarmentosas; no deja ver los ojos. P le da los buenos días y ella emite un gruñido grave. P entra en el bar sabiéndose observado a sus espaldas.

El local está oscuro al contraste con el exterior; ya no hay fuego en la chimenea; multitud de vasos y botellas vacíos cubren las mesas, como si el partido de la noche acabara de terminar. Sólo un cincuentón toma coñac en la barra agarrando la copa con su mano de uñas negras; mira a P un momento, no contesta audiblemente a su saludo; apura la copa, deja una moneda con un golpe seco y sale. La Dama de la Taberna friega vasos. A P le parece que «Susi» es un buen nombre para ella pese a la edad. Viste diferente que por la noche pero igual de cuidada, elegante al estilo urbano; no dice nada pero mira a P con un brillo de reconocimiento. P pide un cortado; ella tarda cinco segundos en reaccionar, después empieza a secarse las manos y se vuelve hacia la cafetera. «Encontré el hostal ayer, gracias». Pasan otros cinco segundos, la mujer se vuelve con el café en la mano y mira a P bajo los párpados caídos: «Era fácil», dice en voz baja. Sale despacio de la barra para recoger una mesa; vuelve cargada de vasos; se planta frente a P y lo mira muy fijo antes de hablarle:

—¿Tienes que quedarte muchos días por aquí?

—Pues no lo sé… Depende de si encuentro trabajo.

—Ah, buscas trabajo…

—Sí…, cualquier cosa que pueda hacer.

—Aquí no hay trabajo. Tienes que ir a las estaciones de esquí o a los pueblos del valle. Hay restaurantes, y tiendas…

—Ya he estado por allí y no necesitan a nadie hasta el verano. Tengo algo ahorrado, pero no puedo esperar tanto.

Pausa larga, debate callado, parpadeo lento.

—Aquí sólo hay un hostal y tres bares, no vienen turistas. Y tampoco hay tiendas, sólo el colmado y la carnicería.

—Me han dicho que también hay un matadero, en las afueras…

La mujer niega en cámara lenta con la cabeza y vuelve detrás del mostrador.

—No emplean a forasteros en el matadero. Hay una lista de espera sólo para gente de la comarca.

—¿Y en alguno de los bares?, a veces faltan camareros, o alguien para limpiar…

Pausa larguísima.

—Nadie te conoce. —La mujer baja la cabeza hacia el fregadero y P supone que ha dado por terminada la conversación. Ella sin embargo vuelve a levantarla lenta, muy lentamente, y ahora casi parece sonreír.

—Pero si te quedas unos días te conocerán enseguida. No vienen muchos forasteros por aquí.

P devuelve la hipotética sonrisa.

—Ya lo veo… Nadie me contesta al saludo.

Ella reflexiona unos segundos y vuelve a alzar la vista.

—No hagas caso. Desconfían de los recién llegados. A todos nos ha pasado igual.

—Bueno, eso es lo más parecido a una bienvenida que he oído hasta ahora, se lo agradezco.

Cuando P vuelve al exterior, el sol ilumina ya la parte media de las montañas, tan abalanzadas en círculo sobre las casas de pizarra oscura que el mero reflejo parece encender la calle. Enfrente destaca un risco alto, una testa cuadrada de piedra gris adelantada entre dos hombros más bajos. El Horlá, P lo ha visto antes en fotos. Está a punto de aspirar aire con fruición, pero aborta el gesto al encontrarse con la mirada de la rubia de los cristales, que ahora vuelve de la fuente con un cubo lleno. Esta vez sí enseña los ojos, muy claros, celestes, y también las profundas arrugas del rostro. P le dice adiós y echa a andar. Ella habla cuando él ya se ha alejado unos pasos.

—*Hey, you!* —voz cascada y sonora—. *What are you looking for 'round here?*

P volviéndose desde donde está:

—Lo siento, no entiendo…

—*You understand perfectly right, don't fuck me. Where are you from?*

—Soy del país, no hablo inglés.

—¿Ah, no?, y por qué sabes que es inglés…

P sonriendo:

—Bueno, fui a la escuela de pequeño…

—Seguro que sí… —cabeza ladeada—. ¿Qué buscas aquí?

—Trabajo.

—Entonces puedes marcharte ya, *darling*… No hay trabajo para ti, tienes manos de señorito.

P se mira las uñas limpias y enrasadas y vuelve a sonreír.

—Es posible, pero también tengo buenos brazos…

—Oh, sí…, seguro que hiciste horas en el *gym* para crecer tus *muscles* de señorito. Mejor márchate ya —hace un gesto de desdén con la mano y se desentiende.

—Bueno, ha sido un placer hablar contigo… —dice P tras una pausa.

—Vete a la mierda ya, capullo —dice ella.

EN EL MUNDO

Rodero deja un momento el rotulador para seguir hablando, esta vez consultando el dosier encuadernado que tiene sobre la mesa.

—Bien, vamos con los tres tipos de los que les hablaba y que son de especial interés para nuestro agente... Primero, aunque no principal, tenemos a un tal Martín Gallardo Domínguez, el matarife —apunta el nombre en la pizarra, en la que queda ya muy poco espacio en blanco—. Es el único con antecedentes penales. Típico producto de familia desestructurada, mayor de tres hermanos, padre desconocido, sin formación académica... Reyertas, hurtos... Lo más grave que tiene es un delito de lesiones, en Cartuja de Caballeros, provincia de Almería. Por aquel entonces trabajaba en un matadero cercano; tuvo unas palabras con el guardia de la discoteca del pueblo, un orangután con ínfulas de karateka y también con antecedentes por lesiones. Según las actas, el orangután le mentó a la madre y nuestro amigo Gallardo le pinchó un muslo, lo inmovilizó en el suelo, y le ablandó el pabellón auricular izquierdo a navaja. Al orangután le pudieron coser la oreja en el hospital provincial, pero Gallardo cumplió seis meses a pesar de alegar defensa propia. Desde entonces nada, por lo visto se tranquilizó con la edad, o quizá es que nadie ha vuelto a mentarle la filiación. Está empadronado en San Juan del Horlá desde el 93, empezó en el matadero como empaquetador con recomendación de su antiguo jefe.

»Berganza, qué puede contarnos usted.

Berganza carraspea y consulta la libreta manuscrita que ahora abre sobre la copia de su propio informe.

—Pues… le llaman San Martín; allí arriba todo el mundo tiene mote… Fue al que interrogamos más exhaustivamente, estaba en el matadero cuando llegó la patrulla local, y nos resultó útil porque conocía bien las instalaciones. El comisario Pujol llegó a verlo, ¿no? —el comisario, sentado en la presidencia de la mesa de juntas, emite un gruñido afirmativo—… Está claro que sabe más de lo que nos dijo, pero es duro de pelar, mantuvo el aplomo. Desde luego su aspecto arredra, pero no es el típico pendenciero, y durante las dos semanas que anduvimos preguntando por ahí nos pareció evidente que en el pueblo se le tiene respeto. Creo que sería un buen punto de apoyo para la investigación si se consigue confraternizar con él.

—Comisario, ¿algo que añadir? —pregunta Rodero. El comisario despierta un poco más de su aburrimiento y niega con el gesto antes de hablar:

—No…, nada. No hice más que cruzarme con él.

—¿Seguimos tomando nota? —dice Rodero dirigiéndose a T.

T asiente.

—Bien, seguimos con el segundo: Henry Pascual Blanc —apunta el nuevo nombre en la pizarra, y después resigue con el dedo en el dosier que tiene sobre la mesa—, ciudadano francés, hijo de español, veterinario, 40 años, sin antecedentes. Se licenció en Tours, después trabajó como ayudante en una cadena de tiendas de animales, *Bon*

Chien, en Tours y después en Rouen. De pronto en el 95 se marcha a Holanda, no sabemos con quién ni por qué. Allí se emplea en una granja industrial de cerdos, a 20 kilómetros de Amsterdam. Atención a esto —levanta la vista hacia los reunidos—; según ya sabemos, una buena parte de los cerdos que se matan en España vienen de Holanda, la mayoría lechones que se ceban y maduran aquí mismo. Y según también sabemos hay buenas razones para pensar que alguno de esos cerdos trae regalo... —Dirigiéndose a T—: Por cierto, si necesitas ampliar información al respecto he incluido en tu dosier un informe de Sanidad. —De nuevo a todos—: Bien, así que nuestro Henry veterinario puede ser una pieza clave, más considerando que fue contratado directamente en Amsterdam. Berganza, por favor, qué puede decirnos de él...

Berganza vuelve a consultar sus notas.

—Lo llaman «el francés», claro... Educado, amable, incluso refinado..., pinta de no haber roto un plato en la vida..., en cierto modo es la antítesis del matarife. Llegó al pueblo en el 99 y desde hace cosa de un año comparte piso con una muchacha del lugar: Luisa Giró Robles, están esperando un hijo. Se encarga de la eutanasia en el matadero, o sea, de que los cerdos estén relativamente cómodos y se mueran tal como le conviene a la dirección. Habla español bastante bien, se hace entender... Seguramente estará deseando relacionarse con alguien un poco más cultivado que el común de los vecinos, así que ahí tenemos la oportunidad para nuestro agente.

Rodero pide de nuevo opinión al comisario. El comisario, ya bastante despierto, hace gesto negativo, «No, a ese no llegué a verlo». Rodero prosigue:

—Muy bien, vamos entonces con el tercer sujeto a considerar —consulta su dosier antes de apuntar en la pizarra—: Camilo José Santiago Nogales, nacido en Valdemorales, provincia de Castellón. Tenemos mucho rastro de éste. Hay indicios de actividades de prostitución homosexual desde los trece años: en cines de la provincia, en la playa… —pasa hojas en su dosier—. Se le detuvo varias veces con las manos en la masa, pero al ser menor y no interponer denuncias contra sus supuestos abusadores todo quedó en nada. Eran otros tiempos… Bien, a los quince años se traslada a Tenerife, al parecer bajo el patrocinio de un conocido pederasta que le da trabajo en su discoteca y le procura contactos con clientes de confianza. Tenemos noticia de esto gracias a un solo caso documentado, un tipo con antecedentes de malos tratos a prostitutas que presenta denuncia contra él por agresión con un peine de púas metálicas. El juez no la admite a trámite, no hay pruebas, ni testigos, ni nada aparte del informe del hospital y de que el tipo se presenta en comisaría con la cara como un plantel de patatas. Qué más… Al parecer nuestro jovencito se cansa de Tenerife, se despide de su mentor y lo encontramos dos meses después trabajando otra vez de camarero, en Bilches, entre el 83 y el 84, naturalmente en un bar de ambiente con el sugerente nombre de Lord Douglas. En marzo del 84 hay algo interesante: compra un Volkswagen Golf descapotable mediante un cheque al portador, el vehículo se inscribe a su nombre, pero el número de cuenta al que se carga el importe íntegro, impuestos, matriculación y seguro incluidos, pertenece a un tal Juan Aresti Montiel, precisamente propietario de una carnicería en San Juan del Horlá y vecino y natural de la localidad. El joven deja el empleo esa misma semana y tres meses después sabemos que se empadrona en San Juan, todo lo cual parece indicar que vuelve a moverse siguiendo a un protector. Sin embargo también parece que éste le dura más que los otros, porque durante dos años no se le conoce oficio ni beneficio documentado, hasta que en el 88 lo contratan en Uni-Pork como empaquetador, pasa después a la sala de corte y cinco años más tarde asciende a encargado…

»Berganza, qué nos cuenta usted.

—Bueno, lo obvio es que el tal Camilo José, alias «Rito», tiene una pluma visible a dos kilómetros, pero al principio no terminábamos de entender que compartiera piso con el carnicero, que por cierto parece un veterano de la lucha libre, no da el perfil gay prototípico ni de lejos. Sí es verdad que el carnicero va siempre a todas partes con el cura, un jovencito que trató de ligar con mi ayudante por el sencillo método de proponerle pasar un rato con él…, pero, para no liarnos, y centrándonos en el Rito, puedo decir que es abierto, simpático, muy presumido…, no creo que cueste mucho trabar amistad con él, sobre todo si uno es su tipo, y yo juraría que T es su tipo. A partir de él se pueden abrir varias puertas, está muy bien relacionado y además de hacer su turno en el matadero echa horas en el bar del Consorcio Ganadero. En resumen, yo diría que viene a ser el perejil de todas las salsas, muy interesante para nosotros.

EN EL INFIERNO

Una pizarra de pie tiene escrito el menú del día ante un portal abierto: *Macarrones, Patatas Estofadas, Empedrado de Garbanzos; Pies de cerdo, Carrillada, Pollo con Champiñones.* P traspasa el portalón y una flecha pintada en la pared de piedra le indica subir las escaleras. Desde el primer rellano oye el sonsonete de un televisor. Hay una puerta acristalada de acceso presidida por un escudo con las iniciales «CG» sobre letras que fueron doradas. «Consorcio Ganadero», dice debajo. Barra larga enfrente y mesas a derecha e izquierda. Dos de ellas están ocupadas por ancianos solitarios y una tercera por dos hombres de edad desigual. Todos pendientes del noticiario en el televisor que cuelga del techo, apenas desvían la vista un momento para ver quién llega.

P se acerca a la barra desatendida y espera. Al poco sale de la cocina anexa una muchacha de veintitantos, cargada con platos en equilibrio a lo largo de los antebrazos. Jersey de lana roja, embarazo evidente, mejillas encendidas, ojos color violeta, cabello negro a lo *garçon*. Caperucita Roja de Seis Meses. Mira a P con sorpresa mal disimulada, dice «hola» y, al volver de servir los platos, se para sujetándose el vientre para añadir «dígame». P quiere saber si puede comer. La muchacha pregunta si le viene bien algo del menú. P contesta que sí: patatas estofadas y pollo. Ella indica que se siente donde quiera haciendo gesto hacia las mesas de la derecha. P pasa cerca de la ocupada por los dos hombres juntos de cara al televisor. El mayor es un sesentón robusto y sanguíneo que empuña la cuchara como si fuera una pala, minúscula en comparación con el antebrazo musculoso y velludo. El Ogro Comiendo Sopa. El menor es un veinteañero con las facciones aniñadas de un Leonardo Di Caprio; nervioso, frágil, menudo. El Sastrecillo Valiente. El primero quizá es el carnicero, da la talla de luchador, pero el otro no responde a la descripición del Rito, no tiene mucha pluma. Quizá el cura. P dice «buen provecho»; el sesentón emite un sonido ronco con la boca llena; el joven mira a P de arriba abajo y lo sigue con los ojos hasta que se acomoda en una mesa cercana. Inmediatamente le cuchichea algo al Ogro, hablándole al oído y depositando una mano sobre el antebrazo arremangado. El Ogro gruñe un desprecio, se desembaraza del contacto y se pasa la mano enrojecida de carnicero por el mentón brillante de sopa. En el televisor imagen nevada de una fila de cerdos hocicando en sus comederos. Palabras de un ganadero perjudicado por la peste porcina al que el subtítulo califica de «Afectado». Luego más cerdos, ahora amontonados, tiesas las patas al aire, empujados por una excavadora al fondo de una fosa encalada. El Sastrecillo Valiente lanza miradas de reojo a P y P finge embeberse aún más en la mala imagen de la pantalla. Sección deportes, rueda de prensa pinchada de la emisora estatal. «El fútbol es así, lo importante es que nos hemos traído los tres puntos…»

Van llegando platos a la mesa de P y también otros comensales que entran en el local. Primero un treintañero con el pelo decolorado, rellenito, ojos azules, Hansel sin Gretel, que se dirige hacia la mesa del Ogro y el Sastrecillo. Se sienta frente al joven, de espaldas al televisor, y le dice algo que de lejos suena con acento francés. Mientras se acomoda también echa una ojeada a P y dice «*Bon appétit*». P agradece levantando la mano y sonriendo. Sin duda es el veterinario.

Al poco se añade al grupo otro treintañero: cabello teñido de azul, tremenda cicatriz cruzándole la cara por encima de un párpado. El matarife, a éste lo ha visto P en la foto de la ficha policial. El Hansel sin Gretel francés lo recibe con alharaca y el de la cicatriz va a ocupar el cuarto asiento de la mesa. Recibe entonces la bronca del Ogro, estorbado en su visión de la pantalla. El de la cicatriz protesta, «Oye, carnicero de los cojones, a ver si no me voy a poder sentar donde me salga de la polla». Le da un manotazo en la espalda que suena a matamoscas sobre saco de arena y se retira hasta la mesa más cercana, casi anexa, que permite seguir la charla con Hansel y el Sastrecillo. Ya no callan más que para escuchar los platos que les canta Caperucita Encinta, «no sé para qué me molesto en escribir el menú en la pizarra». En algunos casos la conversación llega a los gritos, en especial del de la cicatriz increpando al Sastrecillo Valiente: «Cagüendiós, Curita de mierda: ¿vas a venir tú a explicarnos lo que pasa allí dentro…?». Por un momento los tres jóvenes miran hacia la mesa de P, que hurta los ojos.

No se repiten las voces hasta que saludan a un último individuo que entra en el local: cuarentón con pantalones de imitación cuero negro, ostentoso contoneo al andar, onda de pelo cayéndole sobre la frente, quizá exagera aún más los andares al reparar en la presencia de P en su mesa. «Cagüendiós, Rito, qué haces aquí a estas horas», dice el de la cicatriz, pero el recién llegado hace caso omiso, sólo se acerca a la mesa para decirle algo al Ogro en un aparte y enseguida sale del local sin olvidar echarle otra mirada a P.

Terminado el segundo plato, cuando Caperucita le trae una cuajada y un tarrito de miel, P le dice que el pollo en salsa estaba muy sabroso. A ella parecen encendérsele aún más los cachetes. «Sí, me sale bueno», dice un poco corrida, sin duda faltada de costumbre al elogio. P toma también café y fuma un cigarrillo. Cuando ya se enfunda la chaqueta tejana para marcharse, el Sastrecillo Valiente se descuelga de la conversación de su mesa y lo mira otra vez sin disimulos. Luego toma la Faria mediada que el Ogro ha dejado momentáneamente en el cenicero y le da una chupada de labios blandos, siempre mirando a P. El Ogro se da cuenta y le quita el puro sin contemplaciones, lo mira y remira como buscándole algún defecto por el mal uso y continúa fumándolo.

EN EL MUNDO

Rodero ha subrayado los tres nombres sobre la pizarra antes de volverse hacia la mesa de juntas.

—Bien, naturalmente, el interés de nuestro agente no se limita a estos tres tipos señalados, se trata de integrarse lo más estrechamente posible en el lugar.

»Berganza, al margen de lo dicho, ¿no podría usted hacernos un pequeño *dramatis personae* de los vecinos?, estoy seguro de que ha tenido usted oportunidad de tomar abundantes notas sobre ellos...

Berganza vuelve a intervenir, ahora menos pendiente de su libreta.

—Bueno, yo dividiría claramente a la población en dos grupos: uno mayoritario, formado por unas trescientas personas nacidas en el lugar, y otro de unos veinte forasteros que se han ido instalando allí a lo largo de los años. De los primeros hay poco que decir, las mujeres no suelen salir de casa, y los hombres, aunque más visibles, son retraídos, desconfiados y discretos hasta el autismo, si bien los más jóvenes tienden a relacionarse entre ellos de forma ruidosa en una especie de dialecto montañés. La excepción es el carnicero mencionado, que resulta algo brusco aunque bastante comunicativo a ratos, y también un joven conocido como Malacaín que actúa a modo de alborotador, pero sólo cuando se toma unas copas, el resto del tiempo anda con una camiseta de Maradona trajinando con su tractor y es tan tímido y huidizo como el resto de sus paisanos.

—Y en cuanto a los forasteros... —pregunta Rodero—, ¿cree que hay más posibilidades de confraternizar con alguno de ellos?

—Sí, desde luego, no tienen nada que ver con los otros... La primera impresión que causan es la de un muestrario de extravagancias arrumbadas allí porque no encajan en ninguna otra parte. Quizá el más normal es precisamente el veterinario francés... Pero sí, la verdad es que es fácil entablar conversación con la mayoría de ellos, a veces incluso no queda más remedio.

—¿Puede destacarnos a alguno?

—Bueno... Tenemos al llamado «Robocop», que suele pasarse el día bebiendo cerveza en la terraza del bar de los soportales, y según la patrulla local es el distribuidor oficial de cocaína... Tenemos también a la conocida como «la Pija del Pub», una ex publicitaria adicta a lo mismo que llegó al lugar buscando localizaciones para un anuncio y volvió cuando se quedó sin empleo y sin dinero para procurarse la dosis diaria en la ciudad...

—Esa podría interesarnos, ¿no? —dice Rodero.

—Seguramente... Trabaja como camarera en el Pub, y yo juraría que se gasta la paga en los suministros del Robocop... La verdad es que parece morirse de ganas de hablar con cualquiera que llegue de fuera. Además siente debilidad por los hombres apuestos, la verdad es que mi ayudante tuvo donde elegir...

—¿Y no es en el Pub donde nos ha dicho usted que hay tanta rotación de camareros?

Berganza asiente. Rodero se dirige ahora a T:

—Bueno, ahí tienes un buen contacto..., a ver qué tal están tus dotes de seducción...

EN EL INFIERNO

El Pub está en lo bajo de una de las dos únicas calles paralelas del lugar, en realidad una cuesta limitada por casonas de pizarra en bloque, algunas adornadas con geranios colgantes que refulgen al último sol de la tarde. Empieza a refrescar; P mete las manos en los bolsillos mientras baja haciendo equilibrios sobre las irregularidades del empedrado.

Ya desde lo alto se distingue una luz y dos largos asientos de madera sin desbastar que flanquean la puerta del local. En torno a ellos están reunidos varios veinteañeros, la mayoría con el cabello teñido de colores. Beben cerveza de la botella y hablan en voz muy alta con su particular entonación, sentados en los asientos o apoyados sobre los dos coches aparcados enfrente, uno de ellos con todas las puertas abiertas. La figura de P bajando en la umbría de la calle no se hace notar hasta que llega a unos pocos metros, enmascarado el sonido de sus pasos por la música que sale del coche, un irreconocible rock duro de acento local. Los reunidos miran un momento a ver quién se acerca y se desentienden de inmediato, pero la conversación que mantenían se ha apagado completamente cuando P llega a su altura. Silencio sobre la música; olor a marihuana; nadie mira a los ojos de P; sí se retiran varios pies para dejarle paso por la estrecha acera, entre el banco y los coches. P da las gracias al aire y empuja el portón para adentrarse en una suerte de *night club* rural.

Luz escasa, paredes y techo rosa fucsia, estufa de leña encendida, farolillos de papel, una cabeza de jabalí colgando boca abajo de una viga, con las fauces abiertas hacia el suelo. Se oyen voces mezcladas y música a volumen considerable, *Don't go 'round tonight / 'Cause is bound to save your life / There's a bad moon on the rise.* A la izquierda, caos de pequeñas mesas redondas y nebulosa de sillas ocupadas por doce, quince jóvenes, sólo tres de ellos chicas, que miran a P lo justo para identificarlo como «el forastero que llegó ayer» y volver a sus conversaciones. A la derecha, barra con franja de acolchado negra y taburetes florecientes en jirones de espuma verde. Cuatro o cinco parroquianos de edad apostados entre ellos.

P se asocia a un taburete en el extremo más cercano a la puerta y saluda a los dos hombres que le quedan al lado, campesinos cincuentones que beben vino con sifón y no responden al saludo. La encargada de servir las bebidas es una morena de treinta y muchos que hace crucigramas sentada en un taburete tras el mostrador, al otro extremo. No se levanta hasta terminar de apuntar algo sin mucha prisa: «¿Qué te pongo, forastero?». Minifalda tejana sobre leotardos negros, caderas estrechas, grandísimos pechos caídos bajo el jersey negro de cuello redondo; facciones no muy agraciadas, asimétricas, nariz bulbosa, labios finos. Sin acento local. P espera a tener su cerveza delante para ensayar una conversación con ella:

—Perdona, ¿tú tampoco debes de ser de aquí, verdad?

—No —sonrisa torcida, cáustica, suficiente—, soy una pija de la capital, ¿se nota?

—Pues no sabría decirte… Yo también soy de allí.

—Ya…, tú todavía hueles a ciudad.

Sin duda es la ex publicitaria. Sonrisa de P.

—¿Llevas mucho tiempo por aquí?

—Diecisiete meses. Lo suficiente para haber absorbido el tufo a leña del pueblo.

P le ríe la gracia.

—¿Y ya has conseguido que te saluden?

—Bueno, no todos son tan bordes como parecen, hay dos o tres que se salvan. Pero tienes que darles tiempo, llegaste anoche.

—¿Cómo lo sabes?

Otra vez la sonrisa suficiente.

—Llevabas esa misma chaqueta tejana que todavía huele a colonia cara y con la que acabarás congelándote, el Robocop te vio bajar del autocar. Entraste en el bar de los soportales, le pediste un cortado a la Susi y te fuiste a dormir al hostal. Esta mañana has estado merodeando por todo el pueblo; a la una has comido pollo en el Consorcio y te ha gustado mucho, eso dice la Nieves. Después te has acercado a la cabina de teléfonos, pero como no funciona te has vuelto al hostal y que yo sepa no se te ha vuelto a ver hasta hace un rato, cuando has intentado entrar en la iglesia y te la has encontrado cerrada.

—¿Hay cámaras de vigilancia, o es que no viene nunca ningún forastero?

—Vienen pocos, y cuando vienen suelen traer problemas. Dice la Heidi que buscas trabajo…, y que entiendes el inglés…, y, bueno…, dice más cosas… Si es verdad lo del trabajo no te aconsejo que pierdas el tiempo, mejor toma el autocar de la mañana y vete bien lejos, aquí sólo aterrizan ex yonquis, ex delincuentes y ex gente rara de toda especie, pero siempre insolventes.

—Pues tú no pareces muy yonqui que digamos…

—Gracias pero no preguntes, todos tenemos un pasado… Además yo soy mujer, y las mujeres damos menos problemas. Bueno, menos la Heidi cuando mama, pero es la forastera más antigua y tiene bula… La cuestión es que a los de aquí les gusta que en los bares les sirvan mujeres, a ser posible pijas de la capital en edad fértil, así que siempre importan a alguna y las vísperas de fiesta lo celebran humillándola… —se detiene un momento y sonríe, esta vez sin tanta socarronería—. Bueno, no me hagas mucho caso, creo que estoy empezando a desquiciarme…

—No…, supongo que no es fácil adaptarse…

—No lo sabes bien… A veces sueño con pasar un sábado de compras en la ciudad; ponerme sombra de ojos, y tacones, y después quedar con una amiga para tomar un suizo y enseñarle los modelitos. Estoy hasta el coño de hablar siempre con tíos, no se puede hablar de trapos con vosotros. Bueno, con el Rito sí, pero se le ve poco entre semana.

—¿Y dónde se meten las mujeres del pueblo? Debe de haberlas, ¿no?

—Las guardan en casa… No te dejes engañar por los pelos de colorines: esto es una aldea montañesa de trescientos habitantes, las lugareñas sólo van al bar cuando tienen novio, y siempre acompañadas de él. Ven el fútbol, hacen bulto en las partidas de dominó, y celebran con risitas nerviosas cualquier exhibición de testosterona en sangre que hagan sus machos. Básicamente se comportan como *cheer leaders*, aunque las plumas de colores las llevan ellos —hace un gesto alusivo a los peinados punkis.

—Es verdad, he visto más pelos de colores en un día que en toda mi vida.

Ella ríe, otra vez de medio lado.

—Es su manera de parecer modernos, el día que se enteren de que Sid Vicious se murió les dará un soponcio… —Pausa, mira a P de arriba abajo—. Bueno, cuéntame tú algo, ¿cómo se te ha ocurrido aterrizar por aquí?, yonqui tampoco pareces, y no tienes modales de delincuente común. ¿Falsificador?, ¿homosexual expulsado del armario?, ¿maquinador para alterar el precio de las cosas?…

—Sería largo de explicar. Por el momento es verdad que busco trabajo… En el matadero, o en cualquier parte.

Gesto de incredulidad de ella.

—¿Tan difícil te parece? —pregunta él.

—Hay trabajo de sobra, pero no te lo darán si no te conocen. Y ni se te ocurra enseñar un currículum, pueden creer que les estás poniendo una multa.

—Ya… ¿Y tardan mucho en conocer a alguien?

—Depende. Si les caes en gracia bastan unos días para que te toleren. Si no…, bueno, en el peor de los casos pueden suicidarte desde lo alto del Horlá, no serías el primero. Un consejo: si de verdad quieres quedarte no deberías parecer más moderno que ellos. Para empezar llevas el pelo demasiado normal, como los viejos, esa moda todavía no ha llegado aquí. Bueno, el francés también lo lleva corto, pero al menos se lo ha decolorado, y además él también tiene bula porque vino de veterinario, directo al matadero…

—Puedo ponerme un collar de perro y unos imperdibles…

—No es mala idea… Pero sobre todo no deberías sonreír mucho, se nota que te has cepillado los dientes tres veces al día desde niño.

—Pues me los cepillo sólo por las mañanas, no me gusta el sabor de los dentífricos.

—A mí tampoco, deberían hacerlos con sabor a café con leche.

P sonríe.

—Oye, me llamo Pedro.

—Yo Cristina, pero aquí soy «la pija del Pub». Como ves son la mar de imaginativos con los motes. Desde luego lo mejor que puedes hacer es largarte de aquí cuanto antes, ya te lo he dicho, pero mientras te decides pásate por aquí de vez en cuando. Se agradece hablar con alguien que no se cague en Dios a cada comienzo y final de frase, aunque no sea de trapos.

En ese momento entra en el local el Nexus 6 de Combate que P ha visto sobre el tractor por la mañana. Se ha cambiado la camiseta de Maradona por otra negra con una portada de Iron Maiden estampada. Su cresta arapahoe está ahora bien tiesa y brillante de gomina; es aún más alto de lo que parecía sobre el tractor, tiene anchas espaldas y miembros largos y fibrosos. Aparece alzando el puño izquierdo, se planta en medio del local y aúlla con voz estentórea. Varios de los pelos-de-colores que están entre las mesas responden al saludo de la misma manera, alzando el puño y gritando. Después el Nexus se acerca a la barra, mira un momento a P y su cerveza y se dirige a la camarera con fortísimo acento local:

—A ver, chocho, échame algo que vengo con sed.

Sonrisa de medio lado de ella:

—¡Qué inesperado placer!, ¿quizá un oporto para el señor?

—A mí me pones bebida de hombres, cagüendiós…

P se fija en el tatuaje que lleva el tipo en el antebrazo. ¿Podría ser una flor de estramonio…?

EN EL MUNDO

Siempre a instancias de Rodero, Berganza sigue repasando sus notas manuscritas.

—Y en esta misma línea de tendencia a la verborrea, tenemos sobre todo a un tal Blas Montero Salas, más conocido como Betoven, ya les he hablado de él: el de Guy de Maupassant... Inconfundible, parece un einstein con melenas y bigote; bancario jubilado, separado de su mujer desde el 90, un hijo al que no ve desde hace años... Es igual de extravagante que el resto de los que han ido a parar allí pero bastante más ilustrado; le gusta gusta beber güisqui y chismorrear con el primero dispuesto a escucharlo. Llegamos al extremo de evitarlo, era capaz de tenernos entretenidos con naderías durante horas, pero puede ser interesante si uno dispone de tiempo.

—A ése sí lo conocí —dice el comisario, que desde hace un rato parece algo más interesado en la reunión—, tomamos un café en uno de los bares y me estuvo explicando no sé qué historia de los buenos y los malos...

—Sí —dice Berganza—, según él la humanidad se divide en un noventa y dos cincos por ciento..., los buenos, los malos y los normales...

EN EL INFIERNO

Es casi medianoche cuando P vuelve hacia el hostal. El bar de los soportales está todavía abierto y entra a tomar la penúltima. Adentro, varios jóvenes pelos-de-colores en las mesas, la Dama de la Taberna fregando vasos; de pie al otro lado de la barra, el einstein de bigotes amarillos con su bolso de mano ligado a la muñeca. P lo saluda y el einstein devuelve la cortesía en voz muy alta: «Buenas noches, joven». Ni acento local ni mirada huidiza: «Susi, ponme otro coñac con sifón, haz el favor». P aprovecha que la Dama de la Taberna se acerca lentamente para pedirle una cerveza. Ella le dedica una sonrisa de saludo.

—Así que tenemos a un forastero en el lugar… —dice Einstein— ¿Y ha de quedarse usted mucho tiempo por aquí?

—Pues no lo sé… Busco trabajo, si lo encuentro me quedaré al menos una temporada.

—Qué barbaridad, ¿y no se le ocurre mejor sitio para buscar trabajo?, no parece usted sufrir ninguna oligofrenia grave…

P busca en el bolsillo para pagar.

—Digamos que me gusta el aire puro. ¿Puedo invitarlo a la copa?

—Muy amable, pero que sea la próxima, si no le importa. El coñac con sifón me lo fía la Susi hasta final de mes, pero lo que me apetece de verdad es un güisqui, y eso hay que pagárselo en el acto. Ya ve usted en qué penoso estado financiero me encuentro a mis años…

—Todos hemos pasado malas rachas.

—¿Así que le gusta el aire puro? Bueno, durante años tuvimos a un ermitaño en la nuca del Horlá. Ya sabrá usted que el Horlá es esa cima de ahí delante…, le da nombre al pueblo, al río, a la comarca y hasta a un célebre relato —silencio expectante.

—¿*El Horla* de Maupassant?

—Ah, excelente… No sabe usted lo difícil que es hilvanar una conversación decente con estos cafres, será un placer charlar con usted siempre que le apetezca invitarme. Verá, una de mis teorías que no tengo inconveniente en adelantarle postula que Guy de Maupassant viajó por esta zona poco antes de volverse loco. Naturalmente la narración de *El Horlá* discurre a orillas del Sena, pero el nombre de su ser invisible es el de nuestra montaña, no me cabe duda. ¿Conoce usted a los realistas franceses?

—De paso.

—No importa, en cualquier caso le aconsejo que se marche de aquí en el autocar de la mañana, no todo el mundo resiste el influjo de estas montañas.

—¿De verdad? Pues a mí me parece que me van a sentar bien…

—Joven, este lugar no le sienta bien a nadie que no haya nacido y crecido aquí. Es decir, a nadie que conozca otra cosa. Esto es el purgatorio, todo el que llega está cumpliendo condena, la única duda es cuánto va a durar. Yo llevo aquí diez años, y desgraciadamente sé que ya no saldré jamás con vida.

—Bueno, puede que yo no tenga tantos pecados que purgar…

—No confíe en eso. No voy a preguntarle por su pasado, pero le diré que no sólo cumplen condena los malos, también la cumplen los buenos. Y la bondad es casi el peor de los pecados, sobre todo porque tiene una fama excelente.

—Eso casi parece un epigrama... ¿También pasó por aquí Oscar Wilde?

—Vaya, también tiene usted sentido del humor..., lo felicito sinceramente. No, ése cumplió condena en Riding, y no por lo que generalmente se dice... Pero un hombre cultivado como usted entenderá perfectamente otra de mis teorías —hace una pausa para sorber coñac con sifón—. Verá, según todas mis observaciones, la humanidad se divide en un 90, un 5, y otro 5 por ciento. El primer cinco por ciento de los humanos son crueles y egoístas, los llamaremos «los malos». El otro cinco por ciento esta formado por los cándidos y abnegados, los llamaremos «los buenos». Y el 90 por ciento restante no son ni buenos ni malos: a éstos los llamaremos «los normales». Bien, pues todos los problemas del mundo los causan los buenos y los malos involucrando a los demás en sus trifulcas... Pero discúlpeme, yo suelo hablar mucho, ¿le molesta a usted que le hablen mucho?

—No..., le agradezco la conversación.

—Bien, entonces le diré que si sólo existieran los malos y los normales simplemente el 95 por ciento de la población viviría esclavizada por los primeros, eso sería todo. Sabrá usted que el hombre común es perfectamente capaz de adaptarse a la esclavitud, igual que es capaz de adaptarse al clima adverso, a las epidemias o a la pobreza, y después de todo no resultaría tan enojoso mantener a cuerpo de rey a tan sólo un cinco por ciento de la población, ¿no le parece?, tocaría a muy poco esfuerzo *per capita*...

—Es posible. Pero si los normales pueden soportar a los malos, con más facilidad podrían soportar a los buenos, y ni siquiera les haría falta vivir esclavizados. ¿No dice eso algo en favor de los buenos?

—De ninguna manera, joven. Ustedes los buenos están tan obcecados en su papel de salvadores de almas que, si de pronto desaparecieran todos los malos, tomarían al peor cinco por ciento de los normales y los convertirían en sus nuevos enemigos. En cualquier grupo en el que integre usted a un hombre bueno siempre encontrará a alguien contra quien enarbolar la bandera de la bondad. Al malo le hace feliz esclavizar al prójimo, pero el bueno tiende con la misma intensidad a reprimirlo, lo cual es al menos tan desesperante como lo otro —trago al coñac con sifón para celebrar el razonamiento—. ¿Sabe usted algo de magnetismo?

—No mucho… Pero si no es preguntar demasiado, ¿es usted bueno, malo o normal?

—Yo soy un viejo bebedor y lujurioso, como Maupassant… ¿Sabía usted que el muy libertino presumía de poder completar diez cópulas en una noche? Yo nunca llegué a tanto, para qué nos vamos a engañar, pero tuve mis momentos… En fin, respondiendo a su pregunta, pertenezco al grupo de los normales: vivo y dejo vivir. Así que soy razonablemente feliz aquí, lo único que me pesa es que a mis años quizá nunca más volveré a hacer el monstruo de dos espaldas. Mi mujer me dejó hace años, ya no puedo resultarle atractivo a ninguna otra que no esté completamente loca y, en cuanto a las de pago, simplemente no me las puedo permitir. Así que sólo me queda beber y jugar a los cinco contra el calvo.

Desde una concurrida mesa del fondo en la que varios adolescentes discuten, se alza la voz de un joven con el pelo azul:

—Hey, Betoven, ¿verdad que un coche pesa menos cuando va muy rápido?

El viejo se vuelve hacia la voz:

—¿Tú eres tonto, o qué te pasa? El peso es el producto de la masa por la aceleración de la gravedad, ¿me quieres explicar qué tiene que ver con eso la velocidad del coche? —vuelve a hablarle a P, de nuevo con voz templada—: Como ve no son muy listos, aunque la verdad es que prefiero tratar con ellos que con los de mi edad…

—En el caso de un automóvil en movimiento ¿no deberían considerarse las cargas aerodinámicas, que bien pueden resultar negativas…?

—Madre de Dios, sólo faltaría confundirlos con cargas aerodinámicas negativas…, a estos les viene justo para leer y escribir… En cualquier caso ya veo que va a ser usted un buen interlocutor. Me llamo Blas, bancario jubilado y autodidacta en todo lo demás, pero estos mocosos a medio alfabetizar me llaman Betoven. Es un chiste de aldeanos, Ludwig *Blas* Beethoven… Figúrese usted, un Beethoven con bigote… Aquí todo el mundo tiene mote, ya se dará usted cuenta, y frecuentemente más largo que su nombre verdadero.

—Yo me llamo Pedro. Bueno, de momento…

—Ah, muy apropiado, Pedro el Grande…: «Llevó ceñida al pecho la banda de todas las virtudes», creo que fue Dante el que le dedicó el elogio. Dígame, ¿le gusta a usted andar con maricones?

—Pues…, no especialmente.

—Lástima, de lo contrario habría quien le diera trabajo enseguida, el pueblo dispone de un pequeño *lobby* homosexual muy solidario. Pero a cambio hará buenas migas con la Susi, ella también pertenece al cinco por ciento de los buenos, aunque con los años ha aprendido a no meterse en líos. Ya le contaré algún día… De todas maneras, permítame reiterar mi consejo, a menos que lo ande buscando la mafia calabresa, más le valdría marcharse de aquí en el autocar de la mañana… Eeeeh, ¿cree usted que podría pedirle a la Susi ese güisqui que me ha ofrecido usted antes?, si se lo pido yo no me lo servirá.

★ ★ ★

Media tarde, P entra en el bar del Consorcio Ganadero a por tabaco. El local está en penumbra, adormecido entre las horas de la comida y la cena. Dos mesas ocupadas por viejos jugando al dominó; nadie en la barra, la puerta del almacén abierta al fondo del local.

P se acoda a esperar mirando en escorzo la pantalla de televisor que cuelga del techo. El volumen está anulado, pero le llama la atención la imagen, parecen las torres gemelas del World Trade Center en Manhattan. Da unos pasos para situarse de frente a la pantalla: las torres humean, en plano continuo, fijo, el doble prisma de las torres humea sin fin y debajo han puesto un aviso absurdo: DIRECTO NUEVA YORK, apenas legible por la mala calidad de la imagen. P busca el periódico nacional sobre la barra y lee los titulares de portada. Nada sobre Nueva York. Sin embargo las torres humean en la pantalla. ¿Un incendio doble?

Sale del almacén Caperucita Encinta y le dice «hola».

—Hola… Oye, qué es eso de la tele, ¿ha pasado algo en Nueva York?

—Sí, dos aviones que se han estrellado contra las torres esas. Llevan un buen rato así. La gente se ha tirado por las ventanas para no abrasarse vivos.

—¿Dos aviones?, ¿dos? —gesto con dos dedos.

—Dos. Y otro ha caído en el Pentágono. Y dicen que

van a estrellarse cuatro o cinco más, debe de ser una especie de guerra. ¿Qué te pongo?

P titubea, por un momento no se acuerda de lo que ha venido a buscar. Ha llegado el diluvio, la hecatombe, el gran ataque alienígena.

Se oyen pasos subiendo la escalera y tanto P como Caperucita se vuelven hacia el ruido. La puerta de cristal se abre y aparece el Rito con sus pantalones ceñidos de cuero sintético y el cabello azabache formándole un enorme maremoto sobre la frente. Cruza exageradamente los pies al caminar; se viene hacia la barra y mira a P: «Huy, el forastero», murmura para sí mismo; luego sonríe enseñando un diente mellado y dice «Hola, forastero». P saluda; el otro se va para la barra, entra en ella, le da dos besos a Caperucita y le habla: «¿Has visto lo de esa pobre gente?, te lo juro que no he podido dormir ni la siesta». Luego mira otra vez a P, se queda inmóvil con una mano en el pecho, parpadea y dice «Qué te pongo, forastero». P contesta que sólo quiere cambio para tabaco. «Pues yo te doy cambio enseguida, faltaría más». Toma el billete de cinco euros, abre la caja registradora, *cling*, busca monedas, suspira mirando a Caperucita, «Oy, que me gustan los hombres guapos…». Caperucita sonríe alternando la mirada con P: parece querer indicar que no debe sentirse incómodo, que es sólo una broma sin mala intención. El Rito vuelve a llevarse una mano al pecho: «Uf, qué sofoco me ha dao». «Venga, Rito, que te veo muy revolucionado esta tarde», dice Caperucita poniéndose en movimiento. P acepta las bromas con la mejor sonrisa que le sale, «Gracias…, Rito», dice al recibir de su mano el cambio, «Un placer, forastero», contesta el otro mostrando su incisivo partido.

P sale del Consorcio alterado. El Pub ya debe de estar abierto pero allí no hay televisor. En el hostal estará apagado, y en el bar de los soportales seguramente la Susi tendrá sintonizada la telenovela de la cadena nacional. P no tiene aparato de radio, ni teléfono, ni acceso a Internet. Pasando ante la iglesia se para un momento junto a la cabina. Si funcionara sería capaz de recordar el número del Instituto en Manhattan, y es buena hora para llamar, once de la mañana en la Costa Este. Eso suponiendo que las líneas no estuvieran colapsadas. Y suponiendo también que el llamar al Instituto tuviera alguna justificación racional. Todo ello si la cabina funcionara…

Un relámpago enciende la cara del Horlá; dos segundos después truena enérgicamente. P se apresura camino del pub, antes de que la lluvia lo sorprenda. Quizá la pija del pub sabe qué está pasando en el mundo.

★ ★ ★

Noche. Bar de los soportales. Betoven bebiendo coñac con sifón. Entra P.

—¡Hombre!, cuánto bueno. Mi amigo Pedro el Grande, estaba a punto de pedir un güisqui a su salud. Hay que celebrar que ha resistido una semana entera en el Horlá, mucho más de lo que aguanta la mayoría. Hace un momento hablábamos de eso con la Heidi. ¿Ya conoce a la Heidi, supongo, la rubia alta, de ojos azules?

—Me parece que me la encontré el otro día limpiando cristales. Y la verdad es que no fue muy amable conmigo.

—Era la Heidi, sin duda, aunque la falta de amabilidad no es precisamente su peor defecto. En realidad es noruega, pero Suiza hace frontera alfabética con Suecia, que a su vez hace frontera geográfica con Noruega, así que en el imaginario popular el nombre de un personaje suizo bien puede adjudicársele a una sueca, aunque en realidad sea noruega. En fin, el caso es que nuestra Heidi se plantó aquí un buen día, como usted, pero ella sólo hablaba inglés y noruego. Hace unos veinticinco años de eso, se dice que es la forastera más antigua del lugar. La última me parece que es la pija del Pub, llegó el año pasado, si no recuerdo mal.

—También la conocí el otro día. Y no parece estar muy a gusto en el pueblo…

—Bah, le pasa lo que a Madame Bovary, que quería a la vez morirse y marcharse a vivir a París… Ésta oscila entre lo uno y lo otro según su disponibilidad de cocaína. Pero otro día hablamos de ella, hoy prefiero contarle que nuestra Heidi noruega mantiene la interesante teoría de que es usted policía y que está aquí por lo del matadero. Eso coincide con su inexplicable interés por trabajar allí, desde luego, pero yo manejo otra hipótesis acerca de usted. Ya se la contaré un día de estos.

P bebe cerveza antes de hablar.

—¿Y pasa algo en el matadero para que tengan que enviar a policías secretos?

—Muchas cosas, pero sobre todo una. Salió en los periódicos, aunque desde luego no lo contaban todo. Resumiendo: una mañana encontraron a una mujer despiezada como un cerdo, hace cosa de seis meses. Figúrese… Incluso enviaron a un mandamás de la capital, un comisario principal que taladraba con la mirada, precisamente estuvo aquí tomando un café y tuve ocasión de charlar con él. Y durante días anduvieron también por aquí una pareja de policías de paisano, haciéndole preguntas a todo el mundo…, un tal Berganza, de la Provincial, con su ayudante… Pero aquí nadie cuenta nada que no sea obvio, ni siquiera yo, repare en que todo lo que le explico podría usted saberlo de mil otras maneras… Incluso lo de la afición a la cocaína de Madame Bovary, verá como no tardará en preguntarle a usted si puede invitarla a una raya.

282

En fin…, caso de que la Heidi tenga razón usted no me lo dirá, naturalmente, pero tampoco tengo nada que temer de la policía, soy un simple dipsómano jubilado, eso es todo… Por cierto, ¿sabe que en el Horlá nunca hubo policía, ni guardia civil, ni destacamento del ejército? Claro que de vez en cuando sube la patrulla del valle, pero yo creo que es sólo por ver si todavía no nos hemos devorado los unos a los otros. Entran en coche por la calle Mayor, dan la vuelta delante de la iglesia y se van. Y en invierno, con la niebla y hielo en la carretera, pueden pasar meses sin que aparezcan; de hecho ni siquiera pisan el pueblo cuando alguien se tira desde el Horlá, les basta con ir a recogerlo 1.000 metros más abajo, en la hayeda.

—Trago al coñac con sifón.

—¿Tanta gente se suicida tirándose del Horlá?

—Desde que yo vivo aquí van siete, juzgue usted mismo. La última era vecina mía, precisamente trabajaba en el Pub antes que Madame Bovary; una muchacha muy agradable… Pero otros vienen de lejos para matarse justamente aquí. Por lo visto a la gente no le basta con conectar una manguera al tubo de escape y respirar monóxido de carbono, prefieren algo más espectacular, una especie de minuto final de gloria. Desde luego si yo me viera obligado a suicidarme me decidiría por la manguera en el escape… Aparte de ser un método indoloro puede ser muy cómodo si uno alquila para la ocasión un Bentley con mueble bar; como una vez usado no hay que pagarlo… Claro que el que no sabe encontrarle placer a la vida probablemente tampoco sabe encontrárselo a la muerte, supongo que un suicida *bon vivant* resultaría una suerte de contrasentido, ¿no le parece? La cuestión es que ni siquiera los suicidas entran en el pueblo: siguen por la carretera, rodean el Horlá y saltan. A veces con coche y todo, aquello de abajo pa-

rece un desguace. Así que vivimos en una pequeña isla de olvido, que es a lo que yo venía a referirme: una laguna del sistema…, o una charca más bien. Ver el telediario aquí es lo mismo que ver una serie de ciencia ficción, ya se dará usted cuenta si resiste lo suficiente. Bueno, ya ha visto el caso que le han hecho a lo de Nueva York… El otro día el cafre del Boing decía que también en el valle se incendió un hotel y no lo sacaron tantas veces por televisión. Y eso que el Boing estudia…
—Coñac.

—Bueno, Nueva York queda un poco lejos…

—Pues sí, bien mirado la Historia nunca llega aquí del todo, y lo que llega viene siempre con retraso. Excepto para los forasteros, que curiosamente quedan detenidos exactamente en el momento de su llegada. Aunque eso también tiene una excepción: la Susi, no sé cómo se las arregla para parecer una mujer de su tiempo… Pero por ejemplo la Heidi está congelada en algún lugar de los años 70, en cuanto se emborracha empieza a hablar de Marcuse, de revistas universitarias impregnadas de LSD y de un viaje que hizo a California con su primer novio, un noruego guapísimo y riquísimo, según cuenta. También dice que nunca en su vida ha usado un condón ni piensa hacerlo, según ella el sida es una patraña de la sociedad de consumo reaccionaria… Por cierto, me ha dicho otra cosa de usted, lo digo por si le interesa. Dice que no le importaría echarle un polvo. La verdad es que tiene usted buena planta, si yo tuviera su planta otro gallo me cantaría, aunque para serle sincero no estoy seguro de si recomendarle el asunto de la jodienda con la Heidi. —Coñac.

—¿Por? No es que sea mi tipo, pero nunca se sabe…

—Bueno, San Martín se la llevó una vez a su casa y siempre dice que todavía le duele la polla, así mismo lo dice, y debe de ser verdad porque cuando se acuerda se lleva la mano a la bragueta y se le pone cara de aprensión. San Martín es el matarife del matadero, así que ya se imaginará de qué le viene el mote: «A cada cerdo…».

—¿Lo conozco?

—Seguro, suele comer en el Consorcio, con el carnicero y el curita. Es el que tiene una cicatriz que le cruza todo el ojo. Bueno, en general tiene los ojos raros, uno de ellos parece que esté muerto, pero no es siempre el mismo. Él explica que con uno ve de día y con el otro ve de noche, y no me extrañaría que fuera verdad. Desde luego no es mal tipo; tiene la cara como un mapa de Escocia y los modales de un ladrón de cadáveres, pero de vez en cuando invita a un güisqui, cuando cobra… Tampoco es de aquí, naturalmente, llegó hace seis o siete años, y estoy seguro de que ha estado en la cárcel, por los lunares que lleva tatuados en la mano… Una vez le pregunté y me dijo que no preguntara… Lo que sí parece seguro es que se ha encoñado de una chica del Kingdom, nuestro burdel de referencia, a unos treinta o cuarenta kilómetros camino de Santa María de Argos. Va cada dos o tres meses con el Robocop porque él no tiene carné de conducir… ¿Sabe usted quién es el Robocop?, uno que está siempre ahí afuera en la terraza, con pantalones cortos y botas militares.

—Ya… Es la primera persona que me encontré al bajar del autocar la noche que llegué. Todo el mundo estaba dentro viendo el fútbol; llovía, hacía frío, y el tipo estaba allí sentado tomando cerveza… Era la estampa misma del aislamiento.

—«Aislamiento», ésa es precisamente la palabra que nos define a todos. Esto es un mundo aparte, ya se dará usted cuenta… ¿Ha visto el reloj del campanario?, no hay algoritmo matemático capaz de explicar cómo funciona.

¿O sabe usted que en esta parroquia la misa la da un televisor puesto sobre el altar? —Coñac.

—¿En serio?

—Como lo oye. No es que no tengamos cura: lo tenemos, sin duda lo habrá visto usted pegado al carnicero, pero ahora ejerce como su ayudante.

—¿El carnicero es ese grandote que parece un ogro?

—Ese.

—¿Y el cura el que parece el Sastrecillo Valiente?

—¿Sabe que tiene usted talento para los motes? Pero a estos los llamamos simplemente el curita y el carnicero, supongo que porque nadie se atreve a llamarlos de otra manera, al menos al carnicero. La cosa es que comparten carnicería, casa y a veces cama, así que pueden considerarse una pareja estable. Bueno, en realidad son tres los que viven juntos, es nuestro modesto *lobby* homosexual. ¿Conoce usted al Rito?, uno con mucha pluma; bueno, cuando quiere… Es otro de los forasteros antiguos, le viene el mote por Rita Hayworth desde que el carnicero lo abofeteó en público porque había estado bailando sobre la barra del Consorcio. No es que no sea costumbre bailar en la barra del Consorcio, un sábado por la noche puede pasar allí cualquier cosa, una vez vino la patrulla a las cuatro de la mañana y no se les ocurrió otra cosa que tratar de desalojar el local en cumplimiento de no sé qué normas de horarios, así que la parroquia empezó a desalojar literalmente, tirando las mesas por la ventana contra el coche celular, lo cual explica que ahora las mesas sean de hierro y mármol y no haya manera de levantarlas. La cuestión es que lo que sacó al carnicero de sus casillas fue la actitud procaz del Rito… Bueno, y quizá algo más de lo que nadie habla… En cualquier caso, yo no estaba presente, pero conociendo al Rito me imagino que debía de contonearse como una pollita del Kingdom, así que el carnicero lo bajó de la barra a empujones y cuando lo tuvo en el suelo le dio un guantazo con toda su alma y la mano del revés. Si se fija usted verá que al Rito le falta casi la totalidad de un diente incisivo y que el carnicero conserva su alianza de casado, algunos dicen que porque ya no le sale de esos dedazos que tiene que parecen morcillas. Desde luego es un tipo expeditivo, no cabe duda…; su todavía esposa legal filtró la especie de que él le pegaba, pero él lo niega siempre con mucha vehemencia, y aunque todos lo vieron volverle la cara del revés al Rito no es hombre de tirar la piedra y esconder la mano, como bien demuestra su historia… —Coñac.

—Ah… ¿Tiene más historia aún?

—Es pública y notoria. ¿Le interesa?

—Bueno, todavía nos queda bebida en el vaso…

—En realidad es de los pocos personajes pintorescos nacidos aquí, la mayoría son gente tímida, ocupada en sus propios asuntos, el campo, las granjas de cerdos… Y así era el carnicero, un aldeano trabajador que no había salido nunca del pueblo, ni siquiera para hacer el servicio militar porque era hijo de viuda. Se casó tarde, pasada la cuarentena, pero eso es bastante normal aquí porque escasean las mujeres. Nunca tuvieron hijos, ciertamente, pero por lo demás todo parecía irle bien con su mujer hasta que un día, ya cincuentón, tuvo unas palabras con ella. No se sabe a qué vino la bronca, pero sí que montaron una escandalera que despertó a los vecinos, y que aquella misma noche el carnicero salió a la calle con lo puesto, se subió a su 4L del año de la Catapún y desapareció. —Trago al coñac—. Se llegó a pensar que ya no volvería, pero ya ve usted que volvió. Al cabo de un mes, o poco más. Y lo bueno es que volvió con el Rito, en ese Golf descapotable que todavía tienen y que por aquel entonces era nuevo de trinca, todo lo cual causó gran sensación, figúrese usted, y no se crea que aquí nos sorprendemos de cualquier cosa. —Coñac.

—¿Y el cura?

—Éste apareció en escena años más tarde, no hace tanto de eso…, el Rito cuenta que se los encontró un día en la cama, pero ese asunto merecería capítulo aparte. El caso es que desde hace tiempo conviven en trío, extremo que ninguno de los tres oculta, de lo contrario no me tomaría la libertad de contárselo a usted, y la prueba es que me callo otros detalles suculentos que conozco gracias a mis conversaciones privadas con el carnicero, que suele beber y hablar cuando está deprimido, y además no es tacaño, así que hemos pasado algún rato compartiendo barra y güisqui, aquí mismo, o en el Consorcio. —Coñac con sifón—. Pero yo le estaba contando otra cosa… Ah sí, el televisor sobre el altar… Pues no es que el televisor transmita una misa grabada, es…

Entra en el bar el matarife de la cicatriz y el pelo azul. Betoven lo saluda desde lejos.

—Hombre, San Martín, ahora hablábamos de ti, ven que te presento al forastero. Se llama Pedro, Pedro el Grande para abreviar. Buen tipo.

San Martín no parece hacerle caso a Betoven, pero de todas maneras se va hacia él y lo coge del pescuezo.

—Cagüendiós, Betoven, ¿ya estás largando?

Luego se vuelve a P con la mano en espera de ser chocada.

—No lo invites mucho a güisqui que luego se acostumbra —le dice; sus ojos son efectivamente extraños, un poco bizcos, el del lado de la cicatriz más vivo y brillante—. Susi, ponme un quinto, haz el favor, y échale a este hombre lo que quiera; al Betoven ni una gota, que luego larga por los codos —se vuelve hacia Betoven y otra vez le aprieta el pescuezo y lo atrae hacia sí—. Betoven, cagüendiós, que eres un bocas…

—Oye, matarife de los cojones, a mí me invitas a güisqui o ya te puedes ir a tomar por el culo.

—Cagüendiós, Susi, ponle otro güisqui al viejo, a ver si revienta. —Se vuelve a P—: El muy hijoputa se va a caer un día subiendo las escaleras de su casa, nos lo encontraremos tieso por la mañana. —Se agarra el paquete genital—: Me voy a mear. Susi, me pones el quinto o qué cojones pasa. —Se va al lavabo.

Betoven alza su vaso de tubo casi agotado.

—¿Se hace una idea del tipo?

—Aproximada.

—A las seis o siete cervezas se relaja y se va a su casa a dormir. Trabaja seis días a la semana y se levanta temprano, es cumplidor, no crea que es fácil llegar a matarife, y hay que superar un cupo de producción para empezar a ganarse bien la vida. Su mínimo diario son 200 puercos, juuuuic —gesto de degüello—, tendría que verlo manejar un cuchillo… Pero fuera de eso se limita a hacerse respetar, y para eso casi le basta con la cara, así que no le da por meterse con nadie. El verdaderamente peligroso es el Malacaín, y dese cuenta de que el mote no es nunca gratuito, desde niño decían de él que era más malo que Caín… Ése sí que puede liársela en cualquier momento, pero sólo si ha bebido, sobre todo si ha bebido hierbas de las suyas, cuando está sereno es un corderito hosco pero inofensivo, todo lo contrario de San Martín.

—¿Hierbas de las suyas?

—Sí, infusiones…, ya me entiende…, él y sus amigotes toman no sé qué mezclas de brujas…

—¿Lo conozco?

—Seguro, uno grandote y membrudo… También es

del pueblo, como el carnicero, hermano del Alien, el que preñó a la Nieves del Consorcio... Suele llevar una camiseta de Maradona. Dice que se la regaló él en persona, que se lo encontró una vez en un bar de Varadero y que intercambió con él la camiseta. Es verdad que se fue a Cuba con su hermano hace un par de años, supongo que cansados de acudir al Kingdom cada tres meses, aunque desde luego la historia de la camiseta es falsa, no hay más que fijarse en la talla de la prenda, a Maradona le quedaría como una bata de cola... Pero el tipo es en el fondo tan inocente que cree que nos lo creemos, y en cualquier caso nadie se atreve a contradecir a un metro noventa de especimen furioso. Ya ve que yo sólo soy un viejo borracho que no se aguanta los pedos, pero créame que una noche aquí mismo pensé que me iba a pegar porque se me ocurrió contradecirlo. Me salvó la Susi que se metió por en medio y el tipo no tuvo huevos de pegarle también a ella. Tal como se lo cuento. Tenga cuidado con él. Bueno, y tenga cuidado también con la Heidi, después de un par de cubatas puede tirarle cualquier cosa a la cabeza si se enfada con usted.

Vuelve San Martín arrugando la nariz, frotándosela con un pulgar y tragando mocos garganta abajo.

—Le estaba diciendo a mi amigo Pedro el Grande que la Heidi le quiere echar un polvo.

—Ni se te ocurra, todavía me duele la polla... A la que sí que tendrías que darle un meneo es a la pija del Pub, cagüendiós, a ver si se le quita esa risa de medio lao que gasta.

★ ★ ★

—Tú, marica, ¿vas a apartar los putos pies o qué?

P, sentado en uno de los asientos exteriores del Pub, se

mantiene en su posición a pesar del toque del pie de Malacaín sobre su propio pie. Carraspea y contesta despacio y claro.

—Oye, a mí vas a tener que hablarme bien, ¿sabes?

La vista le queda a la altura del estómago del tipo, que está de pie y de perfil a su lado izquierdo. Eso es todo lo que P necesita ver: sus manos colgando, sus piernas y un par de zonas vulnerables a las que sin duda no hará falta recurrir. Pasado más de un segundo sin reacción, ni siquiera verbal, puede inferirse que el tipo está reconsiderando la situación. Pero llegado a este punto ha de salvar los papeles ante los tres o cuatro pelos-de-colores que han seguido la escena. Finalmente sus pies retroceden y su voz truena en otra dirección.

—Habéis visto la de maricones que han salido esta noche… Cagüendiós, dame un trago para celebrarlo.

P decide no darse por aludido, pero también decide ponérselo difícil no moviéndose de allí durante un rato, si el tipo quiere entrar en el pub tendrá que pedirle permiso para pasar; o eso o rodear los coches aparcados y entrar desde el otro lado, un rodeo en el que sin duda todo el mundo repararía. Pero el Malacaín no mueve ficha y, a falta de cerveza propia, sigue bebiéndose la de sus amigos. P procura alargar su copa fumando más que bebiendo y aguanta allí un cuarto de hora pese al frío. Y una vez marcado el terreno, se levanta del banco y empuja el portalón para entrar en el local.

Calor de viernes adentro, las mesas llenas, la barra concurrida, la sempiterna cinta de la Creedence dando vueltas en el radiocasete. El francés, Hansel sin Gretel, está tomando una cerveza acodado en el mostrador y P decide instalarse a su lado. Visto de cerca aparenta unos cuarenta años, disimulados por la tersura de la piel casi imberbe y el cabello decolorado, pero bien visibles en sus ojos azules, un poco escondidos bajo los párpados abultados. Viste una llamativa camisa estampada en grandes rosas rojas, y de cerca se nota el olor de su buen perfume. P pronuncia un «buenas noches» al que el francés contesta alzando su botella y sonriendo, y hace gesto a Madame Bovary para que le rellene la copa de cerveza que trae de fuera.

—Qué tal... Nos vimos un otro día en el Consorcio —dice el francés; sus erres son marcadísimas, el sonido de zeta no existe para él, y pronuncia todas las palabras llanas como si fueran agudas.

—Sí, me acuerdo... Creo que fuiste la primera persona que me saludó con normalidad.

—Ah bueno..., al principio cuesta un poquito..., luego ya...

—Sí, supongo que sobreviviré.

—Me llamo *Henrí*, pero todos me llaman el Francés. Soy el veterinario, en el matadero.

—Pedro —entrechocan copa y botella.

—Pedro —repite el francés, pero pronuncia algo como «Pedghró»—..., ay, ay, ay, es difícil para mí —sonríe—. ¿Vienes de la ciudad?

—Sí..., de la ciudad.

—Yo soy nacido a *Tours*, e luego estuve en Amsterdam un tiempo, pero no me gustan mucho las ciudades. Hay toda una mierda de humo y ruido... Y no me gustan los animales de ciudad, esos perritos e gatitos... —se ayuda haciendo muecas de mascota faldera; P asiente.

—Ya, no parecen animales...

—Sí, eso es. A mí me gustan los animales de verdad: vacas, caballos... Por eso mejor trabajo en un matadero...

—Pero en el matadero los matan...

—Ah *oui*, los matan. Pero mi trabajo es para que estén bien, sin estrés, sin dolor... Hay que cumplir las normas e todo bien. Unos cuidan de la vida, e otros cuidamos de la muerte.

—¿Y hace mucho que andas por aquí?, tu español es muy bueno…

—Ah, no, mi acento es horrible. Pero mi papá era español. Murió cuando yo era niño…

P bebe un sorbo.

—¿Era de por esta zona?

—Ah, no, de Madrid, Carabanchel. Pero en Madrid no hay vacas… —ríe; P también—. Además aquí encontré a mi novia, ella nació aquí, e pronto vamos a tener un bebé.

—*Alors vous avez trouver ici la femme…*

—*Je espère que oui: c'est déjà le temps, à quarante années… Mais vous parlez français?*

—*Pas vraiment*, sólo imito sonidos…

Se oye un golpe fuerte, es el portón de entrada que se ha abierto de par en par de un empujón. Caen hacia adentro dos cuerpos en lucha, un barullo de brazos y piernas retorciéndose en el suelo. Uno de ellos es un bajito pelo-de-colores de los que suelen acompañar al Malacaín; el otro un tipo voluminoso al que P no conoce. En un primer momento parece que el asunto va en serio, pero el Malacaín y otros han entrado con ellos y rodean a los combatientes con aire divertido. La pija Madame Bovary interviene: «A ver, distinguidos caballeros, los combates de lucha libre afuera, gracias». Los dos tipos están ahora inmóviles en el suelo, enredados en sus propios miembros, jadeantes, agotados por el esfuerzo; se levantan con marcas enrojecidas en la cara y la ropa descompuesta. «Cagüendiós, échame de beber que le tengo que enseñar a pelear a este cabestro», dice el Malacaín. El cabestro en cuestión es el tipo voluminoso, como de dos metros y 200 kilos, con cara de niño, no debe de llegar a los 20 años. Se toca la sien enrojecida y ya un poco inflamada donde parece haber recibido un golpe. El otro, mayor en edad pero mucho más pequeño de talla, da botecitos de vencedor por puntos.

—Es como volver a la escuela —dice el francés.

—Al grandote no lo conozco.

—Lo llaman el Boing, ya te imaginas por qué… Pero todo lo que es de grande es inocente. En la semana estudia en el valle, es por eso no lo has visto antes.

—Ah, ya, Betoven me habló de él.

—El peor es el Malacaín, no tiene respeto. Y cuando bebe…, ay, ay…

—Sí, eso me han dicho.

—Fue matarife antes que San Martín…, pero ahora trabaja directo para el Propietario. A mí me hizo la vida imposible cuando llegué, con sus amigos del valle. Querían que rezara en francés, o me llamaban mariquita porque usaba *eau de cologne*… Bueno, él siempre pasa el día llamando maricón a todo el mundo, como una obsesión… Más con el uno que no se atreve es con el carnicero, nunca están más juntos en el mismo bar, cuando llega el carnicero el Malacaín sale disparado. Algo pasa entre ellos, pero con los del pueblo nunca se sabe qué…

—También me dijo Betoven que le gusta hacer experimentos con hierbas…

—Sí, eso dicen. Estramonio. ¿Tú conoces?

—Me suena, es una planta alucinógena, ¿no?

—Sí, hierba de brujas. En la Mediana Edad se hacían… cremas mágicos con grasa animal y mezcla de hierbas… A veces se ponían pomada en la vagina con un palo de escoba. Por eso la imagen de la bruja volando con la escoba…

—Ya…

—Pero también funciona en infusión, así que cuidado con lo que tú bebes si está el Malacaín por aquí…

★ ★ ★

Antes de salir del Hostal, P mete la mano en el neceser, toma el estuche de joyería que anda suelto por ahí y se lo guarda en el bolsillo de la chaqueta tejana.

Hay niebla en el exterior, una bruma que deja jirones alrededor del campanario. La mañana es fría, pero el sol promete calentar pronto. P va a tomar café y a fumar el primer cigarrillo al bar de los soportales. Charla un poco con la Susi, que cada mañana le pregunta qué tal va todo, pero él no se entretiene hoy contándole las novedades del día anterior, a quién ha conocido o a quién todavía no conoce, y tampoco quiere hablarle de sus planes para la mañana.

Al salir se encamina a la Calle del Puente, en realidad un camino que se aleja de la población siguiendo el riachuelo. Tras las últimas casitas bajas de ladrillo, mucho más humildes que las de la Calle Mayor, aparece un viejo molino en ruinas, sin tejado, con los muros maestros descarnados a lado y lado del curso que atraviesa sus bajos. Después viene un puente de piedra sobre el riachuelo y, enseguida, el cruce con un camino rural que trepa hacia el bosque sin perder anchura, suficiente para dar paso a un camión grande. Hay roderas en el piso, todavía brillante de escarcha en las zonas de umbría, y la fronda castigada por el ir y venir de las cabinas frigoríficas forma un túnel de tenue techumbre permeable al sol. P entrevé de lejos el blanco y rojo de un edificio industrial que parece anidar en la espesura como una aeronave en reposo. Se distingue entre los árboles la torreta cuadrangular con un logotipo, «Uni-Pork», también en rojo vivo sobre blanco. Llegado al final de lo que apenas es ya un camino mal asfaltado, gira a la izquierda y se encuentra dos portones abiertos. Los custodia un vigilante en su garita, que se retrepa en la silla al ver que P se acerca.

—Buenos días —dice P. El vigilante no contesta, corre primero la pequeña ventanilla de cristal para oír mejor.

—Hola —repite P—, venía a las oficinas...

El hombre se parece al viejo John Barrymore en *Qué bello es vivir*, y tiene las manos igual de deformadas por la artrosis. Mr. Potter en la Barrera. Parece contrariado, no debe de ser habitual que se presente alguien a pie, un tipo que quiere ir a las oficinas y que no parece ni representante de comercio, ni mayorista, ni inspector de sanidad.

—¿Le esperan a usted?

—Pues no, no creo que me esperen...

—¿Qué quería?

—Quería hablar con el responsable del departamento de personal.

El hombre duda, quizá porque no existe el Departamento de Personal, o quizá porque se llama de otra manera. Pero los modales de P lo convencen, la dicción, la sonrisa, una nebulosa de buenas impresiones que P sabe que irradia.

—Tendrá que dejarme su carné de identidad.

P se lo pasa a través de la ventanilla. El hombre abre un cajón, saca una libreta, mira el reloj; con la pésima letra que sale de sus manos deformadas apunta la hora, el nombre, el número... Después le devuelve a P el carné acompañado de una tarjeta con una pinza para colgar de la solapa. VISITANTE, dice la tarjeta, y P se la prende cuando John Barrymore le dice que tiene que llevarla siempre visible.

Ya superada la barrera casi todo es aparcamiento, líneas, flechas, carriles pintados sobre el asfalto muy negro; dos camiones de la empresa, un furgón, algunos coches corrientes, un Porsche negro con capota de lona blanca y llantas doradas. El edificio es una nave industrial moderna, lo más moderno que ha visto P desde hace semanas, dos pisos de altura, sin ventanas, toda ella roja y blanca, con la torreta del logotipo sobre lo que parece la entrada formal.

Al paso de P se abren las puertas acristaladas. El espacio al que accede tiene algo de lujoso al estilo de los noventa, abeto aclarado con anilinas, acero mate, lámparas halógenas y grandes sillones de rojo vivo, como coágulos de sangre. Los dos ordenadores del mostrador son de la marca Apple, P ha visto antes ese modelo, parecido a un enorme huevo translúcido, también rojo. Tras el mostrador, una empleada con el accesorio para hablar por teléfono encajado en la cabeza, casi a juego con el *piercing* que lleva clavado en la ceja. Madonna en el Matadero. P decide ser todo lo encantador que sabe.

—Buenos días —dice Madonna viéndolo acercarse.

—Buenos días, quería hablar con el responsable de personal, si es posible.

—Pues…, en este momento no se encuentra en el recinto. ¿Qué es lo que quería?

—Bueno, he sabido que hay una lista de espera de aspirantes a un empleo.

—Ya… —cara de haberlo calado al primer golpe de vista— ¿Es usted vecino de San Juan?

—Pues sí.

—Sólo se admiten solicitudes de habitantes de la comarca, con preferencia de familiares de empleados ya en plantilla…

—Bueno, yo vivo en el pueblo desde hace un tiempo.

Madonna parece no creer, pero no contradice, sólo trata de desanimar.

—No sé si sabe usted que las solicitudes tardan meses en ser aceptadas…

—Ya… ¿Muchos meses?

—A veces uno o dos años, si es que realmente encaja usted en algún puesto…

—Bueno, me interesa apuntarme de todas maneras.

Visto que el desconocido no se echa atrás, Madonna decide desembarazarse de él dándole papeles.

—Tendría que rellenar estos impresos y traerlos con un Currículum detallado y una foto.

P toma las dos hojas grapadas que le tienden, agradece, da media vuelta y sale de la recepción. No hay mucho más que hacer allí dentro.

De nuevo en el aparcamiento comprueba que está en un punto ciego tanto para Madonna como para John Barrymore en su cabina. Enciende un cigarrillo y echa a caminar siguiendo la longitud de la nave hacia el fondo del recinto. Rumor de máquinas; huele a algo, a carne cruda, a sangre. Ha superado ya la mitad del recorrido cuando desde el fondo aparece doblando la esquina un hombre con el mismo uniforme azul que John Barrymore. Camina apresurado y lleva la gorra de plato en la mano. Ya de lejos parece extrañarle la presencia de P, quien decide reforzar su aire inocente caminando con más decisión aún. Pero el guardia ha enlentecido el paso, se ha puesto la gorra y no deja de mirarlo. «Buenos días —le dice a P a dos metros—, ¿busca usted a alguien?» P se detiene y responde que sí, «al jefe de personal, me parece que está abajo», señala vagamente hacia el final de la nave. «No, disculpe —dice el guardia—, tenga usted la bondad de pasar por las oficinas, allí le informarán». «Ah, bien, gracias» dice P, y, siempre con mucha decisión, cambia el sentido de su marcha y camina detrás del guardia, que va más deprisa que él pero de vez en cuando se vuelve para comprobar que P hace lo que le han dicho. Eso obliga a P a volver a entrar en la recepción mientras el guardia sigue hacia la cabina de John Barrymore, y una vez dentro ha de acercarse de nuevo al mostrador y decirle algo a Madonna, que disimula mal su fastidio al ver entrar por segunda vez al mismo pesado.

—Perdona, ¿no tendrías una tarjeta con vuestra dirección postal?, así os podría enviar la solicitud por correo…

Madonna le da una tarjeta con una sonrisa falsa y P puede salir de allí pasando frente a John Barrymore y el otro guardia que hablan en la puerta de la cabina. Saluda con la mano, ellos contestan de la misma manera y lo vigilan con disimulo hasta verlo salir del recinto.

Más allá de la entrada al matadero, el camino que lo ha traído continúa el ascenso por la espalda gibosa del Horlá, convertido ahora en un sendero limitado por zarzales que angostan el paso. Pero han pasado por allí motocicletas todoterreno y también algún coche esporádico, a juzgar por las roderas cubiertas de hierba. Un poco más adelante, junto al camino, se erige una pequeña construcción de piedra y pizarra que parece un refugio para pastores, aunque también parece una capilla, o un panteón, sobre todo por la hornacina con una imagen de piedra porosa estragada por las heladas, sin apenas facciones en el rostro, plantada sobre un pedestal en el que se lee «Ntra. Sra. del Horlá» en pintura negra. P se acerca más y está a punto de tocar la pequeña escultura atraído por su superficie desgastada, pero alrededor del pedestal hay una orla de plástico entre cuyas hojas y pétalos descoloridos han construido sus trampas las arañas. Eso lo hace retroceder con un escalofrío de pánico; encoge el cuello entre los hombros, se toca la nuca, aprieta los puños, toda una constelación de gestos fóbicos que le sirven para desembarazarse de la horrible idea de que alguna araña puede haber saltado sobre él y estar colándose por alguna abertura de su ropa.

Sigue camino arriba, cada vez más en pendiente, hasta llegar jadeante a lo que podría ser un hombro del Horlá. La superficie es allí arriba bastante llana, rocosa, del tamaño de una cancha de baloncesto, y parece estar rodeada de cielo por todas partes menos por la que la une al cuello del gigante. En el centro del espacio hay una cruz de piedra sin inscripciones, y a su pie varios ramos de flores atados a la cruz con alambre; flores secas de meses o años.

P recorre el perímetro de la terraza natural. Hacia el sur la bajada es relativamente suave y muy forestada, apenas se alcanza a ver unas pocas casas del pueblo entre la fronda, a veinte o treinta metros en vertical. Hacia el norte el suelo de roca pelada acaba abruptamente y, cortado a pico, se pierde en una caída abismal a la que uno no se atreve a asomarse francamente. Desde allí se domina una perspectiva de siluetas montañosas superpuestas y, al fondo, muy lejos, relucen las nieves perpetuas de la gran cordillera alpina. Se entiende que sea un lugar tentador para lanzarse, basta una breve carrerilla y dar un salto al final para irse directo abajo, perder el conocimiento a medio camino y morir soñando volar.

P no se lo piensa mucho. Saca el estuche que lleva en el bolsillo, lo abre y extrae su contenido. *Jewel Zoo*, lee por última vez en el estuche de madera encerada, justo antes de dejarlo caer y verlo casi flotar hasta perderse de vista. Luego mira el anillo que ha quedado en su mano, el aguamarina azul y el pequeño diamante, más bien incrustados que engarzados sobre un lecho cuadrangular de oro blanco. Con un poco de buena voluntad se tiende a ver un asteroide azul iluminado por su sol brillante y lejano, *isn't it romantic?* P cierra el puño sobre él, retrocede unos metros para tomar impulso, da tres pasos de lanzador de jabalina hacia el abismo, y sacude un latigazo con el brazo al tiempo que abre la mano. Algo brillante sale volando primero hacia el cielo, luego se pierde sobre el azul, y por último brilla otra vez un momento, ya cayendo hacia la nada, invisible, perdido, irrecuperable.

P hace un gesto de adiós con la mano y toma el camino de bajada hacia el pueblo.

★ ★ ★

Media tarde en el pub. No hay clientes. Entra P.

—Chico, estás triunfando —dice Madame Bovary.

—¿Por?

—Bueno, has superado el primer mes, ¿no?

—No ha sido tan difícil, la verdad.

—Y además tienes buena prensa. En parte es gracias al Betoven; está chiflado, pero se le reconoce olfato para discernir entre forasteros. Te llama Pedro el Grande; claro que sus motes no suelen cuajar, a mi me llama Madame Bovary… Lo más probable es que te quedes con el que te ha puesto la Heidi: Bond, James Bond; dice que eres policía, o algo parecido… La cuestión: ¿aún buscas trabajo?

—Claro.

—¿Conoces al Sicomoro?, el que hace conmigo los turnos de noche el fin de semana…

—Sí.

—Pues le ha salido curro de empaquetador en el matadero y a partir de la semana que viene no podrá venir.

—Interesante…

—Así que le he dicho al Propietario que el forastero andaba buscando trabajo… Cosa que por otro lado él ya sabía…

—¿El Propietario…?

—El propietario de todo: del matadero, del hostal, de este bar y de media comarca…

—¿El del Porsche negro?

Madame Bovary asiente.

—¿Y qué te ha dicho?

—Que te pregunte si has trabajado alguna vez en un bar. Basta que me digas que sí y que te presentes el viernes a las cinco de la tarde. Bueno, mejor vente el jueves y te enseño cómo funciona la barraca. Como verás no hay muchos candidatos al puesto.

—¿Horarios?, ¿paga?

—Viernes, sábado y vísperas de festivos desde las cinco hasta el cierre: sobre las tres, o las cuatro, o hasta que le salga de los cojones al último borracho que quede en pie. 8 euros a la hora, sin papeles, claro. Acabarás hasta los huevos de esta gentuza, pero en los dos días te puedes sacar fácil 150 o 160, y si hay fiestas entre semana más. Eso sí, el turno de noche incluye evitar que se líen tanganas demasiado sonadas, así que puede que alguna vez tengas que hacer de segurata… Por eso el propietario quiere a un tío los fines de semana, y ha ayudado bastante la manera como le paraste los pies al Malacaín el otro día. Por cierto, te tiene atravesado, no para de llamarte marica y cagarse en tus muertos.

—Ya se le pasará… 150 por dos noches no está mal. Es lo que pago en el hostal por toda la semana.

—¿Aún estás en el hostal? Menuda ladrona es la encargada, al francés le cobraba 75 por semana el año pasado.

—No tengo otro sitio donde ir…

—Teniendo trabajo en el pueblo alguien se arriesgará a alquilarte algo. Hay un montón de casas vacías cayéndose a pedazos, no creo que lleguen a pedirte más de 200 al mes por un piso. Pregunta por ahí, en el Consorcio, o en la Susi…

—¿Sólo 200 al mes, en serio?

—Yo pago 150… ¿Por qué te crees que esto es el paraíso de los desarrapados?, con la paga de tres o cuatro días puedes cubrir el alquiler de un mes, el resto te lo puedes gastar en coca o en alcohol; la marihuana es casi comunitaria, basta que te pases por los huertos de ahí atrás. Pero tampoco esperes nada decente por 200 euros, no tendrás calefacción, ni muebles, y probablemente tendrás que dormir con paraguas cuando llueva, pero siempre será mejor que estar en el hostal con los sordos por 150 a la semana.

—Oye, es verdad, ¿sólo están los sordos, en el hostal?, aquello parece una catedral, sólo se oyen los pasos resonando.

—¿Tú has visto a alguien más que a los sordos?

—No… Dos parejas de ancianos. Sordomudos los cuatro.

—Pues eso. Llegaron hace años y no salen nunca, nadie sabe de dónde son ni qué demonios hacen allí encerrados. La Heidi dice que son brujos… Yo lo llamo El Misterio de los Sordos del Hostal, uno de tantos, como El Misterio del Reloj del Campanario, El Misterio de los Suicidas Felices o El Misterio de la Maruja Despedazada… Stephen King debería pasarse por aquí una temporada… Bueno, qué, ¿te interesa el curro?

—Sí, claro. Pero hay que celebrarlo. Te invito a lo que quieras, ¿te apetece abrir una botella de champán?

—Gracias, pero en cuanto bebo champán me deprimo, me recuerda a mis tiempos de publicitaria, cuando salíamos a cenar después de firmar un contrato… Te aceptaría mejor una rayita, el cubata correspondiente ya me lo paga la casa.

—Pues lo siento pero no tengo material…

—Bueno, si puedes pagar un gramo lo tendremos aquí

en un rato, lo que le cuesta al Robocop hacer un viajecito en la moto y volver. Seguro que lo conoces, se pasa el día bebiendo cerveza en la terraza de la Susi. Te iba a decir que está como una puta cabra, pero en eso no se distingue de los demás.

—Ya… Uno con pantalones cortos y botas militares…

—Ése. Hace dos años que no lleva pantalones largos, ni en verano ni en invierno, desde que dejó de ser guardia jurado en el matadero y juró que no volvería a ponerse un uniforme. ¿Sabes qué hace cuando hiela?, se frota las piernas con grasa para que no se le congelen haciendo viajes en esa mierda de motoreta que lleva; te lo juro, lo he visto hacerlo. Bueno, qué me dices, ¿te pasas por la Susi y le das recado?

—Bueno…

Entra la Heidi. Viste de forma inhabitual: falda, maquillaje…, los zapatos de tacón han elevado su estatura por encima del 1,80.

—Guauuu —dice Madame Bovary.

—No me mires, parezco una gilipollas de mierda.

—¿Adónde vas?

—Al valle, para un *interview*. Necesitan profesora de inglés en el Ayuntamiento. Dame un chupito de vodka, lo necesito ya. —Mira a P, se dirige a él—: ¿Todavía estás aquí, Mr. Bond?

—Todavía.

—Peor para ti, gilipollas…

Madame Bovary le llena a la Heidi un vasito con Moskowskaya frío que saca de la nevera. La Heidi lo bebe de un trago, arruga las facciones, aaaaahg, deja el vaso con un golpe y le habla a P: «Ven aquí, Mr. Bond, necesito un beso de buena suerte». Ha avanzado hasta él, lo atrapa por la nuca y lo fuerza a acercar su cara a la suya. P se resiste, interpone una mano de canto sobre la garganta de ella. Ella no tiene más remedio que dejar de hacer presión; luego le suelta la nuca a P, se separa un poco y le da una bofetada rotunda, punitiva.

—Idiota: nunca rechaces a una mujer que quiere besarte.

P lo piensa un poco:

—Todavía no me consta que seas una verdadera mujer, Mrs. Heidi.

—Ah, no: y esto qué es, gilipollas —se levanta el fino jersey de lana rosa y enseña los pechos desnudos; los bambolea ante P y suelta una carcajada que espantaría a las palomas.

★ ★ ★

Un martes, última hora de la tarde, en el Consorcio. El carnicero bebe güisqui a solas, P toma cerveza con San Martín, que está esperando al Robocop para ir al Kingdom en la furgoneta que les presta el francés. Al rato llega el Robocop vestido con un viejo abrigo gris que sólo deja ver la caña de las botas militares y las piernas desnudas allí donde se le acaban los botones. San Martín le propone a P que los acompañe al Kingdom, «aunque sólo sea a tomarte un pelotazo», dice. De modo que P acepta y le toca viajar sentado en la zona de carga de la furgoneta, sin asientos. El lugar está a unos cuarenta kilómetros que tardan casi una hora en recorrer, y el camino se entretiene bebiendo cerveza en lata, fumando cigarrillos impregnados en cocaína y acelerando bruscamente para hacer rodar a P por la cabina, pirueta que los dos de delante celebran con grandes risotadas, aunque habla sobre todo San Martín, el Robocop apenas abre la boca más que para pedir algo.

Sobre las diez de la noche llegan al lugar, a pie de carretera general, muy visible aunque de acceso complicado. El edificio tiene aspecto de chalet grande, dos plantas, cubierta plana, recorrido de extremo a extremo por varias líneas de neón violeta y rojo que se retuercen al llegar a la esquina derecha para dar lugar a la palabra «Kingdom» realzada con una corona real amarilla. Hay un pequeño aparcamiento delante, con tres coches y un camión de tres ejes. Allí dejan la furgoneta.

El aire huele fuertemente a estiércol cuando salen y se encaminan a la puerta de entrada al chalet, opaca, de madera aplafonada pintada de negro. Hay un timbre a la derecha; San Martín es el que lo pulsa. No tarda en abrir un hombre alto, cincuentón, en camisa arremangada, con una fea corbata marrón colgándole floja del cuello desabotonado. La expresión de su cara es más que seria amenazadora, pero después de echarles un vistazo a los tres se aparta un poco y dice «adelante, caballeros», quizá con demasiada soltura para resultar respetuoso.

Acceden a un vestíbulo con escasa luz del que arrancan unas escaleras en curva. A la derecha se abre un amplio umbral que da al bar. Allí es adonde se dirigen los tres siempre encabezados por San Martín. Suena música latina; el interior está tan oscuro como el vestíbulo, excepto en los puntos en los que potentes focos direccionales iluminan la barra, las mesas bajas y una pequeña pista de baile. Hay diez o doce chicas y sólo dos hombres alternando en la barra, así que la mayor parte de ellas está echando monedas en las máquinas tragaperras, o leyendo revistas apoltronadas en un sofá, bajo alguno de los focos. La llegada de tres nuevos clientes hace que todas presten atención y sonrían, pero antes de nada los dejan que se acomoden en la barra y pidan bebidas: güisqui para San Martín y P y cerveza para el Robocop.

—Cagüendiós, no está la Katty —dice San Martín, casi para sí mismo.

—Olvídate de la Katty, no hay que encariñarse de ninguna tía —recomienda el Robocop, y es raro que haya dicho algo tan largo.

P echa un vistazo más detenido a las muchachas. En realidad todas se asemejan mucho; además de vestir similares minifaldas y suéteres varias tallas más pequeños de lo que cualquier mujer llevaría por la calle, todas son de piel oscura sin llegar al negro, todas son más bien rechonchas, y casi todas llevan el pelo largo, planchado y teñido de algún color llamativo, con preferencia el rubio. Las Venus Rollizas. Alguna muestra verdaderas lorzas y un vientre abultado asomando entre el top y la minifalda, en especial hay una con los muslos tan gruesos que se ve obligada a caminar zamba, como una diosa estatopígea montada sobre zapatos de tacón. La excepción es una muchacha de cabello castaño, quizá remotamente rojizo, que echa monedas en una tragaperras. P no puede verle la cara más que fugazmente, pero le parece también distinguir que es muy joven, y el cabello parece dócil y sin embargo denso, se nota en el bucle recogido a lo heroína de Hitchcock.

Una vez los recién llegados han dado los primeros tragos empiezan a acercarse las chicas: «Hola, papito, qué tal», dice la que lleva dos trencitas de abalorios que le cuelgan sobre la cara. Como parece haberse dirigido preferentemente a San Martín, éste dice «hola, guapa» y le tienta las nalgas con la mano a modo de saludo. Ella le aparta delicadamente el brazo y pide que la invite a una copa, ante lo cual San Martín titubea y termina diciendo que ha venido a ver a la Katty. «Está ocupada, corazón —dice la chica—, pero si quieres te puedo presentar a otra amiga». Luego mira a P: «A ti que eres tan guapo y tienes cara de hablar inglés ya sé a quién voy a presentarte: ya verás que rusita tengo para ti; tráete la copa, mi vida», y sin más lo toma de la mano y tira de él hacia las máquinas tragaperras, donde la joven del cabello rojizo sigue echando monedas. En realidad la que ejerce de anfitriona no conoce todavía el nombre de P, así que tiene que preguntárselo antes de hacer las presentaciones, «Pedro, ésta es Tatiana», y allí los deja a los dos solos ante la tragaperras.

Tatiana resulta que sabe decir «hola», «¿tienes monedas?», «¿me invitas?», y varias otras cosas en español. En inglés en cambio apenas sabe decir nada, pero aun así se las arregla para llevarse a P a un sofá y mantener con él una conversación hecha de gestos y palabras sueltas en tres idiomas, incluido uno ininteligible que resulta no ser ruso sino ucraniano, aunque, según explica Tatiana con toda clase de ejemplos, los dos idiomas se parecen mucho. También explica que lleva un mes allí, que vive en ese mismo edificio, que un par de domingos ha ido al pueblo vecino a pasear y que le gusta mucho la playa pero que todavía no ha podido ir, todo lo cual le resulta a P de lo más deprimente, hasta el punto de sugerirle a la chica que se traslade a la capital donde sin duda estará más distraída. Incluso le insinúa que si alguien la obliga a quedarse allí él podría ayudarla: «Me recuerdas a un retrato que tengo —le dice—, es como si te conociera de toda la vida».

Pero no: nadie la obliga, dice Tatiana, lo que ocurre es que tiene una hijita en Kiev, que se pronuncia «Kif», y ha de enviar dinero para ella. Es el colmo para P, pero como ella habla siempre sonriendo, auténticamente alegre, la conversación deriva a nimiedades como el clima o el sistema de loterías ucraniano. Eso hasta que la chica le pregunta a P si tiene 70 euros, a lo que P, que siempre lleva encima todo su dinero, responde que sí, y entonces ella le propone subir al piso de arriba. «Tú gustas mucho —le dice—, muy guapo.» En realidad P no ha venido con intención de contratar servicios personales, y además está tomando ya el tercer güisqui, pero algo en el ambiente, seguramente la gran cantidad de muslos y pechos que pasan por delante de sus narices, o quizá el perfume intenso que impregna todo el local, un batiburrillo de ambientador y colonias dulzonas, le han inducido un estado fascinado que lo sitúa al borde de la franca excitación, en especial estimulado por el contacto de Tatiana, que ha estado sentada muy pegada a él y le acaricia una pierna mientras le habla, y a veces hasta apoya la frente en su hombro cuando algo le da risa.

Así que P dice que vale, que de acuerdo, y eso hace resplandecer la sonrisa de Tatiana, que se levanta y lo toma de la mano y tira de él para que la siga. Salen del bar hacia el vestíbulo, donde el cincuentón alto de la corbata horrible ya los ve venir de lejos y se sitúa detrás de un pequeño mostrador que hay junto al arranque de las escaleras. Tatiana le indica a P que ha de pagar allí, y P entrega dos billetes de 50 a cambio de los que recibe 30 y una bolsita que contiene lo que parece una sábana blanca muy bien planchada y doblada de la que termina por hacerse cargo Tatiana.

Arriba un pasillo en penumbra y muchas puertas a lado y lado, todas abiertas, parece que no hay nadie más en toda la planta. Tatiana elige una y entran en una pequeña habitación que se ilumina con luz roja al accionar el interruptor. Justo después de la entrada hay un minúsculo cuarto de baño que en realidad sólo tiene inodoro y lavamanos, y al fondo un catre de noventa centímetros arrimado a la pared. Mesita con cenicero y despertador, una silla y una ventana de guillotina por la que entra el tremendo olor a estiércol del exterior.

Tatiana cierra la ventana, toma el despertador y lo manipula, «Veinte minutos, ¿eh?, si no vendrán a llamar…».

Luego empieza a desnudarse, se quita primero el top y pone al descubierto dos magníficos pechos; después los zapatos y la minifalda, lo que la deja con unas breves bragas de color indefinible a la luz roja, y por último se suelta la pinza que le mantiene el peinado en alto. P ha subido todavía dudando de si aprovechar los 70 euros, pero termina por ceder al instinto ante el cuerpo de la chica, espléndido.

«¡Venga, desnudo!», dice ella muy alegre, y saca de la bolsa la sábana que extiende sobre el catre y también un preservativo y dos pequeñas toallas, una de las cuales entrega a P, que está ya en calzoncillos y se ha quitado el crucifijo que le cuelga del cuello para depositarlo con mucho cuidado en la mesilla junto al despertador y el preservativo.

Todo sigue rodando con normalidad, con jugueteos y caricias y risitas, hasta que Tatiana vuelve del baño mostrando el pubis completamente depilado, lo que enfría a P a ojos vista. «Qué pasa —pregunta ella haciéndose cargo de la situación—, ¿no te gusta así?» «No mucho», dice P reducido sobre el catre a una desnudez ya inerme. «Ah, lástima», dice la chica, y su voz contiene un punto de auténtica decepción, así que recurre a unos cuantos trucos del oficio que sin embargo no logran hacer olvidar a P el olor a estiércol, la mención a esa playa no visitada, la niñita sin mamá en algún lugar de Kiev que se pronuncia *Kif*, y el tacto rasposo de lo que ya procura no mirar para no empeorar las cosas.

No ha pasado un cuarto de hora cuando P decide dar por fallido el intento y empieza a vestirse empezando por los calzoncillos. Tatiana, sin abandonar su actitud bien dispuesta aunque un tanto compungida, pretende ayudarlo incorporándose en la cama para tomar la cadena y el crucifijo que ha dejado P en la mesilla. Pero antes de entregárselo a él lo deja colgar ante sus ojos curiosos y se ríe un poco, no se sabe muy bien de qué.

Es en ese momento cuando él le arrebata violentamente el colgante y, sin abandonar su posición sentado en la cama, la abofetea con fuerza, plaf, con tanta fuerza que la cabeza de ella rebota contra la pared sobre la cama y produce un sonido contundente que se mezcla con su grito, quizá más de sorpresa que de dolor. Pero P está ya de rodillas sobre el colchón y le toma una muñeca y la zarandea tratando de encontrar de nuevo acceso a la cara oculta por los pelos que le caen a greñas. Ella procura hurtar el rostro y grita otra vez, de modo que P sólo puede hundirle un mazazo de puño en el vientre que la enmudece de súbito y la obliga a llevarse las manos a la zona agredida. Su cara, que ahora expresa algo a medio camino entre el dolor y el pánico, queda de nuevo desprotegida y a punto para recibir el directo en el tabique nasal que P le lanza. Otra vez la cabeza de cabello rojizo golpea en la pared por encima de la almohada, pero esta vez de forma tan violenta que retumba toda la diminuta habitación y el cuerpo desnudo de la muchacha rebota inerte hasta quedar comprimido contra la pared, con la barbilla tocando el pecho y una expresión de estupidez en el rostro salpicado de sangre.

Sin embargo la furia de P no está aplacada, y termina empujando el cuerpo hacia un lado, lo hace rodar sobre la cama y cae al suelo golpeándose la cabeza en la mesilla de noche, lo que hace que el despertador se vuelque.

Él queda de rodillas en la cama, jadeando, con la vista puesta en la muchacha inmóvil en el suelo. Tiene los ojos abiertos, la nariz chorreando sangre sobre la boca, el brazo bajo la espalda y las piernas abiertas en una posición grotesca, como de pularda lista para entrar en el horno. Está muerta, y por un momento P piensa en los problemas que puede acarrearle este episodio. Pero es sólo un momento, porque de pronto repara en la potente erección que experimenta, y un relámpago de excitación le acelera el corazón.

El despertador volcado todavía no ha sonado, de hecho deben faltar unos cinco minutos para que suene, y quizá pasen diez o más hasta que al tipo de abajo se le ocurra subir, de modo que tiene tiempo de bajar de la cama, tomar los brazos de la muchacha, y tirar de ellos hasta estirarla de nuevo en la cama, de través, con los brazos colgando por un lado del colchón, los tobillos por el otro y los ojos abiertos hacia el techo. Entonces se baja de nuevo los calzoncillos y trata de penetrarla empujando con toda la fuerza que le otorga su sólida erección. Pero la sequedad de aquel sexo inanimado resulta poco propicia y, cada vez más impaciente, P ha de recurrir a mojarlo con saliva que escupe sobre su mano y luego aplica como una ligera pomada.

El cincuentón de la corbata marrón lo ve bajar por las escaleras cinco minutos después y eso basta para que se quede tranquilo de momento, tardará un rato en extrañarse de que no baje también la chica.

En el bar no están ni el Martín ni el Robocop, y la camarera explica que volverán enseguida. P lo piensa un poco y finalmente decide esperarlos en el aparcamiento, por precaución y también porque al menos afuera el olor a estiércol que aún le embota el olfato no se mezclará con el de los perfumes que hace veinte minutos le resultaban tan estimulantes y que ahora, con varios mililitros menos de fluido en la próstata, le parecen sumamente cargantes, casi tanto como el *Devórame otra vez* que empieza a sonar para regocijo unánime de las Venus Rollizas.

EN EL PARAÍSO

T y Suzanne salen del *Sunrise* pasada la medianoche, cuando el local se ha ido llenando ya de parroquia y no da pena dejar a los músicos solos. El Copito de Nieve de la entrada les sonríe muy amablemente y vuelve a decir algo que T no entiende. Afuera no hace frío, apetece caminar por las calles del Village todavía mojadas. Lo hacen despacio, hacia el norte, esperando encontrar una calle numerada que les sirva de referencia.

—Acabo de tener un *déjà vu* —dice Suzanne—: esto mismo ya me ha pasado antes.

—¿Cuándo ha empezado?

—Hace como diez segundos, y creo que todavía dura. Sí...

—Espera, voy a decir algo raro... *Chiricatampayo*. ¿Todavía dura?

—Sí...

Suzanne sonríe, es un *déjà vu* especialmente largo. T corre un poco para situarse delante de ella, levanta una pierna doblada por la rodilla, hace buruletas con la lengua, se lleva los pulgares a las sienes y mueve a lo loco el resto de los dedos...:

—¿Qué, todavía dura?

Suzanne se ha detenido, presa de un ataque de risa. T deja de hacer monadas:

313

—No me digas que ya te había pasado esto…

Ella tarda un poco en recuperar la compostura:

—No: se me ha pasado el *déjà vu* de golpe.

Siguen caminando, Suzanne todavía atacada de brotes de risa, pero T se ha puesto serio:

—Lo raro es que no nos pase más a menudo —dice, y señala un taxi que circula—: Por ejemplo, veo ese taxi y me pregunto: ¿es la primera vez que lo veo?… ¿Tú qué dices?

—No sé… —dice Suzanne—, es probable que no.

—Es probable que no, desde luego. Y también es probable que no sea la última vez que lo vea. A lo mejor lo vi en el aeropuerto el día que llegué, y a lo mejor vuelvo a tropezármelo de aquí a dos semanas. No lo sé. Pero lo verdaderamente molesto es que tampoco sé cuándo será la última vez que lo vea. Y sin embargo alguna vez tendrá que ser la última.

—Sí, claro…

—De manera que cada día vemos y hacemos un montón de cosas por última vez en la vida, sin enterarnos, sin tiempo para despedidas. —Pausa—. Por ejemplo, ¿crees que alguna vez volveremos a ver juntos ese taxi?

—Uf…

—Y hoy ha sido la primera vez que hemos cenado juntos. ¿Volverá a ocurrir después?

—Seguramente. Hemos fundado una Hermandad Hispano-Irlandesa, ¿no?

—Bueno, no sé si va a ser posible una hermandad duradera entre tú y yo. En realidad ni siquiera creo que podamos ser amigos durante mucho tiempo.

—¿Ah no?, ¿y eso?…

—Pues…, creo que estoy enamorándome de alguien. Y ya debes de saber lo absorbente que es el amor, acaba con casi cualquier otro tipo de vida social…

Suzanne titubea. Opta por copiar el tono ligero de él:

—Bueno, si te has enamorado supongo que debería felicitarte, ¿no?

—Gracias. La verdad es que parece una chica formal. Y además no es del todo fea, si entrara con ella en el Ambassador sería la envidia de los comisionados de la ONU.

—¿Española, norteamericana...? Si no es mucho preguntar, ya sabes lo curiosa que soy...

—Bueno, es medio irlandesa. De Sligo, en la República, costa atlántica... Debe de ser un lugar bonito, dice que hay casas de piedra y un río que pasa por en medio, y al parecer también disponen de servicio diario de arco iris.

—Ajá... suena bien.

—En realidad la acabo de conocer hace justo una semana. El domingo por la mañana tuvimos nuestra primera cita a solas. Hace sólo cuatro días de eso, pero me parece una eternidad. Fuimos a Central Park, y después tomamos un café en Madison Avenue.

—¿Eso es todo?

—Bueno, casi todo. En realidad ya la conocía de un cuadro de Bellini...

T sonríe, pero Suzanne deja pasar la aparente broma:

—¿Y por un paseo matinal y un café ya estás enamorado?

—Estoy a punto...; soy un tipo muy sensible...

—Pues suerte que no os citasteis a medianoche para subir al Empire State por las escaleras... —gestos de euforia alpinista.

—Mi querida joven: temo que la ironía no sea la actitud más aplaudida en el continente que nos acoge...

—Confío en que se nos disculpará atendiendo a nuestro origen europeo... —gesto de británico retorciéndose los bigotes.

—En ese caso has de saber que, a pesar de mi edad casi

venerable, estoy al corriente de que la gente ya no se enamora. Pero si uno descuida reprimirse aún puede ocurrir, desgraciadamente seguimos estando dotados para ello, forma parte de nuestra sucia naturaleza. La cuestión es que he caído. En inglés lo decís muy bien: *falling in love*: realmente es como caer, una cosa que da vértigo.

Suzanne sigue con el tono ligero:

—Bueno, y qué piensas hacer al respecto…

—Psss…, no estoy muy seguro… Por lo pronto daría un dólar por saber cómo lo ve ella.

—¿No se lo irás a preguntar directamente? Conviene ser sutil…, deberías usar tu instinto masculino. A ver, ¿qué te dice tu instinto masculino? —manos a la espalda y saltito de Pantera Rosa.

—Mi instinto me dice que el viento es propicio y habría que ir pensando en zarpar. Pero uno no puede fiarse totalmente del instinto: ahí tienes a los periquitos, que se pirran instintivamente por el perejil y resulta que el perejil los mata. Digamos que, a modo de orientación, me sería útil saber si ella también lo ve todo de color rosa ácido y oye de fondo un *chill out* de violines…

—Bueno, yo te aconsejo que observes y saques tus propias conclusiones. Por lo demás, sé espontáneo, es lo mejor…

T piensa un poco antes de hablar:

—Para ser espontáneo debería proponerle que durmiéramos juntos cuanto antes. Quizá esta misma noche.

Suzanne tarda en responder:

—*OK, good luck!* Pero recuerda que ella no es norteamericana sino medio irlandesa, y a lo mejor no entiende el sexo como medio de hacer vida social. —Siguen los saltitos de Pantera Rosa—. Podría ocurrir por ejemplo que fuera especialmente anticuada y quisiera saber algo más de ti.

—Precisamente por eso deberíamos pasar la noche

juntos cuanto antes. Bueno, ahora mismo estoy temblando como un flan, pero en cuanto me fume dos o tres cigarrillos estaré dispuesto cuando ella lo esté.

—Oh…, muy considerado de tu parte… ¿De manera que sólo queda por dilucidar la cuestión sexual, no es eso? —La Pantera Rosa hace un gesto sexi.

—No, no es eso. Para empezar no he mencionado ni la palabra «sexo» ni ninguno de sus sinónimos. Y para continuar, creo que lo sexual entre dos personas como ella y como yo nunca es sólo sexual. Lo que quise decir es que sólo después de llegar al grado de intimidad que supone compartir la cama durante una noche entera podremos comportarnos con naturalidad y empezar a conocernos de verdad. Hasta ese momento no haremos otra cosa que jugar a las conversaciones ingeniosas y a las danzas nupciales. —Ahora es T el que salta a lo Pantera Rosa para ponerse al paso de ella.

—Las danzas nupciales tienen su importancia desde el punto de vista de la hembra —parpadeo de avestruz coqueta—. Le sirven por ejemplo para conocer las virtudes del macho que la pretende, y también para averiguar hasta qué punto está interesado en ella. ¿No has visto nunca documentales sobre pájaros?

—¿Debo desplegar la cola, trinar, obsequiarla con lombrices? *OK, I'm ready.* Pero si hablamos de «saber» y de «conocer», creo que ella ya sabe de mí todo lo que se puede saber y conocer. —Ahora la sincronización entre los dos es perfecta, dos pasos y salto de Pantera Rosa, dos pasos y salto de Pantera Rosa—. En realidad le he contado más de lo que le he contado a ninguna otra persona, hombre o mujer, sólo hay que seleccionar los pedazos y componer el puzle para tener un retrato completo… Oye, ¿no podríamos caminar como personas normales?

—Mmm…, define «normales».

Suzanne espera respuesta y enriquece el paso con una media vuelta que inserta en algún lugar del complicado ritmo. T se detiene y ríe:

—Estás loca, ¿adónde vas...?

Ella se detiene en seco:

—Te has reído... Sí, te has reído... Es la primera vez que te veo reír de verdad...

—¿La primera vez?, no es verdad...

—Sí es verdad. Es la primera vez que te ríes de verdad: porque algo te hace gracia, no por cortesía.

T levanta las cejas:

—¿Eso te parece?

—No te has reído de mis gansadas ni una sola vez hasta ahora... Ni una vez, y yo haciendo la mona sin parar...

—¿Eso es lo que necesitas, hacer reír?

—Justo eso. Estoy harta de que todo el mundo me encuentre tan guapa y tan estupenda, me gusta que la gente se ría conmigo, o mejor aún: de mí.

—Pues según andan diciendo por la radio las cosas deberían ser al revés...

Han desembocado sin saber cómo en la Octava Avenida, y también sin pensarlo giran al este por la 13. Ahora caminan normal, a paso lento, de paseo. T mira al suelo; Suzanne finge que también, pero observa de reojo buscando la expresión de él. Y parece que queda algo por decir, de modo que enlentecen aún más el paso hasta casi pararse en mitad de una acera desierta, frente a un almacén de artículos de bricolage que exhibe motosierras y contenedores para el compost. «¿Qué clase de loco necesitará una motosierra en mitad de esta ciudad?», se pregunta T en voz alta mientras se sienta en el murete que delimita el escaparate. Suzanne se planta delante y también observa la colección de máquinas eléctricas, y cizallas, y mangueras, y guantes de jardinero.

—A lo mejor Freddy Krueger tiene un apartamento por aquí cerca —dice.

—¿Lo he estropeado? —pregunta T, sin hacer caso a la broma.

—El qué...

—No sé... Quizá podría haber seguido flirteando contigo, jugar, divertirnos, pero siempre ofreciéndote la oportunidad de no darte por enterada de lo que no te interesara saber. Y en lugar de eso no se me ocurre otra cosa que violentarte con una declaración de amor en toda regla.

Suzanne lo observa unos segundos y empieza a cantar:

—*And then I go and spoiled all / By saying something stupid like I love you...* ¿Sabes?, me gustas casi más que mi charcutero italiano, me parece que voy a besarte.

T levanta los ojos y la mira. Está de brazos cruzados, con un pie un poco torcido hacia adentro, se diría que en posición deliberativa. Se acerca a él, se agacha, el cabello rojizo le cae sobre la cara, se lo aparta con las dos manos y ladea un poco el rostro. T gira también la cara en sentido contrario y contribuye a aproximar los últimos centímetros. Los dos pares de labios llegan a tocarse, rebotan ligeramente, enseguida vuelven a unirse y se aprietan un poco, se ablandan y se endurecen ensayando atenazar la carne del contrario. El contacto es breve pero lo bastante largo como para que ambos suelten aire por la nariz y noten el calor del otro en el embozo; luego escuchan el delicado, casi inaudible, chasquido con que se separan. Suzanne vuelve a erguirse, se da la vuelta, camina hacia el borde de la acera y, otra vez de brazos cruzados, observa el tráfico que llega veloz. T tarda un poco en levantarse y caminar hacia allí, y para cuando arriba a su altura ella ya ha parado a un taxi. Antes de que se detenga completamente, se vuelve hacia T y le dice:

—*Time to go bed*: se ha hecho tarde.

T le abre la portezuela. Mientras Suzanne entra en el habitáculo no sabe a qué atenerse, pero como ella no hace gesto de despedirse también él se mete dentro, y una vez bajo el mismo techo se da cuenta de que Suzanne no le ha dado todavía la dirección al conductor. Es más, todo parece indicar que no tiene intención de hacerlo, y en un momento de lucidez, T comprende que la decisión está en su mano, que ella ha decidido que él decida por los dos.

Así que finalmente es él, con su inglés parco e inseguro, el que dice: *Pennsylvania Hotel, please*. Luego busca la mano de ella sobre la tapicería de falso cuero del asiento. Y la encuentra.

★ ★ ★

T llega a dormirse profundamente quizá sólo unos minutos, o eso le parece a él.

Lo despierta la repentina falta de contacto con el cuerpo de Suzanne, el movimiento elástico del colchón al liberarse del peso de ella, el pedazo de sábana caliente que queda vacío a su espalda. «¿Adónde vas?», pregunta sobresaltado, ronco. «Duerme», dice Suzanne. Sin embargo T se incorpora como impulsado por un resorte y se frota los ojos tratando de desentrañar la oscuridad. Brillan los dígitos rojos del radio-despertador: las seis y diez. Oye roce de ropa, pasos sobre la moqueta, el chasquido de un interruptor; lo ciega momentáneamente la luz del baño, luego se cierra la puerta y queda un cuadrilátero luminoso siguiendo las ranuras.

Silencio sucio: rumor débil de tráfico, el aire acondicionado, la respiración de la ciudad en reposo... T no quiere volver a dormirse; escucha ahora los ruidos de la grifería, el agua corriendo por las venas del edificio. Quisiera ver mejor, por la ventana apenas entra un fulgor nocturno entorpecido por la cortina enrollable. Pone los pies en el suelo y enciende la lámpara de la mesilla. La otra cama de la habitación, la suya habitual, se ha convertido en soporte de varias prendas de ropa dispuestas para evitar arrugas; en el suelo sobre la moqueta, unos zapatos de medio tacón; cerca, sus propios zapatos y su ropa interior. La luz hiere y apaga la lamparita. Se le ocurre fumar. Decide no hacerlo todavía, mejor esperar y ver si hay que seguir durmiendo o levantarse definitivamente. De pronto se siente incómodo desnudo. Enciende de nuevo la luz, recupera sus calzoncillos del suelo y se los pone. Apaga y se queda sentado en la cama en estado de vigilia atenuado.

A las seis y diecisiete en los dígitos rojos del despertador se abre la puerta del baño y la luz recorta por un momento la silueta de Suzanne. T se mueve hacia la mesilla buscando otra vez el interruptor. «No enciendas la luz —dice la silueta en un susurro—, duerme, es muy temprano.» «¿Adónde vas?» La silueta se está vistiendo: el vestido, los zapatos… «Tengo que pasar por casa», «Te acompaño», «No, tengo prisa.» T se pone en pie: «Dame sólo tres minutos, voy contigo». «No, de verdad: si no salgo ahora mismo llegaré tarde al Instituto». T no quiere obedecer, vuelve a sentarse en la cama para buscar a tientas sus calcetines sobre la moqueta, pero Suzanne ha terminado de vestirse antes de que él encuentre el segundo. Ella ha dicho adiós y se dirige a la puerta. Él la detiene cuando está abriéndola. «Espera…» le pide, la toma en medio abrazo y la besa cerca de la oreja, dos veces, tres veces, apresuradamente. «Hasta luego», dice T, «Adiós», repite ella. La pesada puerta que parece blindada se ha abierto a la luz mortecina del corredor. T la sujeta, se asoma al quicio, ve la espalda de Suzanne alejándose, girando el recodo y desapareciendo con su movimiento de engranaje complejo bajo el vestido ajustado de lana. Ahí se queda él un momento, como hipnotizado, no quiere cerrar la puerta y encontrarse solo en la oscuridad de la habitación.

Pero está en calzoncillos y con un solo calcetín puesto, así que entra y se sienta en la cama. Piensa si estará a tiempo de vestirse a toda prisa, salir corriendo y atrapar a Suzanne mientras trata de conseguir un taxi. Ahora debe de estar esperando ante los ascensores. T ha encontrado el segundo calcetín, se lo pone. Ella ya debe de estar bajando..., planta 14, planta 12, planta 11. T comprende que no puede salir a la calle sin pasar unos minutos por el baño, sin al menos orinar y lavarse la cara, sin peinarse un poco... Planta 7, planta 6, planta 5. T echa la espalda en la cama: mejor darse una ducha, vestirse con ropa limpia y llamarla después a tiempo para el *breakfast*. Los dígitos rojos del despertador dicen 06:28... Nota fresco en el torso desnudo, pero le da pereza levantarse para apagar el aire acondicionado. Mejor meterse debajo de la sábana, solo un rato. Suzanne habrá salido ya del edificio, caminará unos pasos por la acera, quizá le pedirá a Goliat que le pare un taxi...; no: seguramente Goliat no ha empezado todavía su turno y ella tiene efectivamente que caminar esos pasos por la acera: clinc, clonc, clinc, clonc...

Dilucidando esta cuestión se queda dormido.

★ ★ ★

El despertador no está activado y el reloj interno de T también deja que pasen las ocho sin oponerse. Abre los ojos cuando el sonido del tráfico es ya de pleno día y la luz empuja con fuerza tras la cortina enrollable.

Al subirla se encuentra con las pisadas de un sol joven y vigoroso manchando los pisos altos del patio interior, y al abrir el palmo practicable de ventana entra en la habitación algo que reconoce como la fragancia de la primavera en la ciudad, tibia y rica en aromas artificiales: otra primavera que trae consigo todas las primaveras vividas. Pone la radio y acierta a sonar el *L.O.V.E* de Nat King Cole: «*L*», *is for the way you look at me* / «*O*» *is for the only one I see* / «*V*» *is very, very extraordinary* / «*E*» *is even more than anyone that you adore*. En la cama vecina no queda más ropa que la suya, y en el suelo sólo sus zapatos; sin embargo permanece un recuerdo invisible, un olor, un fantasma. El cepillado de dientes, el repaso a la barba, la ducha, estrenar la camisa de color berenjena y rociarse con un soplo de Boucheron son una sucesión de delicias bailables al son de la radio. Hasta se pone su gorra de cuero.

Ya bajando en uno de los ascensores, los huéspedes apretujados se le antojan inusualmente bien educados; en la recepción luce elegante el guardia de seguridad de las mañanas; la calle parece la más pintoresca del mundo, llena de oficinistas en su peso ideal, vendedores de Rolex a 5 dólares y borrachos con gabardina. Naturalmente la congregación de fumadores a la puerta de la cafetería le parece aún más enternecedora que de costumbre, el café largo le sabe a néctar y el primer Lucky Strike corto es ambrosía sublimada en humo. Pero no hay tiempo para gozar de todos los frutos que ofrece el Edén: necesita por lo pronto enviar unas flores, urgente, y pese a que entiende tanto de flores como de pintura o de ríos trucheros, llega a discurrir que estaría bien una combinación de fresias y anémonas. Sencillas, coloridas, fragantes: una mancha de primavera en la mesa de despacho de Suzanne. ¿Pero se cultivan fresias y anémonas en América?, ¿cómo se dirá «floristería» en inglés?: ¿*Flowers shop*? ¿*Little shop of horrors*? Tan amables enigmas se multiplican en el pensamiento de T como una camada de conejos, y siente una impaciencia eufórica animada por la banda sonora de Nat King Cole que se le ha quedado pegada a la memoria: *Take my heart and please don't break it / 'Cause LOVE was made for you and me.*

De vuelta al hotel se plantea si el hecho de enviar flores, aunque sean anémonas, se considerará a estas alturas de la Historia Universal un gesto demodé, incluso *kitch*, algo como quitarse la gorra en los interiores o decir «Jesús» cuando alguien estornuda. Zanja la cuestión recordando el consejo que le han dado la noche anterior: «Te aconsejo ser espontáneo, es lo mejor». Bien: eso es exactamente lo que va a hacer: ser espontáneo. De modo que entra en la recepción y se dirige a un mostrador en el que una moza WASP vestida de azafata vende rutas turísticas en autobús por los barrios étnicos. *Excuse me*, la aborda T tocándose absurdamente el ala de la gorra, *I wanna send some flowers to my girlfriend, and I'm wondering where can I buy it*. Pese a tan innecesaria y macarrónica explicación, la muchacha entiende lo que se espera de ella y hasta muestra una suerte de solidaridad con la *girlfriend* en vías de ser homenajeada de tan romántica manera. Sale de su trinchera tapizada de fotos de Harlem y Chinatown y le indica a T un pasillo del propio hotel que constituye una minúscula galería comercial. A él se le ocurre rodear a la encantadora muchacha con un brazo y dejar una huella duradera en sus labios, pero a lo más que se atreve es a pronunciar un *Thank you* seductor entre cuyas líneas puede entenderse que le parece un cielo de chica pero que su corazón pertenece a otra.

Encargar el envío de las flores no es difícil. Cierto que no encuentra ni rastro de fresias o anémonas en la floristería, pero, casi mejor que eso, le gustan unos tulipanes anaranjados que la *Big Mamma* negra que regenta la tienda promete componer al gusto que expresa T: nada de *old fashoned* sino más bien *smart & cool*, adjetivos que la buena mujer glosa como *European Style, isn't it?* También pregunta si hay que adjuntar alguna tarjeta personal y T dice que no, pero la *Big Mamma* intuye en él la apostura del enamorado, ese aura principesca, y alarga la conversación expresando su absoluta seguridad de que las flores van a gustarle mucho a su chica. *I hope so*, dice T sonriendo, *I'm for asking her to marry me.* Aquello debe de sonar bastante inteligible en inglés porque la señora, emocionada, recoge las palmas descoloridas entre sus grandísimos pechos y dice: *God bless you, son, I'm sure she will say yes.*

De modo que, así, estimulado por el brillo de ilusión romántica que ve en los ojos amarillos de una florista de 150 kilos, es como T decide que además de unas flores necesita un anillo. *An engagement ring*, para ser exactos; eso es; conoce la palabra *engagement*, «compromiso», que le suena a ligazón física, algo a medio camino entre «enlace» y «enganche», y de hecho significa también «combate», aunque eso no lo sabe T y nadie medianamente sensible se lo haría notar esta mañana. Por otra parte son ya las diez y media, demasiado tarde para el *breakfast* con Suzanne; lo mejor será verse para almorzar y llegar provisto de un buen *engangement ring*. Desde luego, caso de que regalar flores sea *kitch*, regalar un anillo de compromiso tiene por fuerza que ser peor, un verdadero atentado a la transposmodernidad. Pero ya se ha hecho a la idea de hacer exactamente lo que su deseo espontáneo le dicte, así que decide emplear el resto de la mañana en recorrer la ciudad en busca del anillo como un Sauron enamorado.

Y entre tanto la ciudad, ciertamente reducida a simple fondo vago en los últimos días, se revela ahora como un fondo vago *plenty of colours*, no se entiende cómo no tiene fama de romántica, igual que París o Venecia. A los ojos de T todo es perfecto: la gente parece de anuncio de Benetton, las limusinas de anuncio de Max Factor y los rascacielos de película de Spiderman, no se puede pedir mejor escenario para un *springtime romance*. En este punto logra reprimir la tentación de componerle prosas poéticas a la ciudad en primavera, al sol sobre los taxis, a las paradas de baratijas y a los carritos de *hot-dogs*, sin embargo no puede evitar caminar agrupando bocinazos hasta escuchar voces en contrapunto, efectos dodecafónicos y hasta ritmos bailables. En determinado momento, cierto, llega a comprender que a sus 43 años presenta síntomas de estar perdiendo la chaveta por una medio irlandesa de 24 a la que apenas conoce, y hasta se para a reflexionar sobre ello fingiendo que mira el escaparate de una peletería. Y la pregunta que logra formularse mientras fija la vista en dos lagartos convertidos en botas de tacón mexicano es la siguiente, a saber: «¿Debo abandonarme sin resistencia a esta felicidad dudosamente fundamentada, o sería más sensato comportarme como el adulto descreído que en realidad soy y prepararme para el anticlímax que llegará tarde o temprano?» Pero no hay esta mañana reflexión capaz de mitigar sus puras ganas de gozar de sus sensaciones, *«V» is very, very, extraordinary*, así que sigue caminando con su gorra de irlandés de opereta sobre la coronilla, sonriendo sin motivo aparente, y sacándole pecho al mundo como quien se cree inmune a las balas.

La Séptima está en su apogeo matutino y la 34 parece más llena de tenderetes que nunca. Se detiene en una joyería que le pasa por al lado y examina el escaparate: colgantes, pulseras, cadenas, anillos…, todo en diseños bastante vulgares. Desde luego necesita un anillo de lo más *smart & cool*, algo que no sea muy dorado ni brille mucho, en definitiva algo que atenúe el fondo *kitch* de la cuestión. Por otra parte un anillo de compromiso, por muy *cool* que sea, debe ser caro, tan caro como uno pueda permitirse con esfuerzo, ésa es sin duda la diferencia entre un *ring* cualquiera y un *engagement ring* en toda regla; ¿correcto?, correcto. Bien: ¿cuánto puede gastar él haciendo un esfuerzo? Enseguida cae en que su límite financiero en aquel continente sin ruinas romanas es el del crédito mensual de su tarjeta VISA, no hay más. Así que después de unos cálculos mentales concluye que pueden cargarle unos 2.000 dólares extra sin comprometer su supervivencia en lo que queda de mes. ¿Es mucho, es poco, es suficiente para un *engagement ring* homologable? Es todo su capital en aquel momento, así que sin duda es el presupuesto adecuado.

Bien: aunque descartada Tiffany días atrás, lo mismo se aleja hasta las Cuarenta de la Quinta Avenida pensando en Bulgari, pero una vez en la puerta no se atreve a entrar de tan bunquerizada como le parece la tienda. A cambio prueba un poco más abajo, en una boutique de relojes y joyas cuadrangulares, carísimas y bastante *cool*, pero desafortunadamente muy poco *smart*. Luego se acerca hasta las tiendas judías de la calle 47, donde los diseños le parecen tan ortodoxos como los tipos que circulan por allí con sus sombreros y sus ricitos y sus levitones. El tiempo pasa deprisa recorriendo las aceras siempre atento a los escaparates, se acerca la hora de comer, pero se resiste a la idea de volver a ver a Suzanne sin haber hecho todavía su compra. Es la tozudez del que lo quiere todo tan perfecto que corre el riesgo de estropearlo, como un adolescente relamiendo su carta de amor. El anillo se ha convertido en un garante, en un amuleto, y de algún modo es como si la tenacidad en su búsqueda lo protegiera de que algo pudiera salir mal; ¿correcto?, no: incorrecto, y sin embargo cierto.

Para en un teléfono público del Rockefeller Center y llama al Instituto. Contesta Debie-Diane Keaton; dice que Suzanne ya ha salido a comer y T casi se alegra de no verse obligado a inventar una excusa para no verla a mediodía. Al colgar el teléfono se le ocurre olvidarse de la Quinta Avenida y explorar el SoHo: también tiene fama de exclusivo pero al estilo alternativo, moderno, audaz. Media hora después sale del metro en la parte baja de Broadway, se desorienta y echa a caminar en dirección a Little Italy; pero da igual porque está bajo el auspicio de la diosa Venus y va a parar precisamente a la zona de tiendas de última tendencia que se extiende más allá de Lafayette Street. Y para rematar una de esas carambolas del azar que sólo se dan en la realidad y en los libros de Paul Auster, se tropieza al poco rato con la tienda que andaba buscando sin saberlo: *Jewel Zoo*, dice el rótulo en banderola, y es una pequeña joyería: la pequeña joyería más *cool* y *smart* que T ha visto jamás. El escaparate es un largo acuario empotrado en la fachada de hormigón en bruto, pulquérrimo, con fondo de gruesa arena blanca, rocas de pizarra, unos pocos peces negros nadando muy holgados y, sutilmente destacadas a la luz ultravioleta, grupos de joyas sumergidas en el agua y alzadas desde la arena por finos soportes de acero. Piezas simples, sólidas, de bordes suaves, con recuerdos a Henry Moore y a Miró; a primera vista le gusta un anillo con un aguamarina poligonal y un diamante minúsculo en los que, con un poco de buena voluntad, se tiende a ver un asteroide azul iluminado por su sol brillante y lejano. *Isn't it romantic?*

Entra como el niño que acude a la tienda de animales para comprarle el cachorro de San Bernardo a su novia de parvulario y, veinte minutos después, sale con 1.700 dólares menos en su cuenta de crédito y el anillo asteroide-azul envuelto y protegido en su estuche de preciosa madera encerada.

Misión cumplida.

Son poco menos de las cinco de la tarde cuando llega al hotel impaciente por contemplar a solas su adquisición. A la luz más intensa del baño desenvuelve la cajita y saca la sortija. Es de calibre pequeño, le han dicho en la tienda que le cambiarán el aro si la medida no es la adecuada. La toma delante de sus ojos, a plena luz de los focos sobre el espejo, y observa el aguamarina tal como sabe que debe hacerse, mirando al interior, a su corazón de cristal. Trata de cargarla de buenos deseos, de cierta clase de energía mágica que en este momento se siente capaz de transmitir con la mirada (amor inalámbrico, *good vibrations*), y después, con un cosquilleo que le recorre el espinazo, deposita sobre ella un beso apretado. Es un momento muy especial, de los que muchos años después pueden recordarse ante un pelotón de fusilamiento. Luego frota la piedra contra su camisa para devolverle el brillo intacto; guarda el anillo en el estuche y rompe el envoltorio de papel: mejor entregar sólo el estuche de madera.

A todo esto se ha puesto demasiado serio y demasiado blando; se propone recuperar el humor exultante, las ganas de bromear y sonreírle a la nada, el tono adecuado para bajar a llamar por teléfono a tiempo de encontrar a Suzanne en el Instituto.

Y, en efecto, la encuentra:

—Suzanne…

—Sí.

—Perdona que te llame tan tarde, llevo todo el día de aquí para allá. ¿Te ha dado el recado Debie?

—Sí.

—¿Sales ya?

—No…

—¿A qué hora sales?

—Pues… no lo sé, tengo mucho trabajo…

Pausa.

—¿Pasa algo?

—No, nada.

—Estás muy seria…

—Es que estaba ocupada…

—Perdona, no te entretengo más, ¿a qué hora nos vemos?

—Hoy no puedo, lo siento.

Pausa.

—¿No puedes?

—Perdona…, no me va bien…

—Ah… —pausa—. Y tienes idea de cuándo podemos vernos…

—No lo sé…, esta semana es complicada.

—Ajá. Ya… Bueno… Es que tal como me lo planteas ya no sé si llamarte la semana que viene o esperar al mes que viene…

—Perdona, es que…, estos días no puedo. Lo siento.

—No, no te preocupes… Puedes llamarme al hotel si quieres, tienes mi número de habitación, ¿no?

—Sí, sí…

—¿Espero entonces tu llamada?

—Sí, *OK.*

—*OK.* Cuídate mucho, ¿vale?

—Cuídate tú también.

—Eso pienso hacer.

Clong, teléfono colgado. De hecho no hay mucho más que decir.

★ ★ ★

Primera Fase: Orgullo Herido.

Al colgar el teléfono, T se queda mirando el estuche con el anillo que lleva en las manos y piensa qué hacer con él. Decide dejarlo en la consigna del hotel; le ofrecen una caja metálica con llave y lo mete en ella como quien arroja a un traidor al fondo de la mazmorra. Después quiere beber. Se encamina al bar de la 33, saluda al camarero con auténtico buen humor, *what's up*, y traga una pinta en dos minutos. Se siente muy digno, muy dueño de sí, su ego está ahora inflamado, es una tumefacción palpitante pero indolora. A partir de la segunda pinta se relaja y tiene un pronto de enfado consigo mismo. Se siente víctima de una estafa barata. Ridículo, estúpido. Quiere emborracharse y olvidar todo el asunto cuanto antes.

Segunda Fase: Abatimiento.

Dos horas después, T ha tragado cinco pintas de Budwaiser y está terminando su cuarto Jack Daniels triple. A través de un pedazo de espejo tras la botellería ve a hombres y mujeres que hablan y ríen. Son anglosajones por encima de los cuarenta, una mezcla de parejas estables y viejos conocidos que se reúnen en el pub después del trabajo. T pide otro triple y brinda mentalmente por Boris Yeltsin. Está ya borracho, y por una vez en años quisiera poder explicarle a cualquier conocido lo que acaba de pasarle. Usa mentalmente estas mismas palabras: «lo que acaba de pasarme»... Para olvidar el asunto trata de concentrarse en entender la letra de la música que suena a volumen considerable: *I would walk five hundred miles / And I would walk five hundred more / Just to be the man who walked one thousand miles to fold down at your door...* Nada que hacer: todas las canciones hablan de lo mismo. Con el sexto triple sobre el colchón de cerveza empieza a autocompadecerse peligrosamente, pero el esfuerzo de construir un soliloquio coherente entre las nieblas del alcohol lo sosiega un poco y puede seguir bebiendo hasta que comprende que necesita la poca lucidez que le queda para pagar y salir de allí dignamente. Rumbo al hotel ve doble, las luces nocturnas y los transeúntes se multiplican, es como caminar por la plataforma de un tiovivo.

Tercera Fase: Abismo.

Duerme muchísimo, abre los ojos pasadas las doce, con hambre y sin apenas resaca. Se siente bien, activo, listo para salir a la calle. Se ducha, se afeita y come *penne* y *calzone* en el italiano de la 33 con la Séptima. Afuera, a tres metros de la cristalera, otro oficinista ha perdido los nervios y la emprende a golpes de maletín contra el tráfico rodado, hasta que llegan dos policías que tratan de apaciguarlo sin acercarse mucho. La ciudad ha vuelto a primer plano: de vuelta en su habitación consulta la guía y busca en el apartado de museos: todavía no ha visitado un solo museo, increíble. Se decide a empezar por el de Historia Natural que no cierra hasta las seis menos cuarto. Se encamina hacia allí en lo que se prevé un largo y agradable paseo bordeando el murete del parque, con tiempo para admirar los coches de caballos bajo los finos rascacielos de espejo coloreado. Sólo hay un problema: a ratos pugna por aflorarle cierto pensamiento, y a cada tentativa le causa una punzada casi física, sensible, que bien pudiera localizarse en el tórax. Es difícil ignorar algo así permanentemente, tan difícil como ignorar una taquicardia. Así que, a la altura de las Sesenta, aprovecha una entrada al parque para sentarse a fumar en un banco y poner las cosas en claro. Qué está pasando ahí dentro, qué es lo que una parte de sí mismo está tratando de decirle a la otra...

Cuarta Fase: Pensamiento Positivo.

El abismo se adivina demasiado grande y demasiado oscuro más allá de las primeras simas, hay que agarrarse a algo para no resbalar hacia el fondo. Pero no es el pensamiento consciente de T el que lo hace reconsiderar todo el asunto a otra luz: es un reflejo de supervivencia que se le dispara. Y a esa nueva luz queda todo otra vez reducido a una cuestión de orgullo herido. Cuestión bastante fácil de resolver, desde luego: basta con no ser tan orgulloso y volver a llamar a Suzanne. Quizá es cierto que tiene mucho trabajo. Seguro que es cierto. Él mismo ha comprobado que no para quieta en todo el día: recibe llamadas, atiende visitas, gestiona montañas de permisos y papeles… Así pasa T el fin de semana, consolándose a duras penas en ese pensamiento, acariciando la idea de volver a llamarla y a la vez temeroso de hacerlo. Entre tanto duerme mucho, ve debates de televisión que se esfuerza en comprender, viejas películas que programan de madrugada; no se afeita ni se ducha, y a cualquier hora, según le llega el apetito, sale de su habitación para comer y beber en los alrededores del hotel. En conjunto, se siente como si estuviera pasando una gripe.

Quinta fase: El Laberinto.

El lunes por la mañana, duchado, afeitado, perfumado y bien vestido, llama por teléfono al Instituto. Contesta Debie; lo hace esperar un momento al aparato y luego dice que Suzanne no puede ponerse. Por el tono de Debie («Lo siento mucho», añade al final), T comprende que Suzanne no quiere ponerse, de lo contrario le indicaría llamar más tarde, o algo parecido. Ese golpe sí duele porque es el segundo y cae sobre una herida ya fría: Suzanne no quiere ponerse: esa supina impertinencia del que opta por no hablarnos. Por un momento desea matarla: golpearla hasta matarla: esperarla en algún lugar, en su calle, y hacérselo pagar caro, hasta imagina su cara desfigurada entre la hojarasca de las acacias. Siente un punto de excitación, hasta que se asusta de sí mismo, ¿cómo es posible que pueda desear algo así?, ¿de dónde sale esa violencia? Trata de entender qué ha pasado, cómo ha llegado a este punto, repasa los encuentros, las conversaciones, se explica minuciosamente los hechos ocurridos desde la primera vez que habló con ella en el Instituto, si bien comprende que lo fundamental debe de estar contenido en las últimas horas que pasaron juntos, y de nuevo en el bar de la 33 trata de rememorar la noche en la estrecha cama del hotel.

Y curiosamente resulta que no puede.

T se mantiene obsesionado en ese pensamiento durante todo el día y gran parte de la noche en el bar de la 33. Le resulta agotador.

Sexta Fase: Ultimátum y Despedida.

Al sexto día después de aquella primera noche, tras haber hecho por teléfono las gestiones pertinentes con su agencia de viajes, T redacta la siguiente nota en un papel con publicidad de güisqui que le facilita un camarero: «Tengo pasaje a Londres para mañana. Te espero a las doce de esta noche en el observatorio del Empire State. No hace falta que subas por las escaleras». No lo ha pensado mucho, ha sido una redacción espontánea, pero piensa que le ha sabido dar el punto justo de información práctica, dramatismo cinematográfico a lo *Love Affair*, y un toque de humor conciliador. Mete el papel en un sobre que pide en la recepción del hotel, se va caminando hasta la calle 42, entra en el vestíbulo y se dirige al conserje con el sobre y un billete de 10 dólares adjunto. De vuelta compra en la 34 un maletón que más bien parece un baúl con ruedas, deja a punto el voluminoso equipaje con la ropa que ha comprado en la ciudad, y después vagabundea despidiéndose de las calles hasta el crepúsculo.

Esta noche no quiere beber; ya oscuro se le ocurre ir a comer alitas de pollo al coreano de la 37, pero teme estropear un buen recuerdo y compra una hamburguesa y patatas fritas que come en un algún feo lugar de Chelsea, sentado en una acera sucia pero tranquila. Luego se encamina al Empire State y se detiene a fumar a dos manzanas de él, con la suficiente perspectiva para contemplar la ligera neblina que espesa las luces coloreadas de su parte alta. De pronto, al pasar junto a unos andamios, le viene la imagen de un tipo con sudadera que le pide la hora de malos modos. ¿Cuándo fue eso?, ¿lo ha soñado?, ¿es un *déjà vu*?

A las once y media se une a la pequeña cola de turistas que animan el vestíbulo del edificio; alguien pregunta si hay buena visibilidad y una guardia de seguridad muy gorda que hace molinetes con la porra dice que del 70 %. T saca el tique y sigue la cola hasta un ascensor que se llena con un empleado y unos cuantos turistas. Los números en el indicador pasan de diez en diez, 30, 40, 50, y la cabina empieza a frenar al aproximarse al 80; luego aún hay que hacer otra cola para remontar las seis últimas plantas hasta el observatorio principal.

Afuera, en la terraza que rodea la antena del edificio, la ciudad casi hace llorar de gozo. Y en el mismo momento de asomarse al vacío fulgurante de luces, T sabe que Suzanne no llegará: de pronto comprende que si llegara sería todo demasiado perfecto. Pero lo mismo espera hasta las doce, cambiando de sitio de vez en cuando: fachada norte a la fiesta de rascacielos y Central Park, fachada este al Huston rielante y neblinoso, fachada sur al Downtown rematado por las torres del World Trade Center... Tiene tiempo de darse cuenta de hasta qué punto se ha enamorado de esta ciudad, y sin preocuparle los turistas a su alrededor le lanza un beso. Es el mismo beso que se lanza al

amor que uno despide en la estación en tiempos de guerra, entre la congoja por la posibilidad de no volver a verlo
y la alegría por haber alcanzado a vivir la experiencia.

A la una de la madrugada bajó del edificio, y a las once
de la mañana siguiente despegó del aeropuerto de Newark.

EN EL INFIERNO

Once de la noche, miércoles, bar de los soportales; Betoven en la barra, la Susi al fondo, atendiendo a una mesa de jóvenes pelos-de-colores junto a la chimenea encendida. Entra P.

—Hombre, Pedro el Grande: qué tal el otro día con la rusita del Kingdom...

P tarda un poco en contestar, recuerda haber estado en el Kingdom, con Robocop y San Martín, pero no sabe de qué le habla Betoven. Quizá bebió demasiado, o fumó demasiados cigarrillos impregnados de cocaína.

—Veo que las noticias corren... —dice al fin.

—Vuelan, joven: vuelan. No sabe cómo le envidio: si yo tuviera 70 euros... ¿Y el fin de semana en el Pub?, me han dicho que empezó de camarero el viernes por la tarde.

—Bien... Son sólo dos días, y pasan las horas volando.

La Susi se acerca a la barra y P le habla de lejos:

—Susi, póngame un güisqui, haga el favor, y otro para Betoven, si le apetece.

—Joven: el día en que no me apetezca un güisqui más vale que alguien llame a una ambulancia y me lleven al valle.

—A ver si lo que vamos a tener que hacer es subirte a

casa en brazos —dice la Susi—. Hoy llevas ya siete coñacs con sifón.

—No hay peligro, Susi, cariño: tu noción de una medida estándar de coñac es la propia de una activista del Ejército de Salvación.

—Ah sí: pues antes cuando has ido al váter ibas haciendo eses. Y además te has meado afuera. Más de lo normal, quiero decir.

—Qué manía tenéis con lo de mear fuera... Con mi Ex Santa Esposa era igual. Como vosotras orináis por gravedad... Ya me gustaría veros de pie gobernando una manguera a presión.

—Ya será menos...

—Bueno, ya ves cómo tengo el palmo —enseña la mano extendida—, aunque confieso que lo de la presión ha ido menguando. Debo de tener la próstata delicada, pero se me ponen los pelos de punta sólo de pensar en someterme a un tacto rectal... En cualquier caso no tienes ni idea de lo que cuesta dirigir a tino las últimas gotas.

—Bueno, ¿y por qué no os sentáis en la taza, en vez de dejarlo todo perdido?

—¿Sentarnos en la taza para mear?, ¿en serio seríais capaces de pedirnos semejante humillación? Es como si yo le hubiera pedido a mi Ex-Santa que se afeitara el bigote con brocha y navaja. Y te aseguro que hubiera quedado mucho mejor que con aquella crema apestosa.

—Sí: tú quéjate de tu «Ex-Santa»... Desde luego no la conozco, pero tenía que ser una santa, ya lo dices bien...

—Pse, no sé si tanto como santa, pero desde luego era bastante beata. Una vez le propuse un simple francés y estuvo a punto de marcharse con los críos a casa de su madre. Al final tuve que decirle que me refería a hacerlo normal pero con música de Charles Aznavour.

—Ah, es horrible —dice la Susi dirigiéndose a P—:

este hombre siempre tiene contestación para todo. —Termina de servir las copas y se aleja cabeceando hacia las mesas, donde los jóvenes pelos-de-colores vuelven a reclamarla a gritos.

—Esta Susi tiene que ser un volcán —le dice entonces Betoven a P, en voz baja—. Viuda desde hace diez años, poco después de que yo llegara; lástima que al parecer no soy su tipo, y eso que tendría que haber conocido usted al marido: parecía un troll: eran talmente la Bella y la Bestia. Él era del pueblo, y la Susi nació y se educó en el valle, en un colegio de monjas, ya puede usted figurarse… El caso es que es uno de los pocos casos de matrimonio mixto que se conocen por aquí. La endogamia en el pueblo es casi perfecta: repare usted en que todos son parientes, se casan entre ellos y se ponen los cuernos entre ellos: todo queda en familia. Aparte del de la Susi sólo conozco otros dos casos parecidos, y los dos muy recientes: el del francés y su novia, que es del pueblo, y el de la Nieves del Consorcio, que ha conseguido que la preñe el Alien, el hermano mayor del Malacaín… Al menos habrá un par de críos en el pueblo… Es curioso, quizá sea una consecuencia de la endogamia, pero el caso es que la población del Horlá lleva décadas en descenso, ¿se ha fijado en la cantidad de casas abandonadas que hay?

—Sí, y por cierto: yo ando buscando piso, me dijo Madame Bovary que le preguntara a usted…

—¿En serio, va a instalarse definitivamente en el pueblo? Me alegro…, y crea que no lo digo sólo por el güisqui… Si quiere podría hablar con la dueña de mi edificio; es ese de ahí delante, ya sabe… Precisamente el mejor piso de la finca está vacío. Al menos tendría un sitio donde ir si finalmente se decide a beneficiarse a la Heidi, o a Madame Bovary, o a las dos juntas… Sepa que si alguna vez se le acumula el trabajo no tendría más que cruzar el pasillo y llamar a mi puerta, con mucho gusto me haría cargo de lo que a usted le sobrara. Por otro lado tampoco le vendrá mal perder de vista a los sordos del hostal. Dice la Heidi que son brujos. Yo no tengo veleidades esotéricas, figúrese, pero es verdad que siempre me han parecido un poco siniestros. ¿Sabe usted que jamás se los ha visto en otro lugar que no fuera el hostal? Bueno, salvo los días en que se reúne en la calle el pueblo entero: por San Juan, cuando acuden a la hoguera, y en Año Nuevo para comer las uvas delante de la iglesia. La verdad es que no cuesta mucho imaginárselos en pleno aquelarre con la encargada del hostal y el Propietario...

P aprovecha la mención:

—No se le ve mucho por aquí, al Propietario...

—Bueno, por el hostal sí pasa de vez en cuando. Supongo que para organizar alguna orgía ceremonial, me los imagino perfectamente a todos en pelotas, removiendo una olla llena de sapos y hojas de estramonio...

Interviene la Susi, que después de trajinar por la cocina vuelve a estar tras la barra:

—Vaya, qué raro: tú tirando al monte como las cabras.

—Venga Susi, no te hagas tanto la estrecha y ponnos otra ronda, que invita Pedro el Grande...

—Perdona pero todavía nadie te ha invitado a nada, ¿no te queda ni una pizca de vergüenza?

—¿Y de qué vale tener vergüenza?: cuando uno la tiene más le vale que no se le note. Soy un vividor, Susi querida, y un verdadero vividor transgrede siempre la Moral y nunca la Estética. *Voilà*.

—Ohg, no hablas más que tonterías y payasadas, parece mentira la edad que tienes... Como todas esas cosas que dices de las mujeres. No me extraña que la tuya te dejara.

—A mí tampoco, pero no creo que fuera por lo que yo decía o dejara de decir.

—No: porque en vez de trabajar como Dios manda y cuidarte de tu hijo te gastabas el dinero en güisqui y putas… Porque por mucho que presumas y te pavonees la mayoría de las mujeres te han costado dinero, que nos conocemos…

—Bueno, todas las mujeres cuestan dinero, en especial las honradas. En cuanto a mi hijo, no tengo nada que reprocharme: le di el mejor ejemplo de cómo disfrutar de la vida.

—Sí… —dice con escándalo la Susi, y se vuelve a hablarle a P—: Con él es imposible, siempre quiere tener razón, yo lo oigo hablar y me pongo mala… ¿Tú te crees que es buen ejemplo el de este hombre que nos trata de putas a todas las mujeres? —Ya no se sabe si le habla a P o a Betoven, pero está indignada, gesticula, se palmea un muslo.

—Susi, cariño: es evidente que no hay mayor estímulo para una mujer que el dinero que puede obtener de un hombre. Incluso las parejas más tradicionales se han formado siempre a partir de una mujer que quiere satisfacer sus propios fines de seguridad y reproducción, y un hombre incapaz de resistirse a la invitación sexual de ella. Nosotros pensamos con la bragueta, hasta las feministas están de acuerdo en eso, y ése precisamente es vuestro poder. Nos criticáis por ser como somos, pero, hipócritamente, nunca dejáis de pillarnos por el rabo, como a las lagartijas…

—No seas… Mira: tú no tienes ni idea de lo que quiere una mujer… Ni idea, para que lo sepas. Si un hombre es algo para una mujer es… porque es un hombre de los pies a la cabeza, y sabe estar y sabe hablar y sabe trabajar y dar la cara…, y cuando un hombre es un hombre de verdad una mujer disfruta estando con él…, pero tú: qué quieres que una disfrute contigo, si no tienes ni idea…,

¡ale!, directo al asunto con toda la peste a alcohol..., ¿no? Tú lo que no tienes es respeto, ni decoro, ni...

—Vale, Susi, cariño..., que te está saliendo la formación represiva...

—¿Represiva?: ¿pues sabes lo que te digo?: que ahora no te pongo el güisqui, ni que te inviten ni que no, así sabrás lo que es represivo. —Se va a la cocina y vuelve con una fiambrera que le tiende a P junto con los ajados periódicos del día—: Le he guardado un par de libritos de lomo y un tomate aliñado para que se lo lleve al hostal. Se lo puede comer frío si le da hambre cuando llegue.

Betoven protesta:

—Oye, oye, a ver si me voy a poner celoso, que a mí nunca me preparas el resopón...

—Tú a comer salchicha, ¿no dices que la tienes tan larga?

—Bueno, ésa es demasiado dura para comérsela...

—Ah: pues a tu mujer bien que se la ofrecías...

Betoven abre la boca, pero tarda en salirle algo:

—*Touché* —dice finalmente.

★ ★ ★

Madame Bovary tiene que bajar al valle el sábado por la mañana y le ha pedido a P que la sustituya en la barra hasta que vuelva. Así que P cierra el Pub a las tres de la madrugada del viernes y tiene que volver a las siete de la mañana siguiente.

La prisa por dormir le ha provocado insomnio y apenas ha pegado ojo. Por suerte a primera hora apenas aparecen en el local algunos granjeros a tomar café, y hacia las nueve queda un vacío que llena el carnicero, que a veces deja al Rito o al curita a cargo de la tienda y empieza a beber güisqui de buena mañana.

Hacia las diez se oye el bramido de dos motores, frenazos chirriantes, la estridencia de la música que sale de un viejo Ford Fiesta amarillo que detiene la derrapada justo delante del portón del bar. No son coches conocidos, y tampoco lo son los cinco tipos que entran con mucho barullo, ni la chica que viene colgada del brazo de uno de ellos. Otro, bajito y con cara de malicia, empuña un látigo con el que entra jugueteando y golpeando aquí y allá; es el primero que se acerca a la barra para pedir vodka con Red Bull. Antes de que P pueda hacerse una idea de lo que pasa, los demás ya se han aposentado desordenadamente en dos de las mesas; es evidente que llegan *after hours*, ríen y piden bebida a voces, parecen borrachos y al mismo tiempo muy excitados por el continuo consumo de cocaína durante la noche. La chica que viene con ellos está extenuada, los párpados se le mantienen apenas a media altura, pero eso no le impide al tipo que se ha sentado a su lado besarla en la boca y magrearle un pecho por debajo del grueso jersey de lana. En conjunto parecen haber tomado el bar para su exclusivo uso y disfrute, como apaches enloquecidos, y el carnicero, que sigue con su güisqui al final de la barra, se gira en el taburete a mirarlos y alterna la mirada con P, a quien parece aconsejarle con un gesto de la mano que simplemente espere a que terminen sus copas cuanto antes y se marchen. Bien. El tipo que besa a la chica se levanta un momento, le pide al más alto y feo la papelina de coca y, sin mayores disimulos, la toma sentado en otra de las mesas. Enseguida su anterior puesto es ocupado por el bajito del látigo, que también magrea a la chica y le da un largo lametón en la cara, lo que provoca en ella el vago gesto de limpiarse sin acertar del todo. La música del coche sigue sonando atronadora, sin duda medio pueblo la está oyendo, y P está cada vez más tenso.

Se acuerda del bate de béisbol que hay escondido tras la barra, entre las dos neveras bajas. En especial le preocupa lo que pase con la chica, a pesar de que parece estar allí de buen grado y no se queja de que la magreen por turnos, probablemente han hecho mucho más que eso durante la noche. Entre tanto, el bajito ha descuidado el látigo a medida que se ha ido concentrando en la chica, y el larguirucho y feo aprovecha para arrebatárselo y salir corriendo a la calle, lo cual da inicio a un juego de persecuciones que los lleva a salir a todos menos a la muchacha. Afuera se persiguen y se pasan el látigo de uno a otro para desesperación del bajito, que escupe y maldice y amenaza a diestro y siniestro. Pero la momentánea tranquilidad adentro, pese al constante retumbar de la música que llega del coche, le da oportunidad al carnicero de hacerle gesto a P para que se acerque.

—No te metas —le dice—. Si te encaras con uno te saltarán todos. Son traidores.

—¿De dónde salen?, ¿los conoces?

—Son la purria del valle, amigos del Malacaín. Los trajo una vez al pueblo y a veces se dan una vuelta por aquí arriba; no es que tengan mucha tendencia, pero como saben que nadie les para los pies… Habrán robado los coches y han subido haciendo carreras, seguro… Tú tranquilo, algún vecino ya habrá llamado a la patrulla.

—Los que tendrían que venir a defender su territorio son los jóvenes del pueblo. ¿Qué pasa hoy?, a estas horas suele haber aquí diez o doce de ellos.

El carnicero sonríe sin ganas:

—No aparecerá ninguno mientras estén éstos aquí, como si se quedan todo el día, ya lo verás. Me jode decirlo, pero he nacido en un pueblo de cobardes. Y además se dice que los protege el Propietario, así que mejor déjalo estar.

P toma un chupito de Jack Daniels para relajarse, y

enseguida otro que también bebe de un trago. Afuera, el bajito del látigo ha recuperado su juguete y lo está haciendo chasquear. Se oye ruido de cristales rotos, risas sobre la música enloquecedora, más ruido de cristales rodando por el empedrado. Entra el bajito y dice que se le ha caído el vaso y pide una escoba y otro Red Bull con vodka, pero P imagina lo que pueden hacer con una escoba en la calle y dice que ya sale él a barrer, lo que de paso le da oportunidad de olvidarse de suministrarle más alcohol. De todas maneras, las otras cuatro copas ya servidas han quedado casi intactas en las mesas y al bajito le basta con tomar una de ellas al azar y seguir bebiendo y bailoteando con el látigo en la mano. Ahora parece súbitamente interesado en la voluminosa presencia del carnicero, a quien se acerca y rodea primero por la derecha y luego por la izquierda mientras canturrea «maricón, maricón, maricón». El carnicero lo sigue con la mirada, primero a su derecha, luego a su izquierda, y al final se desentiende, exactamente como un rinoceronte ante la impertinencia de un foxterrier. El foxterrier, quizá en aras de dejar constancia de su superior virilidad, se va hacia donde la chica ha quedado sentada para volver a besarla y tratar de meterle la mano esta vez por dentro de los pantalones, exhibición que inopinadamente resulta interesar al carnicero, a tal extremo que se gira a observarlos desde su taburete como si estuviera en un *peep show*. A todo esto P ha tomado un tercer chupito y ha salido de la barra con su escoba y su recogedor y afuera se encuentra a los otros cuatro energúmenos tratando de prepararse una raya de coca encima del capó del Ford Fiesta. Hay cristales puntiagudos engastados en el suelo empedrado y P tiene que agacharse para recogerlos cuidando de no cortarse. Su paciencia está al límite, la falta de sueño acrecienta la sensación de pesadilla y la música machacona está terminando de enloquecerlo. Nota una subida de adrenalina, el deseo intenso de salir con el bate de béisbol y darle primero al Ford Fiesta hasta que enmudezca, y luego al primero que pille en todos los dientes. Tratando de calmarse vuelve a entrar en el bar y se va al lavabo. Respira hondo, se estira, se moja la cara con abundante agua fría, se toma unos segundos mirándose al espejo antes de secarse. Seguro que alguien habrá llamado a la patrulla del valle, un poco de paciencia, es sólo una mala mañana, no conviene estropearla aún más. Al salir del lavabo parece que el triángulo erótico-festivo entre el Carnicero, el Enano y la Bella Durmiente ha terminado, pero los otros cuatro incursores vuelven a estar dentro del local y ahora parece que el carnicero sí ha entrado al trapo de las provocaciones: «maricón, maricón, maricón»... De momento se ha levantado del taburete, se yergue en toda su silueta descomunal, se sube los pantalones y dice «A ver: qué queréis, niñatos». P ya no está pensando con normalidad, está excitado, el Jack Daniels ha hecho su efecto y la adrenalina también, de modo que pasa un momento a la cocina, toma uno de los cuchillos charcuteros, fino como un estilete a fuerza de haber sido afilado durante años, y mete la hoja corta en el bolsillo de atrás de los vaqueros, *just in case*. Luego sale hacia donde el rinoceronte y el foxterrier están a punto de engancharse y comprende que, por grande que sea el carnicero, se le pueden poner feas las cosas si alguno de los energúmenos escapa al primer manotazo. Se apresura, adelanta al rinoceronte y trata de hablarle contenidamente al foxterrier, que es el primero que le queda delante:

—Hey, colegas, vamos a llevarnos bien y a tener un poquito de tranquilidad, ¿no?

El foxterrier, con ese nervio de los bajitos, dice exactamente lo siguiente:

—Tú a mí me vas a comer la plazoleta del capullo, pringao... —y da dos pasos rápidos para situar su frente a cinco centímetros de la nariz de P, justo a punto para soltarle un cabezazo en cualquier momento.

Eso es todo lo que P necesita para que le salte el resorte. Lo primero da un alarido seco que hace que el foxterrier retroceda de un salto a orden directa de su amígdala. Enseguida, cuando lo tiene a la distancia adecuada, le lanza la mano engarfiada a la nuez, no muy fuerte, lo justo para que el foxterrier se sienta morir de asfixia y empiece a hacer gorgoritos de espaldas contra la barra. Entonces hay tiempo de sobras para sujetarlo por la frente contra el mostrador obligándolo a una dolorosa torsión de la espalda, sacar el fino cuchillo charcutero, y apuntalárselo con firmeza entre los dos testículos. Ahí pincha un poco, hasta notar que atraviesa la tela tejana. Y dice exactamente esto otro:

—Puede que sí que te coma el capullo. O a lo mejor te abro la picha entera y preparo unos boquerones en vinagre, ¿os apetecen, panda de lilas?

La pregunta parece dirigida a los cuatro no directamente implicados, pero ni siquiera pasado el primer momento hacen gesto ni de rebotarse ni de salir en ayuda del cabecilla bajito, aunque de todas maneras la geometría del bar, el estrecho pasillo que queda entre la barra y las mesas, haría imposible un ataque conjunto. Por lo pronto nadie se mueve, el bajito tose pero ya respira, y sólo el carnicero, al que le parece ver en los ojos de P algo que da verdadero miedo, se le acerca para sujetarle el brazo que empuña el estilete y decir algo conciliador, «bueno, bueno, ya está, no ha pasado nada...». También la muchacha, saliendo de su sopor, dice «tranquilos, eh, tíos, tranquilos», y se levanta de la silla aunque sólo puede dar dos pasos antes de desplomarse justo delante del portón: patapom, al suelo. Los otros cuatro tipos se mueren de la risa al verla caer como un saco de patatas, seguramente a causa de una bajada de tensión que la deja momentáneamente inconsciente en el suelo, todo lo cual cambia radicalmente el centro de interés. P retira al fin el cuchillo y le suelta la frente a su presa, que cae también al suelo y se palpa ahora la bragueta para mirarse después los dedos ligeramente manchados de sangre. No tarda sin embargo en incorporarse a trompicones y salir hacia la calle esquivando a la muchacha caída y que parece dormir dulcemente en el suelo. «Esta está muerta», dice riendo el larguirucho feo. «Pues si está muerta ya podéis ir a enterrarla —contesta el carnicero—, y más vale que sea pronto porque está a punto de llegar la patrulla». La chica termina reaccionando cuando la estiran de los brazos para incorporarla; se lleva la mano a la cabeza y tarda unos segundos en tratar de levantarse, lo que sólo consigue con la ayuda de dos de los tipos y la intervención del carnicero, que le da unos cachetes y le pide a P un botellín de agua para dársela a beber, propuesta a la que ella, con dos boqueras de saliva en las comisuras de los labios, se acoge de buen grado. Todo parece indicar que la fiesta ha terminado y los invitados se están marchando; y se marchan sin pagar, pero P prescinde de ese detalle y espera a que todo termine de una vez. El deseo se materializa en cuestión de minutos, y hasta le parece mentira volver a escuchar el silencio cuando los dos coches han desaparecido calle abajo con su música, si bien el bajito del látigo se ha asomado a la ventanilla para advertirle a P que se verían las caras, advertencia que refuerza con un juramento airado: «por éstas».

Dentro del local queda el recuerdo de un montón de cristales rotos, charcos y salpicaduras pringosas de Red Bull... Cuando ya el carnicero ha vuelto a sentarse en su taburete ante su copa, «No te preocupes: después de ésta no creo que vuelvan a subir», y P ha llenado el cubo de fregar y ha empezado a limpiar las paredes con una bayeta, aparece Madame Bovary por la puerta:

—Coño: ¿qué ha pasado?

No recibe respuesta inmediata, así que vuelve a hablar:

—He visto subiendo que la patrulla ha detenido a dos coches en el cruce. Estaban cacheando a esos tíos del valle amigos del Malacaín. Se los han llevado esposados.

—A buenas horas —dice P.

Es entonces cuando aparecen los dos primeros jóvenes pelos-de-colores en sus motos todoterreno. A tomar el aperitivo.

★ ★ ★

El 31 de octubre amanece fresco y soleado. P está citado con Betoven a las doce del mediodía, en su casa. Vive justo frente al bar de los soportales, en un viejo edificio enlucido en blanco y compuesto por distintos volúmenes que obligan al tejado a organizarse en un variado juego de pendientes.

Se entra por un jardincillo muy cuidado, rodeado de una verja; de allí arranca una enredadera que enmascara la fachada frontal y una escalera exterior que sube hasta la entrada principal en el primer piso, bien visible desde la calle. Arriba, traspasada una puerta con llamador que permanece abierta, P encuentra un zaguán luminoso, con plantas en macetas y una puerta con alfombrilla de bienvenida y paragüero de latón. Betoven le ha advertido la noche anterior que debe subir un segundo tramo de escaleras para llegar a su puerta, la número dos, mucho más simple que la de abajo, en un pasillo largo y oscuro horadado por otras puertas a lado y lado. P llama al timbre y no tarda en abrir Betoven. Viste una bata que parece de seda granate sobre un pijama de algodón crudo:

—Ah, puntualidad: cortesía de los reyes. Disculpe mi atavío, me he levantado pasadas las once, ya sabrá usted que la única manera de vencer la resaca es dormir mientras dure. Voy por las llaves y bajamos.

P espera sin llegar a entrar en el recibidor, observando los dos cuadritos de japonesas a tinta china y la cortina estampada en tallos de bambú. Betoven vuelve enseguida con las llaves y su bolsito de mano, cierra la puerta y pasa delante de P bajando las escaleras hasta llegar a la puerta de la alfombrilla y el paragüero. Se ajusta un poco la bata antes de llamar al timbre.

Tarda en oírse un cerrojo; abre una anciana bajita, obesa, cabello azulón, apoyada en un bastón de empuñadura de marfil. Cianuro por Compasión. Sonríe:

—Buenos días —no demasiado acusado acento local.

Habla Betoven. Saluda, presenta a P, «mi amigo Pedro, del que le hablé»; P no sabe si tenderle la mano a la anciana, ella nota su indecisión y le ofrece la izquierda para no tener que soltar el bastón. Observa a P con amabilidad pero muy atentamente, fijándose en su indumentaria y hasta parece que en la calidad de su afeitado. Enseguida toma una manojo de llaves, sale ajustando su puerta y encabeza la lenta comitiva de nuevo escaleras arriba. En el segundo piso se detienen junto a la puerta marcada con el número 1, casi frente a la número 2 de Betoven. La anciana abre y los tres pasan.

La oscuridad es absoluta hasta que la señora va abriendo contraventanas ayudada por los dos hombres que la siguen de habitación en habitación. El piso es sorprendentemente amplio y luminoso, con ventanas a tres vientos: a la calle de los soportales, justo frente a la terraza del bar donde ven al Robocop empezando a vaciar botellas de cerveza; al norte a un frondoso jardincillo interior de abetos azules, con el Horlá de fondo; y al este a la iglesia, cuyo chato campanario parece construido para funcionar a modo de carrillón particular de la vivienda. La sala y la cocina contiguas dan a ese lado, y tienen salida a un largo balcón con baranda de celosía cubierta por la hiedra; la vista desde allí es airosa, abierta sobre los tejados vecinos al sol de mañana, es un palco de privilegio en el corazón del pueblo. Adentro, en el centro geométrico de la vivienda, hay una pequeña estufa de hierro; la señora explica que no debe alimentarse con leña sino con cáscara de avellana, y que la hizo instalar la última inquilina, «pobre chica», añade. También hay una vieja lavadora, nevera, una cocina de butano y un calentador de agua conectado a la misma bombona. Suficiente, aunque todo sea muy viejo y esté mal conservado. Lo peor es que la última capa de pintura es de un rosa rabioso, en brutal contraste con el verde brillante de las puertas, y que la ducha se reduce a una alcachofa de plástico que cuelga junto al inodoro y apunta a un desagüe en el suelo encementado, si bien hay un amplio bidé decorado junto al lavamanos. Por lo demás sólo quedan unos pocos muebles abandonados: una mesa camilla sin barnizar, dos camastros, algunas sillas, dos sillones modulares llenos de pelos de gato…

—Me gusta la luz y el balcón. ¿Cuánto pide por él? —pregunta P, a pesar de que Betoven ya lo ha informado de manera extraoficial.

—200 euros al mes. Los gastos corren de su cuenta.

Las puertas del balcón han quedado abiertas y se oyen unos maullidos cercanos. Los tres se vuelven y ven a un gato negro rascándose el lomo al pasar por el quicio y entrar en la sala.

—Ah, es la gata de la muchacha que vivía antes aquí,

pobre chica, todavía ronda por estos tejados. Si le molesta no tiene más que espantarla.

La señora levanta el bastón y emite un soplido; la gata salta balcón allá como alma que lleva el diablo. Luego, dando por hecho que P se queda con el piso, le explica que tendrá que pasar por casa del administrador para firmar un contrato, que los suministros están dados de alta aunque no hay luz porque faltan las bombillas, que le dejará en el buzón las facturas correspondientes a medida que vayan llegando, y que, por último, se fía de él ya que viene recomendado por Betoven (Don Blas) y por tanto puede quedarse ahora mismo con el juego de llaves. En efecto: se las da, después se despide entregando de nuevo la mano izquierda y se marcha escaleras abajo.

—Bueno —dice Betoven cuando se quedan solos en el recibidor—, ya tiene usted trabajo y casa en San Juan del Horlá, no está mal para llevar aquí poco más de un mes. Qué sea en buena hora.

—Sí, y le debo unos cuantos güisquis…

—Bah, no he tenido que hacer gran cosa. A la dueña le conviene tener a un inquilino aquí arriba para que se ocupe de que no se hielen las tuberías en invierno. Ella vive en el valle, sólo aparece por aquí un día por semana, a regar las plantas; la trae su hijo en coche y vuelve a buscarla a la hora de comer.

—La verdad es que el piso tiene encanto, y estoy por decir que la finca es la mejor situada del pueblo.

Betoven ríe:

—Naturalmente: en sus tiempos fue el prostíbulo más conocido de la comarca.

—¿En serio?

—Le estoy hablando de antes de la guerra. Luego hicieron la carretera abriendo túneles por la ruta de abajo y aquí no se les ocurrió otra cosa que construir el primer matadero. Antes de eso había sido parada obligada para los que viajaban entre los valles, y ésta era conocida como La Casita Blanca, va el tercer moblé o prostíbulo con el mismo nombre del que tengo noticia. Si se fija verá que todas las habitaciones tienen un timbre que suena abajo, por si había problemas con algún cliente. Y abajo vivía la madam, una ilustre antepasada de nuestra casera. Lo que ahora es el zaguán del primer piso tenía una barra de bar, y en los apartamentos de aquí arriba vivían y recibían las chicas. Yo juraría que las más caras trabajaban en esta que ahora es su casa: es la más grande, y la que tiene mejores vistas.

—Ahora que lo dice, sí que tiene un aire… Aunque el acceso por la escalera exterior es muy poco discreto para un prostíbulo.

—Bueno, ¿no ha visto en las películas esos salones del *Far West*…?

—Otra cosa: por qué ha dicho «pobre chica» al referirse a la última inquilina. Lo ha repetido dos veces.

—Ah: pobre chica… Creo que ya le hablé de ella. Trabajaba en el Pub antes que Madame Bovary, una muchacha muy bonita, y nada cínica, al contrario que la de ahora. La encontraron ensartada en un chopo en el fondo del Horlá. Espero que no sea usted demasiado aprensivo…

En ese momento, exactamente a la una en punto de la víspera de Todos los Santos, P baja al bar de los soportales para brindar con Betoven por su nueva casa. La Susi tiene ya preparadas varias cestas con castañas para la Noche de Difuntos.

★ ★ ★

P necesita hacer algunas compras de urgencia: sábanas, toallas y utensilios de cocina que faltan en el piso. Y es también el momento para comprar ropa de abrigo, a principios de noviembre el frío es ya mordiente por las noches. El francés se ha ofrecido para acompañarlo hasta el valle en su furgoneta, y ambos se citan un sábado frío y luminoso que anticipa la quietud del invierno.

Salen del pueblo en el silencio de la siesta y P recorre por primera vez a la luz del día la carreterilla que baja hasta el valle. Se ven caballos y vacas lanudas rumiando, manchas melosas entre el esmeralda de la hierba y el azul del cielo donde ya espera turno la luna: un espectro grisáceo, desconocido. El aire fresco está perfumado de esencias a las que P no sabe poner nombre, pero a su contraste se hace evidente el olor a leña que le ha ido impregnado la ropa durante semanas.

—Me encanta mucho este paisaje —dice el francés, mientras manipula el aparato de música. *Qué horas son mi corazón...*

—Sí, no está mal. Pero de noche, o en invierno...

—Ay, ay, ay…, en invierno: hace un frío horrible, y la niebla... no me recuerdes. Pero el mundo es aquí más tranquilo. Más humano...

—¿Hay algo más humano que un embotellamiento en el centro de la ciudad?

—Bah, en las ciudades se están volviendo locos: toda esa gente muriendo horriblemente en *Manhattan*... No quiero que mi bebé crezca con todo eso: drogas, violencia...

P se lo piensa un poco antes de replicar, y lo hace con suavidad en la voz:

—Bueno, aquí el sesenta por ciento de los menores de 40 son adictos a la marihuana, al alcohol, a la cocaína, o a las tres cosas; y pese a tanta medicación algunos terminan arrojándose al vacío desde el Horlá. En cuanto a la violencia, tenemos al Malacaín cuando se pone borde, de vez en cuando a una panda de salvajes que suben del valle con un látigo y se hacen dueños del pueblo porque ni siquiera hay policía municipal, y, por si fuera poco, también aparece de vez en cuando una mujer descuartizada en el matadero… ¿Crees que Manhattan ha sido alguna vez mucho peor?

El francés se resiste a abandonar su visión bucólica:

—Hombre, es distinto…

—Sí…, aquí nadie te robará la cartera en el metro…, pero fíjate que los crímenes más horribles suelen cometerse en pueblos, o en ciudades muy pequeñas.

El francés parece pensárselo un poco:

—Sí, es una mierda…, no hay refugio seguro en el mundo. —Pausa, aspira el aire perfumado de hierbas—. Pero al menos aquí la mierda huele mejor, ¿no?

—¿Te refieres a la peste a estiércol cuando abonan los campos?

Llegados al polígono industrial de entrada a la capital de comarca, el francés conduce con seguridad por la cuadrícula de calles hasta un hipermercado de ropa y calzado. Allí compra P botas de montaña, un jersey de forro polar, pantalones de pana, calcetines gruesos, camisetas de felpa, un anorak relleno de guata, unos guantes impermeables que el francés le aconseja para los días de nieve: todo ello sin entretenerse mucho en la elección. El resto de las compras las hacen en el Carrefour y, hacia las seis de la tarde, han terminado con la lista que P traía y que se ha enriquecido considerablemente con compras no previstas. Sólo le falta encontrar unos sacos de cáscara de avellana para probar la estufa, pero eso queda para la vuelta porque según el francés hay una leñera bien surtida en el último pueblo del valle.

Deciden tomar una cerveza en el centro de la ciudad antes de regresar. La capital de comarca es una población pulcra y seria, con tejados de pizarra, recorrida en parte por viejas murallas que delimitan la zona comercial. La mayor parte de las tiendas son de deportes alpinos, esquí, escalada, piragüismo... «Hacía dos meses que no veía un paso de peatones, —dice P cuando se adentran en el casco urbano—, creo que nunca había pasado tanto tiempo fuera de una ciudad.» No les es posible aparcar en la calle, tienen que recurrir a un parquing subterráneo y emergen de él en una gran plaza porticada, con tiendas de souvenirs y bares para turistas. Se deciden por uno decorado con mucha madera, concurrido por señoras tomando té y pastas. Piden jarras de presión.

—Oye, es raro que no tengas ropa de invierno, ¿dónde vivías antes?, ¿en el Caribe? —dice el francés cuando están servidos.

P sonríe:

—Es largo de explicar. Digamos que no me apetece ir a recoger mi ropa allí donde la dejé.

—Y también es raro que vayas a vivir a la montaña si te gusta la ciudad... ¿Sabes qué dice la Heidi?

—Que soy policía, ya me he enterado.

—Y no solo lo dice la Heidi. Dicen que es por eso que tú quieres trabajar en el matadero...

—¿Tú también lo crees?

—Yo no sé... Me parece demasiado... fantasioso... Pero pienso que huyes de alguna cosa... Disculpa si te parezco un poco... como se dice..., *indiscret*, pero es difícil no preguntarse y hablar. Nadie sabe qué haces todo el día... Eres muy... misterioso.

P tarda varios segundo en decidir el camino a tomar:

—No, no me pareces indiscreto: lo primero que suele saberse de la gente después de su nombre es a qué se dedica. Podría contártelo si tú pudieras evitar contárselo a nadie.

—Bueno..., sé cómo guardar un secreto.

P mira al francés a los ojos y se echa atrás en el banco:

—Soy algo tan fantasioso como policía…

—Ah… ¿Hay algo tan fantasioso como policía?… ¿Astronauta?

—No: escritor.

—¿En serio? —Pausa—. ¿De qué tipo de escritor?

—Novelista.

—Ah… ¿Y has venido al Horlá a escribir?

—Algo así. Pero prefiero que no lo sepa nadie. Si eres farmacéutico nadie se empeña en probar tus medicamentos a menos que se los receten, en cambio si uno es novelista todo el que te conoce quiere leerte, aunque en realidad no les guste leer y no hayan terminado un libro en toda su vida. Nadie lo dice pero en realidad es puro fisgoneo: quieren saber de tu vida a través de lo que escribes.

—Bueno, no es lo mismo farmacéutico que escritor…

—Puede, pero yo no he entendido nunca la diferencia… En cualquier caso tienes parte de razón al decir que huyo de algo. Huyo de hacer vida de escritor.

P se mantiene muy serio, siempre en su papel, tratando de recordar lo que Quique Aribau le contó aquella noche del mes de agosto que pasaron hablando y tomando copas hasta el amanecer:

—Pero los escritores necesitan promoción para vender… —Dice el francés.

—Allá los demás… En lo que a mi respecta, cuanto menos conocida sea mi cara mejor. ¿Crees que uno de esos escritores que salen en la televisión podría emplearse en un matadero para documentarse?

Pausa. Beben cerveza. El francés cavila un poco:

—¿Estás escribiendo algo sobre el matadero?

—Estoy trabajando en una novela… El protagonista trabaja en un matadero. Por eso me interesa trabajar en uno durante una temporada, ver cómo funciona por dentro…, todo eso. Por cierto, ¿de verdad es tan difícil entrar allí?: tú conoces al Propietario, ¿no?

El francés mueve la cabeza en señal de negativa repetida:

—Muy difícil… Igual si eres policía que si eres escritor. Un matadero guarda muchos secretos.

—Lo imagino, sobre todo éste…

—Puede ser…

Aquí el francés no entra al trapo y la conversación parece languidecer, de modo que, después de pedir otra ronda, P se va hacia los lavabos y aprovecha para hacer una llamada telefónica desde el aparato que queda oculto en un recodo.

No encuentra a Rodero en su despacho, de modo que habla con su secretario. Sólo pierde unos segundos en dejarle el recado para que se lo comunique a su jefe, aunque se asegura de que el secretario tome nota escrita de las instrucciones que le da apresuradamente: «Primero: he tenido que abrir juego, pasamos al plan B, que preparen la revista. Segundo: nos interesa un tal Malacaín, tontea con estramonio y ha trabajado en el matadero, fue matarife antes que el actual; «Malacaín» es un alias, preguntad a Berganza de la Provincial y buscad a ver qué antecedentes tiene. Y tercero: el día 14 del mes pasado la patrulla del valle detuvo en el cruce del Horlá a cinco individuos y una mujer que iban en dos coches, probablemente robados; a ver qué se sabe de éstos, en especial interesa uno bajito, no sé cómo se llama. Quiere repetírmelo, por favor…»

Cuando veinte minutos después sale del bar con el francés es ya noche cerrada, tienen el tiempo justo de pasar por la leñera antes de que cierren. Allí hacen la última parada; el negocio está atendido por una mujerona con las manos más rudas que P haya visto jamás en una mujer; cargan cuatro sacos de cáscara de avellana en la furgoneta y enfilan la carreterilla de subida al Horlá, esta vez con los faros encendidos y las ventanas bien cerradas para evitar el aire cortante de la noche. Por el camino se cruzan con dos liebres y algo parecido a un zorro, y también un pichón de búho tiene la mala idea de salir volando tan raso que el francés no puede evitar golpearlo con el morro de la furgoneta. Se apean: el buhíto está malherido en un ojo; *Oh, merde…*, dice el francés mientras le hace un diagnóstico veterinario, rápido y experto. Luego busca alrededor una piedra lo bastante pesada como para rematarlo dejándola caer sobre él. Tras la primera caída el buhíto aletea ruidosamente. A la segunda ya sólo tiembla un poco sobre un charquito de sangre y el francés dice que ya está muerto, aunque todavía lanza la piedra por tercera vez antes de arrojar el cadáver lejos, hacia el bosque. El incidente es lo bastante desagradable para que hagan el resto del camino en silencio, acompañados por la radio. Suena *How deep is your love* de los Bee Gees cuando llegan al pueblo y paran delante de la Casita Blanca. La gata aparece maullando y sube al balcón trepando por los tejados.

—¿Tienes un gato? —pregunta el francés.

—Era de la chica que vivía aquí antes, pero sigue subiendo cuando me oye llegar… Es como si se hubiera quedado huérfana…, siempre le pongo un plato de leche cuando aparece.

P abre la puerta del balcón y la gata entra y se restriega contra sus piernas, aunque la presencia desconocida del francés la hace detenerse y mirarlo con precaución.

—Se ve muy sana e muy bien. ¿Se deja que la toques?

—No, es muy asustadiza. Los primeros días sólo comía si le servía la leche en el balcón y me marchaba. Ahora ya se atreve a entrar en la cocina a reclamar su plato, y el otro día estaba sentado ahí y se me subió de repente a las rodillas. Pero si trato de tocarla sale disparada.

El francés se acerca a ella y tiende la mano haciendo esa clase de ruiditos que la gente le dedica a los gatos. Ella lo mira con ojos de terror y sale huyendo al balcón; da un salto y se queda sentada en la ancha baranda de ladrillo. Pero no tarda en volver a entrar maullando y mirando a P.

—Qué pasa, ¿eh?: ¿quieres tu leche?… Habrá que calentarla un poco, ¿no? ¿Y dónde vas a dormir hoy con este frío?

La gata lo mira y maúlla de forma que parece inteligente, como si estuviera acostumbrada a mantener una conversación educada con humanos.

★ ★ ★

Viernes de trabajo en el Pub para P. Son fiestas en el último pueblo del valle y hacia la medianoche los jóvenes pelos-de-colores han empezado a subirse a los coches para ir a rematar allí. Queda todavía una mesa con cuatro de ellos y el Rito bebiendo quintos y echando en la tragaperras. Se ha emperifollado como suele los fines de semana, y lleva unas absurdas gafas de sol que le sirven de diadema para sujetarse el flequillo hacia atrás. «No tengo ni pizca de ganas de bajar al valle —le dice a P—, y mira que esta tarde estaba yo flamenco…, hasta le he encargado un gramito al Robocop; si quieres te invito luego a una raya.» P no llega a responder porque entra en el bar el curita. No saluda, sólo entra y se sienta en un taburete. «Huy, el Frente de Liberación Gay», dice el Rito para sí mismo y para P, que se acerca al muchacho para servirlo. Pide un JB con naranja, y esta vez no mira a P como suele: hurta los ojos, parece más nervioso que de costumbre.

—Qué… ya has acostao al viejo —le pregunta el Rito en voz alta, a cuatro metros de distancia.

—Vete a tomar por el culo —contesta el curita sin mirarlo, casi hablando para sí mismo.

—A eso salía, pero con este frío… ¿Le has dao en las piernas con el Thrombocid?

—Sí. Y no hagas ruido cuando llegues: le he desplegado la cama del comedor…

—Ah sí, por qué…

—Porque quería ver la tele y porque le ha salido de los cojones y está en su casa, ¿te vale? —ahora sí lo ha mirado, y ha alzado la voz hasta un tono normal.

El Rito no replica, bebe de su botella y sigue echando monedas; P sirve el güisqui con naranjada. Los pelos-de-colores de la mesa se levantan dejando las sillas desparramadas. Hacen cola para pagar, nombran su bebida y lanzan billetes o monedas sobre la barra sin mirar a P. Tampoco dicen «por favor» ni «gracias» ni «buenas noches»: nunca lo hacen, sólo hablan entre ellos en su tono ininteligible. Salen y se oye cómo suben a un coche aparcado fuera.

Queda en el interior el ferrete de los Rolling Stones que P ha puesto para variar un poco de la Creedence, pero suenan extemporáneamente animados, como llegados desde un mundo remoto. P empieza a subir las sillas a las mesas y a barrer cuando se abre el portón y aparece el Robocop. Entra con su caminar de leves tumbos, contemplando su casco y sus gafas de motorista como un Hamlet sosteniendo la calavera. Uno de los cristales de las gafas está roto, y él trae una rodilla despellejada y el abrigo rasgado en un codo. «Qué pasa —pregunta el Rito—, ¿te has caído?» El Robocop asiente sin dejar de mirar sus gafas inutilizadas. El curita también se interesa pero enseguida le pregunta si trae el material, al parecer también él le ha encargado algo. P interviene: «Eh: los trapicheos afuera, ya lo sabéis». El Robocop sale a la calle seguido de los otros dos. P sigue barriendo. Al poco vuelve a entrar el Rito, antes de que le haya dado tiempo a meterse la primera raya en la calle aprovechando un alféizar de la casona de enfrente, donde suele tomarse la cocaína siempre que la meteorología lo permite. «'Cucha —dice—, voy al váter y te preparo una en la cisterna.» «Se agradece», dice P. Poco después entra el curita, pero éste ya ha catado la golosina porque viene haciendo muecas. Se sienta en el taburete a beber su güisqui y observa a P barriendo.

—Oye —empieza a decir con voz débil; P levanta la cabeza y apoya las dos manos en el extremo de la escoba—. Tú me gustas... ¿Crees que podríamos tener algo?

Es como estar ante un cachorrito que pide una caricia. P contesta con voz que suena casi paternal:

—Lo siento, no es lo mío...

—Ya... Bueno..., ¿sabes?, siempre que me gusta un tío tengo que decírselo. Es una manera de no perder tiempo y de no hacerme ilusiones... No sé si hago bien...

—Yo tampoco. Lo sé. A mí no me molesta.

—Pues me alegro de habértelo dicho. Hacía días que le daba vueltas...

Sale el Rito del lavabo, y ésa parece la señal para que el curita deje dos euros y medio en la barra y se marche sin terminar su bebida. «Buenas noches..., y gracias», dice al salir. El Rito pone entonces un brazo en jarras y con el otro empuña su botellín de cerveza:

—¿A que te ha soltao que le gustas y quiere tener rollo contigo?

P se hace el sorprendido:

—Por qué lo dices...

—La muy perra..., como si lo viera, en cuanto ve unos pantalones nuevos se pone loca. —Da un sorbo a la botella—. Tienes la rayita en el lavabo, ya te apago yo las máquinas si quieres.

—¿Sabes cómo van?

—Aquí hemos trabajado todos, forastero…

P se va al lavabo. Sobre la cisterna del inodoro ve un billete de diez euros enrollado y junto a él una raya generosa. Se lo piensa mientras orina. Se lava las manos. Luego toma un poco de papel higiénico, lo humedece bajo el grifo y con él limpia la loza hasta no dejar rastro de polvo. Tira el papel al inodoro y descarga la cisterna. Al salir le tiende al Rito el billete ya desenrollado y doblado.

—Oye, ¿te apetece que cojamos el coche y vayamos a tomar una copa al valle? —dice el Rito—, es temprano para irse a dormir un viernes, sobre todo llevando un gramito encima.

A P le parece oportuno aprovechar la ocasión para sonsacar al Rito. Sin duda le cae bien, y seguramente le gusta, pero ha tenido pocas oportunidades de hablar a solas con él.

—Sí, me apetece, estoy harto de ver estas paredes. ¿Podemos ir a alguna parte donde haya gente desconocida y música que no sea ni de la Creedence ni de los Rolling…? Pago yo.

—Ahora que pienso, el valle estará lleno de garrulos… ¿Has ido alguna vez al club de la Estación de Esquí? Hay como tres cuartos de hora de carretera, pero vale la pena, es otro nivel.

—¿Hay gente y música?

—Sí, parece un bar de ciudad… De todas formas te tengo que advertir una cosa: si apareces conmigo puede que piensen que tenemos algo…, a veces me voy a hacer la loca por allí…

Su actitud ahora es desacostumbradamente viril, parece haber perdido la mayor parte de la pluma que luce de ordinario.

—Me da igual —dice P—. Pero te agradezco la advertencia.

Así que salen juntos del pub y P cierra el portón con llave. Entran en el coche del Rito aparcado un poco más abajo: su viejo Volkswagen Golf color hueso con capota de tela azul marino. Hace frío, el termómetro del tablier marca −3 grados; los dos se arrebujan en sus abrigos mientras la calefacción empieza a funcionar. Bajan un trecho hacia el valle pero en el cruce toman la carreterilla que gira hacia el norte. El Rito mantiene siempre encendidas las luces largas y conduce con marchas cortas, invadiendo parte del carril contrario, parece imposible que pueda aparecer un coche en dirección contraria. La cabina se va templando y los dos pueden relajarse un poco en el asiento. Entonces el Rito estira la mano para manipular el radiocasete y empieza a sonar Abba, *Chiquitita*.

—Música de mis tiempos —dice.

—Y de los míos.

El Rito canta desafinando:

—*Las estrellas brillan por ti / allá en lo alto…* Ay, mis tiempos… ¿Sabes que se supone que esta noche estoy de celebración?

—¿Ah sí?

—Ya ves… Tal noche como hoy hace quince años conocí al Juan: 17 de noviembre de 1986. Yo tenía veinticinco añitos, y él cincuenta y uno. Pero él ya tenía el mismo aspecto de ahora, un poco menos gordo pero igual. Yo en cambio he perdido mucho: a los veinticinco era un bombón.

—¿El Juan…?, ¿lo conozco?

El Rito ríe:

—El carnicero… Parece mentira pero tiene nombre. —Pausa en espera de estímulo para seguir.

—¿Dónde fue eso?

—En Bilches. ¿Conoces Bilches?, es lo más parecido al paraíso, y los tíos se me rifaban… La verdad es que supe sacarle provecho…

—¿Al paraíso o a tu éxito con los tíos?

—A las dos cosas. A los veinticinco ya tenía mucha carrera a la espalda… Empecé a los doce, con un cuñado de mi padre que me enseñó lo que hay que saber. Un tío postizo, digamos. Ahora los denuncian, pero entonces… Además, si me enrollé con él es porque me dio la gana, yo ya tenía los huevos peludos… Eso fue en mi tierra.

—Castellón…

El Rito asiente:

—Pero a los quince ya me había ido de casa y ganaba un dineral haciéndome los cines, o alguna cosita en la playa. Siempre con gente de clase, eso sí. Eso ya fue en Tenerife: allí tuve mi primer apartamento, lo alquilé a nombre de mi jefe de la discoteca porque no tenía la edad… Luego un cliente holandés me habló de Bilches y me fui para allá con él. No es que tuviéramos nada serio, él tenía como setenta años…, pero fue una manera de viajar gratis… Así era yo entonces, hasta que apareció este mostrenco acabado de bajar del pueblo y me enamoré de él como un idiota. —Pausa—. ¿Te has enamorado alguna vez?

—Alguna. De la última no hace mucho.

—Yo sólo una vez en la vida, como en el bolero… El tío postizo fue un profesor, ni siquiera un maestro. Y lo otro eran trabajitos divertidos, me lo llegué a pasar muy bien: fiesta, buena vida, sexo sin compromisos, dinero fácil… Pero lo de éste fue otra cosa… Ya ves…, nada más conocerlo sentí como una pena honda de él, algo que no había sentido nunca por nadie. O no sé: a lo mejor viendo una película… —Pausa—. Perdona si te doy mucho la vara pero es que hoy estoy un poco blando. Y tú sabes escuchar, ladrón. —Se vuelve hacia P y sonríe.

—Me gusta escuchar más que hablar.—Pausa—. ¿Cómo lo conociste?

El Rito hincha el pecho de aire y lo suelta de golpe:

—¿Al Juan?

Las ventanillas laterales están heladas, sólo se ve el exterior a través del parabrisas templado por el aire que arrojan las toberas. La carretera es extraordinariamente estrecha y revirada; el asfalto ha ido emblanqueciendo de escarcha, los árboles iluminados por los faros brillan como abetos navideños. Todo parece estar a punto de congelarse con un crujido seco, pero en el interior la calefacción funciona a pleno rendimiento. Apetece fumar; P saca el paquete de Lucky y el Rito pide un cigarrillo y ofrece su papelina de coca para impregnarlo. P ensaliva dos pitillos y los reboza un poco en el polvo; después los enciende y le pasa uno al conductor. Suena *Fernando* cuando el Rito empieza a contar su historia:

—Pues yo trabajaba en el Lord Douglas, un bar de ambiente, tipo barra americana… En verano era una locura, pero en invierno sólo solían recalar los ricachones que vivían en Bilches todo el año. Era un lunes, y el otro chico de la barra hacía su turno de fiesta, el mío era el domingo… Bueno, pues a eso de las doce, clong, como en el cuento de la Cenicienta, me veo aparecer a un tiparraco increíble. Te juro que pensé «a este debe de haberlo enviado el dueño a arreglar el desagüe». Pero no: va y se sienta a la barra y me pide un güisqui con hielo. Yo se lo pongo y le doy un poco de palique, como si tal cosa… Formaba parte de las obligaciones del barman, y además siempre me hacía algún extra al cerrar si algún cliente me gustaba… La cuestión: que el tío me mira y me dice «Me llamo Juan», y va y me da la mano… Bueno…, ahí empezó a gustarme de verdad, por la manaza que me tendió como un bobo, y sobre todo por la expresión de los ojos. Triste, muy triste: como un San Bernardo: todavía mira así a veces y te juro que me da un vuelco el corazón —se para y fuma tabaco con cocaína.

—¿Y qué hacía él en Bilches?

—Cayó allí por casualidad, bajando por la costa. No había visto nunca el mar…, ¿te lo puedes creer? No tenía ni idea de nada…, era la primera vez que entraba en un bar de ambiente, y entró sin saber dónde se metía. Me contó que había salido de su pueblo después de una discusión con su mujer y que llevaba dos días conduciendo sin destino. Estuvimos hablando como dos o tres horas… No te lo puedo contar todo, hay cosas que se quedan en aquella conversación, ¿me entiendes?, pero lo que me contó que le había hecho la mala puta de su mujer… Tú debes de saber lo crueles que pueden llegar a ser las tías: las buenas son muy buenas, yo me acuerdo de mi madre y era una santa, pero las malas son más retorcidas que cualquier hombre, maricones incluidos, y mira que he conocido a mariconas malas con los tíos a rabiar. Yo eso nunca, ¿ves?: les daba un meneo, les sacaba unas perras y los dejaba con la sonrisa puesta, punto… En fin, que me encontré con aquel hombretón que tumbaría a una vaca de una bofetada hecho una piltrafa, te lo juro. Llegó un momento que se me puso a llorar y todo…, mira —el Rito se lleva la mano al pecho—: y yo, que estaba con un nudo en la garganta que no podía… —También ahora al recordar está a punto de quebrársele la voz; pasa un ángel, traga saliva, carraspea…

—¿Aún lo quieres? —pregunta P, para llenar el silencio.

—Ya ves… Y eso que al muy puerco me lo encontré un día en la cama con el curita, que es una perra caliente, tal como te lo cuento. Eso sí que no se lo perdono, y además lo metió en casa y el otro se acuesta con él cada vez que le pica. Pero te lo juro que lo he querido más que a nadie en el mundo: ni a mi padre, que era un golfo y un borracho pero lo quise, ni a mi madre, que ya te digo que era una santa, ni a mis hermanas, ni a todos los tíos que he conocido en mi vida juntos. Y mira que una vez me dio una hostia que me saltó el diente que me falta: delante de todo el mundo. No te creas que no me ha hecho pasar lo mío…

—Algo me contó el Betoven…

—Bah, el Betoven sabe de la misa la mitad… La gente se cree que fue porque me vio bailando encima de la barra… Si quieres que te diga la verdad, y esto no se lo cuentes a nadie, y menos al Betoven, yo me acababa de meter en el lavabo del Consorcio con uno… No te voy a decir quién es porque aquí donde me ves me precio de ser un caballero, pero date cuenta que siempre hay más maricones de los que parecen, aquí y en Roma. Y a veces son justo los que más se meten con los maricones, no te doy más pistas… Total, que el Juan me lo pilló rápido, porque tonto desde luego no es. Lo vi que salía del váter un poco después que nosotros y se vino directo a la barra… Yo me había subido encima y estaba bailando como una loca… Bueno, pues me enganchó de la pernera de los pantalones y, cuando toqué, suelo me soltó una hostia que casi me mata. Y suerte que había como veinte tíos en el bar, porque si no lo sujetan entre todos yo creo que me mata, te lo juro. —Pausa.

—No está mal la escena… ¿Y al otro?

—Al otro no le partió la crisma porque es nacido en el pueblo; entre ellos tienen códigos de honor muy raros, y todos son medio parientes… Pero ¿sabes lo que te digo?, que tenía razón de soltarme aquella hostia. Yo creo que en aquel momento fue cuando me di cuenta de que me quería de verdad. Entiéndeme…, no es que sea masoquista ni nada parecido: yo al que me levante la mano le puedo sacar los ojos en un momento dado, ya puede ser el Papa, no te creas, una vez le rayé la cara a un listo con un peine de acero… Pero aquella noche me porté como una puta perra, así mismo te lo digo: lo que había sido toda mi vida, para qué nos vamos a engañar. Le hice daño… Me había traído a su propio pueblo, con un par; pusimos casa, volvió a abrir la carnicería, y delante de su mujer y de sus amigos y de todo el mundo iba conmigo por la calle con la cabeza bien alta, sin esconderse de nadie. Y te estoy hablando de hace quince años, no era como ahora que salen maricones hasta en los cromos. —Pausa larga.

—Bonita historia. Un poco triste…

—Ya ves… Las mejores historias de amor suelen ser las tristes… A veces pienso que si aquella noche en el Consorcio me hubiera cortado un poquito, ahora…, quién sabe. Lo del curita empezó como una venganza, me conozco al Juan y lo sé… Pero así es la vida: uno aprende siempre tarde.

—¿Y no has pensado en marcharte, empezar de cero en otra parte…?, no sé, al menos tener tu propio piso y no tener que aguantar según qué…

—Pse… —el Rito parece pensarlo con mucho detenimiento—: Dinero no me falta, ya ves: entre el matadero, las horas que echo en el Consorcio, y el rincón que tengo en el banco… me podría hacer un chalet en el pueblo si quisiera. Pero no me fío de la perra del cura, cualquier día me dejará colgado al Juan y ese día tengo que estar yo ahí. —Pausa corta—. Mira: ésa es la Estación de Esquí, la coctelería está abajo, ¿ves las luces? No es que sea un local de ambiente ni nada, pero alguna noche subo con la ilusión de pescar algo decente, al menos hay gente educada. El mes pasado conocí a un holandés que me quería llevar de vacaciones a Saint Moritz. Ya ves: lo mío debe de ser viajar con holandeses…

El Rito se ríe enseñando su diente mellado.

★ ★ ★

Llaman al timbre de casa. P va a abrir. En la oscuridad del pasillo reconoce a la Heidi con las manos en los bolsillos del anorak:

—¿Tienes las llaves de la máquina de tabaco? —pregunta sin más. P duda, no sabe de qué le están hablando, sólo se le ocurre repetirse la pregunta. Ella aclara:

—La pija del Pub dice que las llaves de la máquina de tabaco no están. Dice que a lo mejor las tienes tú.

P comprende al fin. Piensa un poco: es posible: en el bolsillo del anorak. Termina de abrir la puerta:

—Voy a ver, ¿quieres pasar?

P se dirige a uno de los dormitorios que usa como ropero. Busca en un bolsillo y encuentra un llavín pequeño. Sale de nuevo al recibidor; la puerta ha quedado abierta pero la Heidi ya no está allí, ha seguido hasta el fondo del pasillo y se está quitando el anorak en la sala de estar. P cierra y va a su encuentro:

—Sí que la tengo: ayer abrí para cargar la máquina cuando me marchaba y sin darme cuenta me eché la llave en el bolsillo…

—¿Me invitas a un café? —pregunta la Heidi. P titubea un poco y dice que bueno. Ella anda curioseando. P ha construido un sofá doblando dos colchones de lana en forma de G y cubriéndolos con unas mantas. La mesita ante ellos son dos cajas vacías de cerveza con un tablero encima. También está la mesa camilla con dos sillas, lámparas improvisadas con cartón formando cucuruchos alrededor de las bombillas, dos pilas con los ajados periódicos que la Susi le guarda cada noche y que han ido creciendo hasta la altura de la cintura; la reproducción de la *Madonna ante un paisaje* de Giovanni Bellini… Lo mejor que puede decirse es que la casa está caliente, la estufa de avellana zumba como el motor de un jet, y quizá también que la luz de las lámparas de papel resulta acogedora.

—La típica casa de un tío —dice la Heidi, que ha llegado en su exploración al quicio de la cocina, donde P carga la cafetera.

—Sí, supongo que la de un cocodrilo sería muy distinta.

—Qué.

—Nada: un chiste malo.

Ella vuelve a desaparecer. Cuando P sale de la cocina se la encuentra curioseando a la puerta del dormitorio de P, junto a la estufa. Incluso ha encendido la luz para ver la cama deshecha y tres periódicos en el suelo.

—Te enseñaría el resto de la casa pero me están pintando la sala de billar…

—Qué.

—Nada, otro chiste malo.

Ella vuelve al comedor, se sienta ante la mesa camilla, saca del bolsillo un plastiquillo de tabaco con un cogollo de marihuana y empieza a deshacerlo sobre el hule, cuidando de separar las semillas.

—¿Qué hace un policía aquí solo todo el día?, ¿hacerse pajas y leer los putos periódicos?

—¿Qué te hace estar tan segura de que soy policía?

—Ah, vamos… Soy Casandra, la adivina, ¿no lo sabías? Nadie me cree, pero yo conozco la verdad.

—*OK*, Casandra: entonces para qué preguntas…

—Porque no lo sé todo. Sólo algunas cosas que me vienen a la mente. ¿Por qué lees tantos periódicos? —su tono cambia de la impertinencia a la dulzura con sorprendente facilidad.

—No sé… Para ver qué tal le va al mundo sin mí.

—*New York, September the 11th, isn't it?* Eso es lo que te interesa tanto…

—¿Te ha venido a la mente o es una simple suposición?

—¿Qué pasa?, ¿hay alguien a quien conozcas allí?

—Si me disculpas tendremos que interrumpir el interrogatorio porque está saliendo el café. ¿Lo quieres solo, con leche…?

—Da igual, no me gusta el café. ¿Quieres echar un polvo conmigo ahora?

P no se deja dominar por el desconcierto:

—Bueno, sería un placer, pero se iba a derramar todo el café en los fogones…

—Ahg…, termina ya con los putos chistes y siéntate ya… ¿Tienes cerveza?

P apoya las dos manos en el respaldo de la silla y mira a la Heidi a los ojos, sonriendo:

—Sí, creo que cerveza sí me queda: lo que se me está terminando es la paciencia.

—*OK, OK,* no te enfades: también puedo ser una señorita educada, sólo quiero estar aquí un rato, ¿vale?

P ríe para sí mismo. Va a la cocina, apaga el fuego y coge dos vasos y dos latas de cerveza de la nevera. Vuelve a la mesa hablando:

—Eso tiene un precio —dice.

—Qué cosa.

—El que todo el pueblo crea que hemos estado echando un polvo…

—Ah, no seas tan presumido… Puedo echar un polvo con un puto tío cuando me dé la gana.

—No lo dudo, pero me has elegido a mí. Para

echarlo o para aparentarlo, y eso es precisamente lo más curioso. Así que tendrás que pagar lo que yo te pida..., Casandra...

—No sabía que cayeras tan bajo... Pensaba que eras un puto *gentleman*.

—Estás un poco anticuada respecto al comportamiento de un *gentleman*, deberías leer más periódicos. De todas maneras el precio es razonable. Bastará con que me expliques por qué quieres que piensen eso, es lo menos que puedo pedir si quieres que te siga el juego.

—Quiero que sepan que todavía puedo follar con un hombre guapo —le pasa a P el porro.

—No me lo creo —se pone el canuto en los labios, aspira, guiña un ojo para evitar el humo, abre mientras tanto las dos latas de cerveza—. Tienes que contarme la verdad, si no puede que me marche a tomar la cerveza al bar y te quedes aquí sola.

—Ahg, eres un gilipollas —dice la Heidi con su particular manera de resultar despreciativa, haciendo una fea mueca con la boca y girando la cabeza para ni mirarlo.

—Oh, perdone usted, señorita Casandra: por lo visto sólo usted puede andar especulando y juzgando a todo el mundo, ¿no es eso?

—Vete a la mierda ya, hijo de puta... ¿Qué te pasa?, ¿no se te levanta la polla? —se ha levantado de la silla bruscamente—, pues cómeme el coño y déjame en paz...

—Si quieres que te deje en paz ya sabes dónde está la puerta. Lo otro queda fuera de tus posibilidades..., bonita.

Ella ha dejado de escuchar, sólo escupe insultos quizá en noruego, recoge su anorak y sale de la habitación. Se oyen sus pasos hasta el recibidor y la puerta al abrirse, pero tarda demasiado en cerrarse y una vez lo hace vuelven a sonar los pasos de vuelta al comedor. Al llegar de regreso se queda un momento apoyada en el quicio:

—*OK*: ¿no te has enamorado nunca? —Habla seria pero calmada.

P aspira aire y baja la cabeza hasta apoyarla entre las palmas:

—¿Qué os pasa?, ¿estáis todos sincronizados? Es la segunda vez en lo que va de semana que me hacen esa pregunta, y la segunda vez también que me proponen un revolcón así sin más, en frío.

—Ya lo sé: el gilipollas del cura quiere que te lo folles…

—Ah, estupendo: me olvidaba de que aquí todo se sabe… Oye, ¿por una vez no podríamos mantener una conversación normal, con gentilezas, y sobreentendidos, y un poco de tacto?

—Ah, ¿quieres buenas palabras, como el puto francés…, esa mierda de hipocresía…?

—Pues sí, mira: un poco de mierda de hipocresía no estaría mal… Sólo para descansar un rato de preguntas directas y confesiones intempestivas; estoy empezando a saturarme de eso, ¿sabes?

Ni caso:

—¿No ves que me he enamorado de ti, idiota? —ahora ha vuelto a alzar un poco la voz.

—Vale: no quieres caldo: dos tazas —dice P para sí mismo.

—Qué coño dices…, siempre dices cosas raras…, joder, eres un puto gilipollas…

—Oye, haz el favor de tranquilizarte, ¿vale?

—Dame el porro, quiero fumar —P se lo tiende; ella se sienta con el anorak en las rodillas y se alcanza también la lata de cerveza. Tarda un poco en volver a hablar:

—Una vez tuve un novio parecido como tú.

—¿Igual de «puto gilipollas», quieres decir?

—Ahg, cállate un poco y escucha para aprender… Era mi primer novio, en Oslo, se llamaba Sören. Su padre tenía fábrica de grifos para el agua, mucho dinero y bien de familia. Yo era muy guapa, y él era muy guapo, dos buenos *vikings* altos y rubios. Yo no era de Oslo, era de ciudad pequeña, Algárd, en el país de Rogaland, y yo estaba enamorada, y sólo había hecho sexo con mi novio. Quería casarme con él para tener hijos y todo tradicional, como en un cuento de soñar, *OK*? —le da un trago a su cerveza, habla rápido—. El verano de estudios antes de que íbamos a casarnos fuimos todos de viaje a América, a California. Eran los *sixties*, *OK*?, todos queríamos estar felices con el sol y la playa caliente, y era de moda los Beach Boys... *'round, 'round, get around, I get around*... Alquilamos habitaciones en un hotel bonito, en Long Beach, todos los chicos juntos y las chicas juntas como colegiales, así que si un chico y una chica querían hacer el amor iban a la playa. Entonces nosotros decíamos *make love*, no *fuck*... Era romántico, no como ahora.

—Ya. ¿Pero...?

—Cállate... —se rellena el vaso de cerveza, saca otro cogollo de marihuana y empieza a desmenuzarlo. Enlentece el ritmo—: Una noche, en el *sunset*, mi novio y yo fuimos a la playa para hacer el amor. Siempre íbamos detrás de una *autocaravan* para helados de día: detrás, un poco escondido. Y estábamos así cuando oímos algo alrededor. Unos mexicanos jóvenes. Seis, después pude contar muy bien. Dijeron que siguiéramos así, que querían mirar: *OK, don't stop, go ahead*. Mi novio se levantó de pie y dijo que se fueran. Uno tenía un cuchillo. Otros fueron por detrás del *autocaravan* y lo atraparon por la espalda, luego al suelo encima de él y lo golpearon y le ataron una cuerda. «OK», dijo el mexicano con el cuchillo, «si no quieres seguir tú seguiremos nosotros». Yo grité, pero me pegaron, y me pusieron la boca en la arena y me ahogaba. Y después todos me follaron. Y yo tenía mucho dolor pero me ahogaba con la boca llena de arena, y los ojos. Uno me folló dos veces, yo oí cómo decía que iba a repetir, cuando ya me soltaron, pero yo ya no quería moverme ni luchar, estaba como muerta y lloraba de arena en los ojos.

P se ha quedado inmóvil, con una mano agarrando el vaso de cerveza. Ella sigue hablando aún, pero su tono es inaudito: pausado, abatido:

—Cuando ellos se fueron había pasado una hora sólo, pero todo parecía otra vida diferente. Yo no podía desatar a mi novio, y él tenía un golpe feo en la cabeza. Yo no podía casi andar, pero yo salí despacio al Boulevar y mano delante para hacer *stop* a un coche. Luego vino la policía y una ambulancia para el Hospital... Yo estuve tres días allí, con calmantes. Yo tenía, cómo se dice, *nightmares* —«pesadillas», dice P—, sí, pesadillas, y... terror. Pero lo mucho peor fue después, cuando volvimos a Oslo y pasaron semanas y meses, y se curaron los golpes, y el *psychologist* dijo que había que vivir de otro nuevo. ¿Sabes qué pasó entonces?

—Qué...

—Mi novio dijo mejor retrasar un poco la boda. Yo le pregunté por qué y el no sabía decir, sólo que mejor esperar. No miraba los ojos. Tampoco se acercaba a mí como antes. ¿Sabes por qué? Por que ya no quería a la chica sucia —aquí los ojos se le licuan—, no quería en su buena familia a una mujer sucia y humillada. Ni quería besarme: se apartaba la cara, igual cuando tú hiciste el otro día en el Pub...

P no sabe qué decir, así que calla. A ella le cae una lágrima y se la limpia, luego se gira en la silla para no enseñar más que el perfil, pero lo mismo caen otras lágrimas silenciosas y termina por hacerse una máscara con la mano. P se levanta para confortarla, «hey, hey», se acerca a ella, que entonces se levanta y dice «No, déjame». Pero P la ha tomado por los hombros y ella se queda quieta mirando al suelo. P le limpia una lágrima con el pulgar; ella se deja, después adelanta los labios y P hace el resto del camino hasta besarla. Ella ha puesto las dos palmas sobre el pecho de él y durante unos segundos aquél es un beso dulce, cálido, amoroso. Hasta que de pronto ella atrapa con los dientes el labio inferior de él, muerde, se encorva, y lo empuja con todas sus fuerzas sin soltar con los dientes. P sale a trompicones hacia atrás, emite un quejido, se lleva la mano a la boca sangrante que ya le mancha la camisa y gotea en el suelo. Ella tiene ahora la mirada desafiante de siempre y ríe con sus habituales carcajadas desaforadas, siniestras:

—Para ser policía eres un puto imbécil —le dice; recoge su anorak del suelo y pasa junto a él empujándolo; después camina rápido hasta la puerta de salida y ya con ella abierta dice—: La llave del tabaco y media hora en tu casa: eso es todo lo que Casandra quería de ti esta tarde, gilipollas.

EN EL MUNDO

Último lunes del comisario en su despacho, antes de la cena de jubilación. Está a punto de salir a la calle cuando suena la línea interior. La atiende de pie.

—Comisario, tengo al teléfono a una tal Susana Ortega, del Ministerio —dice Varela.

—Pásemela.

Enseguida suena una voz joven, amable:

—¿Comisario principal Pujol?

—Sí, yo mismo…

—Perdone, llamo desde el Instituto de Estudios Aplicados en Nueva York…

El comisario no sabe en primera instancia de qué le hablan. Ella lo nota en su silencio:

—Del Ministerio de Exteriores, para relaciones con la Interpol…, soy auxiliar en las oficinas, puedo darle mi identificador si lo necesita.

—Ah, sí… No, no es necesario en principio… Dígame.

—Verá, quería hablar con uno de los inspectores adscritos a su Jefatura, sólo aparece este número de contacto en su ficha. Su identificador es 245/B/987/400012.

El comisario reconoce la terminación 012 de Tomás.

—Sí…, correcto, pertenece a esta Dirección General. Pero no es posible comunicar con él ahora.

Ella parece contrariada:

—Ah… —titubea.

—Está de servicio fuera de la ciudad —dice el comisario—, pero si se trata de un asunto oficial puedo pasarle con el jefe de la Brigada de Homicidios… Es el único que en este momento puede abrir un acceso hasta él.

—No, no es un asunto oficial…

—Y si se trata de algún problema personal urgente también podríamos considerarlo…

—No, tampoco es exactamente urgente…, no creo que… —la muchacha hace una pausa—. Perdone: usted suele tratar con él, ¿verdad?, si no me equivoco creo que me habló de usted…

—¿Lo conoce personalmente?

—Sí…, lo conozco… Somos… amigos.

—Ya… Bueno, la verdad es que no sé cuándo volveré a verlo, y tampoco tengo comunicación telefónica con él. Puede que nos veamos por Navidad, si puede dejar el servicio un par de días…, pero no es seguro.

—De todas maneras, ¿podría darle un recado cuando lo vea la próxima vez?

—Si no es urgente…

—No, no es urgente. Sólo dígale por favor que ha llamado Susana Ortega desde Nueva York. Que me llame cuando pueda. Creo que ya lo tiene, pero de todas maneras le doy mi número en Manhattan y otro de Santander, espero volver a España en las próximas semanas.

El comisario apunta el nombre en letras capitales y los dos números de teléfono que le dicta la muchacha. Al colgar, rasga el pedazo de papel de la libreta, lo dobla y lo guarda en su cartera. Sale del despacho pensando en ese papel y en la imposibilidad de dar el recado inmediatamente.

Distraído olvida pasar por el baño antes de salir a la calle y cuando está llegando al concesionario Audi siente fuertes ganas de orinar. Entra en un bar para aliviarse; es la hora de los desayunos, está concurrido; pide un cortado al camarero y se encamina a los lavabos. La puerta identificada con el dibujo de un señor gordo está cerrada. Prueba en el señalado con una señora igual de gorda y colorada. También ocupado. No le queda más remedio que esperar en el antebaño, apoyado en la pared, apretando las piernas y tratando de pensar en otra cosa que no sea sus ganas de orinar. Ha visto antes esos dibujos de personas gordas, pero no recuerda el nombre del pintor. También hace esculturas de animales rechonchos, por ejemplo un enorme gato de metal que instalaron cerca del puerto. Botero, eso es: como Pedro Botero. Suena un teléfono móvil detrás de la puerta señalada con la señora gorda, una musiquilla de sonido electrónico. Cesa la musiquita y se oye a quienquiera que esté allí adentro, una voz de mujer: «Sí, diga… Hombre, señor Gallardo, esperaba su llamada…». Se identifica el ruido de la mujer manipulando el soporte para el papel higiénico. El comisario se la imagina sentada en la taza, sujetando el teléfono con una mano, probablemente la izquierda, y enjugándose las partes pudendas con la otra. La estampa le da un poco de risa y ha de apretar aún más las piernas para no mearse encima. Sale el joven que ocupaba el lavabo de caballeros y el comisario se apresura a orinar con gran alivio. Piensa qué pasaría si ahora alguien lo llamara por teléfono y otra vez le da un poco de risa. Casi nunca lleva encima el móvil, que de todas maneras no es suyo, como no es suya su pistola ni su placa, tendrá que entregarlo todo en pocos días. Le gustaría conservar al menos la placa, como recuerdo. La pistola en cambio no va a echarla de menos, tampoco la lleva nunca encima. Y quizá le convendría comprar un teléfono móvil…, para el coche nuevo.

Al salir a la barra se da cuenta de que hay otras dos personas hablando por teléfono y una tercera en una de las mesas, tratando de abrir el sobre de azúcar con una sola mano. En realidad le resulta un poco irritante ese uso constante del móvil, quizá porque mantiene a la gente concentrada en algo que sólo ellos pueden oír. Sin embargo también es un aparato útil, piensa el comisario. Se acuerda otra vez de Tomás, que no puede usarlo en el Horlá porque no hay cobertura. De otra forma podría darle ahora mismo el recado de la tal Susana Ortega. Bonita voz. Una amiga… Muy joven, sin duda. Y también podría llamarlo de vez en cuando y saber qué tal le va. El comisario recuerda la conversación que tuvieron en julio, en Calabrava. Mencionó un anillo, un anillo que compró para una mujer. Pero también dijo que era irlandesa, no puede hablar en perfecto castellano y llamarse Susana Ortega… De todas maneras le gustaría poder darle el recado cuanto antes. Tomás dijo que era la primera vez que hacía algo así: comprar un anillo. También él ha regalado un anillo sólo una vez en su vida. Quizá debería ahora regalar otro, a la misma mujer, la ocasión era propicia, estaban a punto de empezar una nueva vida.

Un segundo anillo de pedida. Y quizá también proponerle un viaje, una segunda luna de miel treinta y dos años después. La primera la pasaron recorriendo pueblos del interior en un seiscientos alquilado. Esta segunda podían pasarla en un buen hotel. París, Venecia, algún lugar romántico… ¿Será romántica la ciudad de Nueva York? Recuerda una vieja película en la que una pareja se conoce en un barco y después se citan en lo alto del Empire State, pero ella no llega porque tiene un accidente… En cualquier caso iba a ser difícil convencer a Mercedes para que se subiera a un avión, así que nada de Nueva York, mejor París. Con el Audi que ha encargado en el concesionario pueden plantarse allí sin enterarse, trae climatizador y toda clase de comodidades. También preinstalación de teléfono para hablar sin usar las manos.

De modo que habrá que comprar un teléfono, sin duda.

★ ★ ★

No es hasta llegados a Calabrava el lunes cuando el comisario retoma la cadena de pequeñas maquinaciones que inició en la ciudad el viernes, la mañana siguiente de la cena de jubilación.

Después de pasar por el mercado deja a su mujer en la puerta del apartamento para, supuestamente, ir a guardar el Audi nuevo a la plaza de parquing que han alquilado para él en un edificio cercano. Pero en lugar de eso, el comisario conduce hasta el aparcamiento público de la playa y estaciona muy cerca de las barquitas que reposan varadas en la arena. Algo más difícil le resulta el siguiente paso. Poco antes de la hora de comer, aprovechando que su mujer limpia mejillones, se desliza en el vestidor y mete todo lo que le parece oportuno en una bolsa de deporte. Después baja a la calle alegando haber descuidado comprar el periódico y aprovecha para ir a guardar la bolsa de deporte en el maletero del Audi. A cambio de ella, recoge del coche la funda para trajes y la maleta que el viernes sacó de su piso en la ciudad del mismo modo subrepticio. Sube con eso al apartamento y lo guarda en el armario vacío de la que suelen llamar «habitación de invitados» aunque nunca la usa nadie. Su mujer, siempre ocupada en la cocina, ha permanecido ignorante de lo que se cuece a sus espaldas.

El resto del día pasa como solían pasar los sábados, a pesar de que hoy es lunes: comida en casa, larga siesta y paseo por el pueblo. Las calles resultan ahora mucho más transitables, libres de veraneantes y domingueros. Como por arte de magia se han hecho visibles los lugareños, gente que no camina a ritmo de paseo, ni está especialmente bronceada, ni viste pantalones cortos y camisas floreadas. También parece haber crecido la proporción de extranjeros de edad avanzada, parejas de nórdicos grandes y rubicundos dispuestos a disfrutar aún más del benévolo otoño mediterráneo que de su tórrido y asfixiante verano. No hay cochecitos de niño, ni adolescentes atronando las calles con sus motocicletas, ni perros jadeantes amarrados a la puerta de los comercios.

Estimulados por la inaudita cantidad de mesas vacías, el comisario y su mujer se sientan en una terraza cercana a la iglesia y piden unas cañas a un amable camarero, sin síntomas apreciables de estrés por saturación de trabajo. Cuando ella saca a colación el tema de la cena, «¿Te apetecen chuletas adobadas para esta noche?», el comisario empieza a soltar trapo con voz cantarina y dotada de una desacostumbrada determinación tratándose de hablarle a su mujer:

—Esta noche cenamos fuera —le dice.

—Ah sí, ¿dónde? —pregunta ella, adivinando de inmediato que debe tomar una actitud entre intrigada y risueña.

—Es una sorpresa. —El comisario mira el reloj—. Venga, vamos a vestirnos, tenemos mesa para las nueve y media.

—Ah… ¿hay que vestirse especialmente para ir a cenar? —pregunta ella, con una coquetería que no usa desde hace tiempo—, pues no sé qué voy a ponerme…

—Tú haz lo que yo te diga. Hoy mando yo…

Así que antes de las nueve suben al apartamento y el comisario saca de su escondite la funda para trajes y la maleta. Su mujer, sabedora de que está siendo objeto de una especie de homenaje, opta por tomarlo todo a risa y no lo riñe por haber doblado su vestido de gasa sobre la percha para que cupiera en la funda para trajes. Sin embargo no puede evitar llevarse una mano a la frente cuando él abre la maleta y saca zapatos, algunas alhajas, y un sobre con un par de medias sin estrenar:

—Madre mía, tiemblo sólo de pensar cómo me habrás dejado los cajones de revueltos.

—No he revuelto nada: lo he dejado todo tal como estaba.

—Si lo has dejado como estaba será porque antes has revuelto, ¿no?... ¿Y me has traído medias de invierno?

—Ah... No sabía que había medias de...

—¿Y qué sujetador quieres que me ponga con un traje negro de gasa?, ¿no ves que esto se tiene que llevar con uno sin tirantes, de color negro?

Por un momento el comisario es presa de la frustración, lleva una semana planeando esta noche y parece estar a punto de fracasar ya en el primer paso. Por fortuna su mujer, decidida a no estropearle el homenaje, es capaz de pergeñar un atuendo plausible para los dos aprovechando parte de lo que el comisario ha traído en secreto y añadiendo lo que encuentra por los armarios, en su mayor parte prendas sencillas de pleno verano. Para ella elige unos pantalones finos y una camiseta de tirantes de color negro, ambos comprados en el mercadillo, y encima se pone a modo de echarpe el pareo de grandes hibiscos rojos que suele usar para bajar a la playa. A él, aunque se ha traído el traje negro de la cena de jubilación, le hace dejarse los pantalones grises que lleva, ponerse un polo rojo oscuro que hace juego con los hibiscos del echarpe, y llevar encima sólo la americana del traje. Y de esta guisa, disfrazados de magnates recién desembarcados en *casual wear*, bajan a la calle y recorren la avenida hacia el puerto, agarrados del brazo.

El restaurante en el que el comisario ha reservado mesa está en el cabo que remata el puerto deportivo, elevado sobre los mástiles de los veleros, a vista abierta de toda la bahía. Es uno de los más caros y elegantes de toda la costa, frecuentado por propietarios de yate, o de las espléndidas casas aisladas que asoman a las calas más recónditas de la zona. El olor del mar, muy intenso, invita a respirar con fruición el ligero Poniente, y se detienen al pie de la escalera de acceso al local para observar el cielo, todavía coloreado en el horizonte, y la perspectiva del arco litoral punteado de luces rielantes.

Arriba, en el restaurante, encuentran madera de teca encerada, sólido mobiliario de estilo colonial, y luz suave con destellos coloreados en las lámparas de mesa de diseño Mondrian. Los recibe una muchacha vestida con traje sastre y les pregunta si tienen mesa reservada. «Sí, a nombre del comisario principal Pujol, de la Jefatura Central de Policía; me aseguraron que sería la mejor». Al llamar por teléfono el viernes, el comisario mencionó su cargo completo para obtener beneficio privado por primera vez en su vida profesional; y fue justamente cuando, ya jubilado, no podía hacer uso de él ni siquiera oficialmente.

Pero seguramente gracias a esa pequeña astucia, ahora son acompañados a una mesa aislada entre biombos, en un espacio equivalente al de un salón doméstico, con una pared transparente que se alza sobre la destellante bahía. El comisario comprende que necesitarán beber un poco para sentirse sueltos en aquel lugar, y lo primero que pide es una botella de champán bien frío. Desestima los nacionales y se deja aconsejar un Taittinger rosado cuyo precio en la carta de vinos procura ignorar. La consigna de la noche es tomar lo que nunca toman, aún a costa de incurrir en una desbarrada colección de exquisiteces tópicas.

No hablan mucho durante la comida, primero boquiabiertos por la vista, después distraídos en las recomendaciones del *chef* y, más tarde, porque están muy ocupados degustando cada nueva delicia que les traen a la mesa. Cuando a los postres el comisario pide la segunda botella de champán indicando al camarero que él mismo llenará las copas y el joven se retira discretamente más allá de los biombos, su mujer tiene las mejillas coloradas y le brillan un poco los ojos. Él mismo, poco acostumbrado a la ingesta de alcohol, se siente ya lo bastante audaz para decir lo que tiene que decir; saca el pequeño estuche que guarda en el bolsillo de la americana y lo desliza sobre la mesa hasta ponerlo al alcance de su mujer. Ella, aunque segura ya de que esta cena extraordinaria es la réplica en su honor de la que la semana pasada ha recibido su marido, no espera algo así en absoluto, de modo que esta vez su sorpresa está desprovista de condescendencia. Abre el estuche y, muy seria, alterna varias veces la mirada entre el brillante que refulge engarzado en el anillo y la cara de su marido.

—Es un anillo de pedida —dice el comisario, haciendo un esfuerzo para no obviar ni una sola de las palabras que quiere pronunciar—. Lo que quiero pedirte con él es que sigas siendo mi mujer en esta nueva vida que empezamos. Has sido extraordinariamente generosa desde el día en que lo dejaste todo para seguir allá adonde fuera a un policía recién salido de la academia. Durante todos estos años, mientras yo me entregaba a mi trabajo, tú me has dado un hogar, me has hecho sentir querido y confortado, has sido mi sostén y mi alegría, y espero que no sea demasiado tarde para empezar a devolverte un poco de todo lo que he recibido. Sólo puedo decirte en mi favor que, si hoy me aceptas por segunda vez, voy a dedicar lo que me quede de vida a procurar tu felicidad en exclusiva.

Ella, atónita ante semejante declaración, deja rodar dos lágrimas:

—Mi felicidad es haber llegado hasta aquí contigo —dice, y se levanta para acercarse a la silla de él, tomarle la cara con las dos manos y besarle los labios—. La respuesta es sí: quiero —saca el anillo del estuche y se lo entrega a él para que se lo ponga. El comisario se levanta también de la silla para hacerlo. Con un punto de solemnidad, desliza la sortija en el anular que ella ofrece y después no tienen más remedio que abrazarse para ocultarse los rostros el uno al otro. Permanecen así unos segundos, tratando de recuperar la compostura antes de separarse con dos, tres, cuatro besos breves y mostrarse de nuevo frente a frente sentados a la mesa. «Hay que brindar por esto», dice el comisario, cuando se ha pasado ya la servilleta por la cara. Ella, tratando también de volver a su pragmatismo habitual, acerca el diamante de la sortija a la luz de la lámpara de mesa:

—Madre mía, debe de haberte costado una fortuna, ¿cómo lo has comprado…?

—Llevo un tiempo ahorrando de mi dinero de bolsillo, y también te he sisado un poco…

—¿Ah sí?, cómo…

—Bueno, el Audi no cuesta en realidad lo que te dije…

Cuando salen del restaurante caminan cogidos de la mano, despacio, por la acera que va desde el puerto deportivo hasta el de pescadores. Luego siguen las redes tendidas en el suelo hasta el punto en que deben tomar el paso de peatones hacia el apartamento. Ella hace el gesto de girar por allí, pero la mano del él sigue tirando en línea recta: «Espera, todavía no se ha terminado la velada». «¿Ah, no? —pregunta ella—, chico: no vamos a ganar para sorpresas». Se adentran en el solitario aparcamiento de coches de la playa, más oscuro que el paseo, y llegados ante el Audi plateado el comisario suelta la mano de su mujer para pulsar la llave que lleva en el bolsillo. Abre el portaequipajes y, a la luz del piloto interior, saca de la bolsa de deportes dos toallas, un bañador de señora azul añil y otro de caballero rojo oscuro.

—¿Y eso?

—Baño a la luz de la luna. Bueno, no es que haya mucha luna, pero casi que mejor.

Ella, abandonada a los efectos de la emoción y del champán, ríe:

—¿Lo dices en serio?

—Completamente en serio. Venga, quítate la ropa y ponte esto, que ahora no nos ve nadie.

Abre las dos puertas traseras del coche tomando la precaución de cerrar la luz interior y empieza él mismo a desnudarse parapetado por la portezuela. Ella sigue riendo, incrédula, «Madre mía: a nuestra edad…», pero empieza también a desvestirse cuando la estampa de su marido en calzoncillos en medio de un aparcamiento público la termina de convencer de que está completamente decidido a seguir hasta el final. Ella tarda un poco más en estar lista, empeñada en completar la operación en el interior del coche mientras él otea los alrededores, y al terminar le toma la mano a su marido y tira de él hacia la arena, al parecer encantada con la travesura que se le ha propuesto. Pasan entre las barcas varadas como una familia de cetáceos acostados, casi en completa oscuridad bajo la fina luna creciente, y llegando a las últimas de ellas, muy cerca ya del agua, el comisario se detiene. «Espera —dice—, dicen que de noche lo mejor es nadar en porretas». Y ante la risa que su mujer trata de ahogar para no hacer ruido, se desprende del bañador, lo deja en el interior de una de las barcas y avanza hasta pegar su cuerpo al de ella, que se había vuelto de espaldas y se dobla muerta de risa. Él trata de bajarle los tirantes del traje de baño. «Quieto, no…», «Venga, ¿no se supone que el tímido soy yo?», y aquello se convierte en una pequeña lucha sobre la arena, «No seas tonto: adónde vas con eso colgando», dice ella riendo, y ante el gesto instintivo del comisario para protegerse del manotazo, encuentra oportunidad de desasirse y correr hacia la barca, quitarse rápidamente el bañador que tras el forcejeo lleva ya bajo los pechos, y meterse corriendo en el agua, evitando con una finta ser atrapada por el comisario que la espera a medio camino en posición de luchador. Splash, splash, ruido de salpicaduras, ella echa a nadar a braza mientras él avanza caminando hasta que el agua le llega al ombligo y se lanza a bucear.

Bajo el agua él le atrapa las piernas, ella grita y patalea, pero la profundidad no la cubre, se pone en pie con los senos medio flotando sobre la superficie y le hace una aguadilla al comisario cuando saca la cabeza para respirar. «Está muy buena el agua» dice ella. «Tú sí que estás buena, dame un beso» «No seas tonto…», pero lo mismo le echa las manos al cuello y se alza ingrávida en el agua hasta quedar ligada a él a horcajadas. Él la sujeta por las nalgas como en una acrobacia de *rock and roll* y así se besan largamente, chorreando agua salada. No cambian de postura cuando el comisario echa a andar hacia la orilla sin hablar, acusando cada vez más el peso de ella a medida que el nivel del agua va descendiendo cuerpo abajo. Pero sigue caminando hasta las primeras barcas; ella pone entonces los pies en el suelo, el comisario se sienta y luego se tumba en la arena y le dice «ven» tomándole la mano e invitándola a montar sobre su cuerpo. Ella lo hace y ambos buscan el modo de acoplarse, sincronizando sus respiraciones con el lento y sin embargo brioso vaivén del mar.

No es sábado por la noche, es lunes: lunes 10 de septiembre del año 2001. Al día siguiente, martes 11 de septiembre, se levantan tardísimo, y por la tarde se ven obligados a suspender el paseo y quedarse en casa estremecidos, mirando los noticiarios especiales de la televisión.

★ ★ ★

Ya instalado el sistema de calefacción en Calabrava, todavía tienen dos semanas de margen para repintar el apartamento antes del viaje a París, previsto para mediados de noviembre. Han pedido presupuesto a un operario, que les advierte además que no podría empezar el trabajo antes del mes de diciembre.

—¿Qué te parece? —pregunta Mercedes cuando el operario se ha marchado dejando una tarjeta con su teléfono.

—Carísimo. ¿Sabes qué estoy pensando?

—Qué.

—Que vale lo mismo pintar el apartamento que pasar una noche en la suite presidencial del Ritz en París. Venía la tarifa en los folletos.

—Y qué quieres decir con eso…

—Pues que con ese dinero podríamos pasar allí la última noche del viaje, como si estuviéramos de luna de miel…

—Oye, ¿cuántas lunas de miel quieres tener tú?

—Pues, no sé… ¿una cada dos o tres meses?

—¿Y serías capaz de gastar ese dinero en una noche de hotel, por mucha suite presidencial que sea?

—Si pintara yo el apartamento sería como si nos saliera gratis…, ¿no?

—Menuda forma de hacer las cuentas… Además ¿tú crees que podrías pintar todo el piso?, mira que ya no estás acostumbrado al trabajo físico…

—¿Tienes algo que objetar a mi estado de forma?

—No seas tonto…

—Venga, no me digas que no te gustaría dormir allí como una reina…, si se te caía la baba con las fotos del cuarto de baño…

—Eso no es para nosotros…

—Vale, mirémoslo de otra manera. En vez de encargarle pintar a ese señor, ¿no me lo encargarías a mí si te cobrara lo mismo? A él le sobra el trabajo, ya lo has oído, y en cambio a mí me vendría bien ganarme un extra.

—Un extra para qué…

—Y a ti qué te importa: como si lo quiero para llevar a mi mujer al Ritz.

A consecuencia de semejante argumentación se explica que el miércoles, un 31 de octubre que amanece fresco y soleado, el comisario saque su flamante Audi del garaje en Calabrava para ir a comprar los materiales necesarios a uno de los polígonos industriales del norte de la capital. Su mujer, mientras tanto, se queda en el apartamento tapando muebles con sábanas y preparando la comida, albóndigas en salsa de almendras a petición de su marido, y le encarga a él que compre dulces y unas castañas para asarlas por la tarde y celebrar la Noche de Difuntos. A las doce, él ya ha terminado la compra en una cadena de establecimientos de bricolage y está cargando en el coche los cuatro bidones de pintura blanca, las latas de esmalte, el disolvente, colorantes, masilla, pinceles, rodillos, cubetas, cinta de carrocero y una escalera de aluminio que le cabe de través ocupando parte del asiento del acompañante.

Antes de salir del aparcamiento de vuelta a casa, llama a su mujer usando el sistema de manos libres del coche. «Hola, estoy en casa en una hora, ¿cómo están las albóndigas?» «Como siempre; ¿ya has comprado todo lo que tenías que comprar?» «Me faltan los pasteles y las castañas, ya las compraré en el pueblo». Pese a la euforia que embarga al conductor, más propia de un adolescente que de un jubilado, el Audi echa a rodar por la autopista a los 120 kilómetros por hora prescritos, dentro del habitáculo climatizado apenas se oye un runrún de goma sobre asfalto. También forma parte del equipo de serie un aparato para escuchar hasta 10 CD que se gobierna sin levantar las manos del volante, así que el adolescente recién jubilado aprovecha el rato para escuchar una de las últimas adquisiciones que hizo en la ciudad, recomendación especial del muchacho de la tienda de discos ya liberado de sus tiritas nasales: *Y aunque parezca mentira, me pongo colorada cuando me mi-ras / Me pongo colorada cuando me mi-ras / Me pongo coloraaaaada.* Haciendo zaping días atrás, el comisario ha visto el vídeo de promoción del disco, con un harén de lolitas moviéndose suavemente en ordenada fila, tan serias y tan recatadamente descaradas: *y aunque parezca mentira...*

Todo ello explica el estado de bienestar, placidez, bonhomía y vaga excitación sensual que siente cuando, ya abandonada la autopista y encarrilados los últimos kilómetros de carretera comarcal hasta Calabrava, un furgón Mercedes blanco cargado con bobinas de cable eléctrico se sale de su carril y colisiona casi frontalmente con el Audi plateado del comisario. La energía cinética liberada en el impacto, tenidos en cuenta la suma de pesos y velocidades de ambos automóviles, resulta equivalente a la de un meteorito de 6.600 kilos volando a 220 kilómetros por hora. De tal modo que, con un estruendo de bomba, el Audi A3 gris plata se aplasta y retuerce como un perdigón contra el morro de la furgoneta, proyectando al instante una miríada de pequeños elementos hechos añicos: ventanillas, llantas, embellecedores, faros, retrovisores… En el interior, bajo una metralla de cristal pulverizado, el habitáculo se deforma y se encoge en una fracción de segundo hasta la mitad de su longitud original; todos los *air bag* se disparan, pero lo mismo el motor irrumpe bajo el tablier; los asientos traseros saltan junto con los pesados bidones de pintura del maletero y la escalera de aluminio se parte y astilla hasta quedar convertida en un peine de púas metálicas. Inmediatamente, el amasijo de hierros rebota unos metros atrás, cae en la cuneta y se detiene sobre el techo con suave balanceo al tiempo que el furgón Mercedes, con más inercia a causa de su peso, apenas vuelca sobre la carretera.

En el último momento antes de la colisión el comisario ha cerrado los ojos. Cuando vuelve a abrirlos lo primero que ve, muy cerca de su cara, es el teléfono móvil y el aparato de música, que por algún capricho del azar sigue funcionando aunque suena otro disco: *Qué horas son, mi corazón…* Eso le produce risa, en realidad una reacción nerviosa. No siente ningún dolor, ni siquiera la molestia que uno suele sentir al estar bocabajo, aunque sí el tirón del cinturón de seguridad que lo mantiene medio colgado del asiento, y quizá un hormigueo difícil de localizar. Le han quedado las gafas puestas, ve la montura torcida; gira un poco la cabeza tratando de ver algo más y se encuentra con la hebilla de su propio reloj amarrado a su propia muñeca que asoma por detrás de su propio hombro, y un poco más arriba (o más abajo para un espectador que se mantuviera del derecho), en una posición absolutamente imposible, aparece la palma inmóvil de su propia mano izquierda. Eso está a punto de marearlo. Cierra otra vez los ojos y trata de respirar hondo, aunque no puede porque esta vez sí nota un dolor fortísimo en el pecho. *Qué horas son en Mozambique / qué horas son en el Japón...* Con los ojos todavía cerrados comprueba que puede mover el brazo derecho con bastante libertad y se lleva la mano a la cabeza para palpársela. Siente una enorme aprensión al notar algo blando en el temporal derecho y desea con todas sus fuerzas perder el conocimiento y despertar en un hospital. Pero la dificultad respiratoria le impide dejarse llevar por el inmenso cansancio, hay que estar atento a tomar aire a pequeñas y rápidas bocanadas, y su posición bocabajo mantiene el cerebro bien irrigado y consciente. Entonces empieza a llover sangre y pintura blanca: gotas de sangre procedentes de algún lugar de la mitad inferior de su cuerpo puesto patas arriba, y pintura de alguno de los bidones reventados. *Cinco de la mañana en La Habana, Cuba...* En un acto reflejo mira hacia allí abajo (o allí arriba), pero el desorden de pedazos de material y airbags a medio hinchar sólo le deja ver su cuerpo hasta la cintura, suficiente para distinguir la camisa empapada de rojo y blanco y la barra cuadrangular de aluminio penetrando en su cuerpo por debajo del esternón, entre las costillas. Trata de mover con la mano derecha el travesaño de aluminio y se da cuenta de que está firmemente clavado, tan firmemente que nota cómo la punta araña el asiento a su espalda. Es en este momento cuando el comisario comprende que va a morir. En cuestión de minutos, probablemente. Y no ve una película de su vida pasando ante él: lo que ve es a su mujer esperando sentada a la mesa en la cocina del apartamento, con la cazuela de albóndigas enfriándose una y otra vez, cada vez más preocupada porque su marido no llega. La imagen resulta tan insoportable que el comisario trata de moverse, de liberarse, pero excepto la cabeza y el brazo derecho, su cuerpo ha dejado de existir, ni lo siente ni mucho menos puede gobernarlo bajo la lluvia de sangre y pintura que arrecia. *Qué horas son en Washington...* Lo que sí puede es pulsar una tecla del teléfono para que se encienda la pantalla. Y luego el botón de la agenda para seleccionar el identificado como «Calabrava». Lo piensa un momento antes de activar el botón de llamada, quiere probar antes su voz: «Hola, soy yo...», trata de decir en voz alta, pero naturalmente no puede hablar con normalidad, apenas le sale un susurro, está bocabajo y su diafragma atravesado por la barra de aluminio tampoco existe ya, ha quedado reducido a una cabeza pensante y un brazo móvil. ¿Qué puede decirle a su mujer con aquel susurro patético?, ¿«Te quiero»?, y qué contestará cuando ella le pregunte alarmada qué es lo que está pasando: ¿«Nada, que he tenido un accidente y estoy agonizando en el coche»? Se acuerda de los que llamaron a sus familias desde el World Trade Center. Al menos la mayoría de ellos pudieron hablar con normalidad, pudieron mentir, o tranquilizar a sus mujeres, padres, maridos, hijos, mostrarse sublimemente serenos diez minutos antes de saltar por una ventana, «se ha estrellado un avión en el edificio, no te preocupes, estoy bien, te quiero mucho». ¿Qué hubiera dicho él?: «Intenta ser feliz sin mí; y dile a Tomás que deje la Brigada, que intente ocuparse también de su propia felicidad». Se acuerda entonces del papel que lleva en su cartera, con el nombre de Susana Ortega y dos números de teléfono que ya no podrá darle nunca a Tomás. Pero probablemente Tomás tardará semanas, quizá meses, en enterarse de su muerte; su mujer en cambio lo sabrá en unas pocas horas. Piensa en cómo suele la policía de tráfico dar las noticias a los familiares de un muerto en accidente. La técnica consiste en insertar la noticia en un pequeño relato: «Su marido circulaba por la carretera comarcal C-78 en dirección norte; en el kilómetro 17 se ha cruzado con un furgón Mercedes blanco que circulaba en sentido contrario; a causa de una maniobra brusca, el furgón se ha salido de su carril y ha colisionado con el turismo en que viajaba su marido, quien a consecuencia del choque ha resultado muerto en el acto». Es importantísimo ese final: «Ha resultado muerto en el acto», como si la muerte fuera un resultado, es decir, como si tuviera algún sentido, una explicación, y sobre todo como si fuera un resultado rápido, sin agonía, sin dolor y sin tiempo para pensar. El comisario sin embargo tiene tiempo para pensar, a pesar del rápido desangramiento y la progresiva asfixia que lo obliga a dar alguna bocanada amplia y dolorosísima. Tiempo para pensar que es mucho mejor que, aun después de varias horas de preocupación, de incertidumbre, la noticia se la den a su mujer un par de agentes de tráfico avezados en estos casos. Ellos la harán sentarse, le contarán un pequeño relato lleno de detalles insustanciales, terminarán con las palabras precisas, «ha resultado muerto en el acto», y después tratarán de distraerla dándole a beber un poco de agua o cualquier otra cosa. *Me gusta la mañana y me gustas tú…* El comisario la ve llorando sin ruido, y él mismo llora ahora sin ruido, aunque en su posición cabeza abajo las lágrimas no caen empujadas por la gravedad sino que se quedan embalsándole los ojos. *Qué voy a hacer, je ne sais pas / qué voy a hacer, je ne sais plus…* La imagina también culpándose por haberse dejado convencer de que él pintaría el piso, y de dejarlo salir solo a comprar materiales al polígono industrial, todo por una estupidez, por un capricho: una noche en el Ritz. Habrá que decirle que estas cosas pasan, que son imprevisibles, habrá que hacerle alguna broma para ayudarla a alejar esos pensamientos, el comisario sabe cómo tratarla en un caso así, sin duda sabrá consolarla, se ve a sí mismo abrazándola y besándole la frente. Pero entonces cae en la cuenta de que esta vez él no estará junto a ella para consolarla: cae de repente en la cuenta de que el muerto es él, *Qué voy a hacer, je suis perdu…*

En ese momento, exactamente a la una en punto de la víspera de Todos los Santos, el llanto compulsivo que le removió el pecho desencadenó el colapso cardiorrespiratorio. Le sobrevino un vómito de sangre y, abriendo la boca y los ojos ante aquel dolor desconocido de sentirse morir, el comisario expiró.

EN EL INFIERNO

Por la mañana en la barra del Consorcio. Nadie excepto P y la Nieves con su abultado embarazo. P desayuna un cortado; ella se ha preparado un café con leche y se sienta pesadamente a tomarlo en un taburete, en el interior de la barra.

—¿Qué tal te va en el Pub?

—Bien… Quitando la vez que subieron los del valle, bien.

—¿Y el Malacaín?, ¿no te da problemas?

—Me busca las cosquillas, pero de momento no hemos llegado a más.

Ella bebe un poco de café.

—¿Habías trabajado de camarero antes?

—La verdad es que no. Pero basta con mantenerse atento a la gente y ser un poco amable.

—Eso se dice: que eres amable y que trabajas. A la pija en cambio todo el mundo le tiene manía porque dicen que no da golpe.

—Está un poco quemada, se pasa allí metida 10 horas todos los días. Yo voy sólo dos tardes, pasan volando.

La Nieves deja pasar unos segundos:

—¿Y no te interesaría echar unas horas más, entre semana?

—Pues sí… Ya estoy apuntado en la lista de espera del matadero, para empaquetador.

—Va a ser difícil que te llamen… De momento yo necesito a alguien por las mañanas. Ya ves: estoy a punto de caramelo, cumplo el miércoles, y el Rito sólo puede venir a ayudarme cuando libra en el matadero. Me iría bien alguien de lunes a jueves. Pero tendría que venir temprano, a las siete, para los cafés de los granjeros; luego a las doce viene la chica de la cocina y ya me apaño. He pensado en ti, si te interesa…

—Sí, me interesa… Me iría bien.

—Te puedo pagar a 6 euros la hora. Ya sé que en el Pub te dan 8, pero aquí acumularías más horas, y sería de día. ¿Te lo quieres pensar?, tendrías que decirme algo esta semana, para empezar lo más tarde el lunes que viene.

—No me hace falta pensarlo: me sobra tiempo y voy justo de dinero. Me gustaría pintar en casa, y comprar algunos muebles…

—Me dijeron que te instalaste en la Casita Blanca, ¿no?, donde Betoven.

—Sí. El piso está hecho polvo, pero me gusta, tiene un montón de ventanas, y el balcón da al campanario.

—Ya lo conozco, allí vivía la pobre chica del Pub, la de antes de la pija… Bueno, así parece que te quedas definitivamente en el pueblo, ¿no?

—De momento sí…, pero nunca se sabe.

—No, nunca se sabe… En fin, qué te parece, ¿quedamos para empezar el lunes? Pero sería mejor que te pasaras el viernes a primera hora y te enseño cómo tienes que abrir y todo eso.

Entra el carnicero. Sus movimientos habitualmente enérgicos se ven ahora entorpecidos por el caminar dificultoso, a pasitos cortos, separando un poco las piernas. En vez de sus acostumbradas botas de goma lleva zapatillas de estar por casa, cortadas a tijera por la lengüeta para alojar el grosor de los pies vendados. La barba de varios días le emblanquece la cara, menos redonda y colorada que de costumbre. Parece haber perdido algo de peso y hasta de envergadura, como un muñeco hinchable al que le faltara un poco de aire.

—¿Qué pasa? —pregunta la Nieves al verlo acercarse a la barra.

—Nada, cagüendiós, que no puedo estar tranquilo ni en mi casa… Ponme un güisqui con dos cubitos.

—¿Un güisqui a estas horas…? ¿Sabes que tal como estás eso es una bomba?

—Mejor, a ver si reviento de una vez.

—No sé si reventarás, pero igual te tienen que cortar las piernas…

—A la mierda las piernas, ponme un güisqui, hazme el favor.

—Qué pasa: ya se han vuelto a pelear…

El carnicero no contesta inmediatamente: cabecea, emite un sonido gutural, se pasa la mano por la cara rasposa y mira a la botellería:

—El uno que si los platos sucios, el otro que si nadie le pide que los friegue… Que si eres una perra, que si tienes celos porque estás viejo y nadie te quiere… Y lo que no te cuento, ¿sabes?, y yo aguantando allí en el sillón, con unos calambrazos que me dan en los pies que nadie sabe lo que es eso…

La Nieves le ha servido un güisqui con un solo cubito cubierto de líquido:

—Toma, echa un trago; pero que te dure porque no te voy a servir más.

Se oye la puerta; entra el Rito. Algo en su actitud expresa que le alivia encontrar allí al carnicero. Se llega a la barra, da los buenos días con muy poco entusiasmo, se sienta al lado de P y le pide un cortado a la Nieves. El carnicero ni lo mira, le da vueltas al vaso para que se enfríe el escaso güisqui. Nadie habla durante dos minutos, la Nieves ha empezado a trastear por la barra y finalmente se mete en la cocina. El silencio es bastante incómodo; P sentado entre los dos miembros de la pareja en discordia, se siente obligado a hablar:

—Bueno, me parece que vamos a ser colegas aquí —le dice al Rito.

—Sí, ya me dijo la Nieves que te diría de venir por las mañanas —en realidad parece no interesarle nada el asunto, está muy serio, pero la ruptura del silencio le da el valor necesario para dirigirse al carnicero con ligero tono de reproche:

—Y tú qué haces aquí, bebiendo güisqui nada menos…

—Mira: no me toques más los cojones, eh…

—Tú mismo: si te quieres morir…

—Ojalá, me muriera. A ver si así descansaba en paz.

El Rito está a punto de replicar pero se reprime. Apaga el cigarrillo a medio fumar y apura el café de un trago. «Nieves, que me voy», grita. Ella contesta que vale.

—¿Quién se ha quedado en la tienda? —pregunta el carnicero antes de que el Rito se haya alejado mucho hacia la puerta.

—Quién quieres que se quede: la Favorita.

El carnicero suelta un «ps» y cabecea de indignación. El Rito termina de salir y quedan el carnicero y P solos en la barra.

—Cagüendiós, quién me mandaba a mí…

—Bueno, en todas las casas cuecen habas… —dice P.

—Mira que en mi vida había estado con un tío: ni se me había pasado por la imaginación, te lo juro. Si me metí donde me metí fue porque pensé, mira, una persona de buen corazón que te trata bien. Joder: y ahora es peor que cuando vivía con mi mujer… Si lo sé me tiro del Horlá con coche y todo: total, para no tener ni un poco de cariño…

P tarda unos segundos en decidirse a hablar:

—Yo diría que el Rito sí tiene buen corazón. Y también diría que te tiene cariño.

—Ya… Y el otro es un inmaduro y me necesita. ¿Y yo qué gano con todo eso?

A P se le ocurre una respuesta pero prefiere callarla. El carnicero se mueve entonces en el taburete y atisba para asegurarse de que la Nieves no lo ve desde la cocina, donde se la oye trastear. Se levanta sin hacer ruido, entra en la barra con inesperada agilidad, hace gesto a P para que guarde silencio y se sirve un buen chorro de güisqui, hasta llenar casi a la mitad el vaso de tubo. Luego vuelve al taburete y le da un trago como si bebiera gaseosa. Eso parece reconstituirlo a ojos vista. Suelta un soplido de aire y da otro trago.

—¿Tú te has enamorado alguna vez? —le pregunta a P.

—Eso mismo me preguntó el Rito no hace mucho. Y la Heidi también. Eres el tercero.

—Ya… Y qué…, ¿te has enamorado alguna vez?

—Alguna vez.

—Y yo dos veces. La primera de una mujer, la segunda de un hombre. Y las dos me han salido mal. —Pausa—. ¿Y a ti?

—Lo mismo: siempre mal. De la última no hace mucho.

—¿En la capital?

P decide soltar un poco de lastre. Algo en el cielo encapotado que se ve a través de los ventanales invita a hablar:

—En Nueva York.

El carnicero emite un silbido corto:

—¿Y qué cojones te fuiste a buscar tan lejos?

—Es largo de explicar…

—¿Guapa?

—Eso no era lo importante.

—¿Ah no?, ¿y qué era lo importante?…

P vuelve a pensarlo con detenimiento, jugueteando con el sobre de azúcar, pero no le da tiempo a contestar porque entra San Martín en el bar dándole un sonoro empujón a las puertas vidrieras. Está muy excitado:

—Cagüendiós, que está empezando a nevar…

El vozarrón hace salir a la Nieves de la cocina. «¿En serio?», dice casi al unísono que P, que se levanta del taburete para ir a ver. Ambos caminan hacia las ventanas que dan a la Calle Mayor y San Martín se une a ellos. La Nieves es la primera en llegar, «Es verdad», dice al ver los copos, grandes copos cayendo lentos; «Cagüendiós, claro que es verdad», dice San Martín. Abren la puerta y salen al estrecho balcón corrido, casi atropellándose, con el entusiasmo de los cachorros ante la nieve. Las nubes cubren todo el cielo y parecen estar cayendo a pedazos menudos; los tres sacan la mano más allá del resguardo del alero para detener algunos copos que caen densos, abundantes, dificultando la vista de las fachadas de enfrente y creando la ilusión de que es el espectador el que asciende cielo arriba. Ya se nota ese silencio que acompaña a las nevadas y que parece vaciar los oídos; las voces y risitas de dos campesinas que se han quedado a la puerta de la panadería suenan con una precisión desacostumbrada, exenta de reverberaciones. También el curita ha asomado de la carnicería y se deja nevar la cara que mira al cielo y los brazos extendidos en cruz. Más allá siguiendo los soportales, la Susi ha salido del bar como un ermitaño en busca de caparazón y da vueltas sobre sí misma, haciéndose visera con la mano para que la nieve no le caiga en los ojos. Sube un tractor por la Calle Mayor, es el Malacaín, que al llegar a la altura de la carnicería mueve el brazo como un gaucho que lanzara sus boleadoras. Emite uno de sus gritos de guerra, el curita lo imita y también el Robocop, que ahora aparece unos metros más allá, junto a la Susi, y se levanta los faldones del abrigo para danzar de punta y talón enseñando las piernas desnudas. Las roderas del tractor han quedado bien marcadas negro sobre blanco, pero enseguida se difuminan hasta desaparecer, la nieve seca y fría cuaja con facilidad incluso sobre la barandilla metálica del balcón del Consorcio. San Martín acumula un poco de ella para salpicarles la cara a la Nieves y a P y hasta al carnicero, que no ha querido perderse el milagro y ha salido también al balcón con su vaso de güisqui. «Cagüendiós, ésta va a ser gorda», dice, y se sienta en el banquito que resigue el perímetro de la balconada para descansar las piernas baldadas. Es un momento de gracia, todos tienen ganas de hablar, de tocarse, de felicitarse por estar vivos y ver caer la primera nevada del invierno un año más. La Nieves le toma un brazo a P y con la otra se acaricia el voluminoso vientre como si estuviera acariciando ya la cabeza de su hijo; San Martín, por el otro lado, se ha colgado de su hombro y le da palmadas en el pecho: «Cagüendiós, Yeinsbón, ¿a que en la capital no nieva así? —dice, como si la nevada fuera mérito de los veteranos del pueblo—; carnicero, joder, ríete un poco, que to'r mundo eh güeno...» Ven al Rito subiendo la calle a la carrera, con esa carrera que tiene el Rito, como si llevara zapatos de tacón, «Uh: por-Dios...», mira hacia el balcón antes de entrar en el portal y los de arriba lo saludan a gritos; «Rito, Cagüendiós —dice San Martín riendo—, sube p'arriba, que se te van a helar las pelotillas».

★ ★ ★

Después de dos días y medio, ha dejado de nevar definitivamente mientras P duerme una larga siesta al amor de la estufa.

Se despierta cuando el renqueo anuncia que está a punto de terminarse la cáscara de avellana del depósito y se levanta a cebarla somnoliento. Pone la radio y prepara café. Suena Luz Casal, *y no me importa nada, nada...* Toma el café fumando y abriendo contraventanas de habitación en habitación para ver cómo ha quedado el mundo. Afuera la atmósfera es nítida, inmóvil; el Horlá se ha convertido en un monje blanco de cara oscura; todo es quietud y silencio.

La nieve acumulada en el balcón se derrama por la sala cuando P abre la puerta de salida. No tiene pala, sólo puede ayudarse del badil de la basura para hacerse un breve paso hasta la baranda. La temperatura ha estado bajando en picado en las últimas horas; a la luz magenta y cian del atardecer, P no siente frío por el ejercicio que ha hecho con el recogedor, pero las orejas duelen, las manos son torpes, la piel expuesta enrojece a ojos vista. Abajo, la calle es un continuo que no distingue entre calzada y aceras; los coches aparcados se han convertido en bultos rechonchos con ventanillas laterales; la iglesia está semienterrada en los lugares donde el viento ha acumulado más nieve; los focos del campanario humean y manchan de azul el tejado blanco. Suenan completas: la única hora que suena dos veces: veinticuatro interminables campanazos. P consulta su cronómetro de pulsera para comparar con la hora real; hace algunos cálculos mentales, todavía le cuesta aceptar que el campanario siga un ritmo inextricable, irregular y distinto cada día, tan caprichoso como la propia noción humana del tiempo.

La figura negrísima de la gata trepando por los tejados blancos lo distrae de su pasatiempo matemático. Llega maullando, parece que en protesta por la inconsistencia de la nieve bajo sus finas patas que le dificulta brincar como suele. No aparecía por allí desde que empezó a nevar tres días atrás, y P se alegra de verla en buen estado, con las energías intactas y el pelo reluciente y negro. La mira acercarse los últimos metros, caminando por la baranda con mucho tiento, *Maaaau*, y por primera vez no se espanta cuando P alarga la mano hacia ella: arquea el lomo bajo su palma. «Qué pasa, eh, hace frío, ¿verdad?, adónde vas a estas horas por los tejados…» El animal tiene hambre, maúlla mostrando los agudos colmillos; salta al suelo, entra en el piso, se dirige a la cocina. P la sigue y abre la nevera en busca de algo sólido que un gato pueda comer. Quedan unas rodajas de salami reseco que corta a pedacitos con unas tijeras y deposita en el plato reservado para ella. También hay tres huevos de gallina y se le ocurre prepararle uno en forma de tortilla que luego enfría un poco debajo del grifo. El salami debe de resultar demasiado especiado, le merece a la gata toda clase de precauciones; en cambio devora la tortilla como si fuera una presa viva. También calienta P un poco de leche y antes de servirla le añade una cucharadita de azúcar; glucosa extra para el frío, piensa, no sabe si con buen criterio. Ella bebe con la fruición de siempre, agachada ante el plato, con las orejas bajas y las patitas de delante juntas en una posición muy civilizada, como de señora modosa sujetando su servilleta en el regazo.

Cuando P baja a la calle es ya noche cerrada y el frío va en aumento, se nota en el dolor de orejas que presagia sabañones. En el bar de los soportales el fuego ha ardido durante horas a todo lo que da el hogar. Está muy concurrido, como si hubiera partido de fútbol en la televisión, pero es sólo que medio pueblo ha querido ver al otro medio después de dos días de reclusión. Naturalmente está Betoven, pero también el Robocop, la Heidi, el curita…; incluso el francés, el Rito y San Martín, que deberían estar en el matadero pero han terminado la jornada mucho antes de lo habitual por la casi suspensión de actividades. El ambiente es de euforia, se bebe y se ríe con ganas… Le explican atropelladamente a P que la carretera al valle ha desaparecido, que han quedado aislados, más aislados que de costumbre, y que la nieve se helará y tardará días, hay quien dice que semanas, en desaparecer. Según noticias se espera frío intenso, el francés dice que el termómetro de su furgoneta marcaba ocho bajo cero cuando ha ido a ponerla en marcha para que no se helara el motor; Betoven apuesta a que llegarán más allá de los 15 durante esa misma noche. P se deja llevar; se siente casi bien, casi a gusto, y es casi Navidad, una Navidad de Club Pickwick, con fuego en el hogar y música de los ochenta en la radio, *Video killed the radio star…* En unos días quizá podrá bajar a la capital, comer algo suculento con el comisario y su mujer, caras familiares, queridas, personas en las que se puede confiar sin fisuras, lo más parecido a volver a casa por Navidad que P conoce. Y quizá también se permitirá salir la noche del 25 y tomar algo sofisticado en alguna coctelería de moda, mejor si está repleta de gente vestida a la última y hay un buen DJ pinchando algo fresco, da igual qué, *hip-hop*, *trance*, lo que sea, cualquier cosa menos la Creedence Clearwater Revival o los Rolling Stones.

Por lo pronto decide adelantar un poco sus vacaciones y beber esta noche por puro placer: beber y disfrutar mientras dure esta felicidad a todas luces infantil. Le apetece invitar a una ronda de algo fuerte a los cuatro o cinco que tiene alrededor; luego hay que brindar: «Por los nuevos amigos», dice P, y es entonces cuando entrechocan los vasos con esa rudeza que derrama la bebida y augura salud y buenaventuras. Todo ello da pie para hablar de la última celebración del fin de año, cuando el Boing quebró su copa de champán tratando de brindar contra el cazo del carnicero. San Martín explica que en tal ocasión del fin de año suele reunirse el pueblo en pleno ante el reloj del campanario, con el que naturalmente no se puede contar para que dé las doce cuando debe, de modo que se recurre a la cacerola que el carnicero usa para hervir la sangre de las morcillas y que él mismo golpea doce veces con un cazo, encaramado a uno de los bancos que hay frente a la iglesia y atento a que no falte nadie y se pueda proceder al solemne cacharreo. La estampa rememorada le merece a Betoven el calificativo de «surrealista», si bien reconoce que no mucho más surrealista que la reunión de los sordos del hostal en primera fila, para poder ver los cazazos y no comer las uvas a destiempo. Pero de pronto la Susi anula el volumen de la radio y sube el del televisor. Están dando el parte meteorológico: señal para que todo el mundo, campesinos, granjeros y jóvenes pelos-de-colores, dejen de interesarse por sus ruidosas conversaciones y se vuelvan hacia la pantalla doblemente nevada, por los símbolos del mapa y por la deficiente recepción, más deficiente aún que de costumbre. Es el canal regional y el mapa es de escala bastante pequeña, pero todavía demasiado grande para que San Juan del Horlá pueda ubicarse, apenas se supone la comarca entera bajo un enorme cristal de nieve dibujado en el norte. Ola de frío polar, anuncia el delgadísimo meteorólogo: aire siberiano que cruzará toda Europa en los próximos días y que tarde o temprano los alcanzará a ellos, porque aunque nadie lo diría se hallan en el mismo continente que París, *la Ville Lumière*, ahora visible en otro mapa general que muestra las mínimas del día en las capitales nacionales: Estocolmo doce bajo cero, Madrid tres, Atenas uno positivo. Inexplicablemente, el anuncio de tantos rigores parece entusiasmar a todo el mundo en el bar, como si, ya puestos a pasar frío, encontraran consuelo en batir récords históricos y tener algo de qué hablar mientras llega la primavera. Pero cuando termina el parte, la Susi activa otra vez la radio justo en mitad del solo de *Sultans of Swing* y todos vuelven a sus cervezas y a sus conversaciones: toca Mark Knopfler luego cabalgamos. P tiene ganas de participar de las bromas, nota que le vuelve aquel sentido del humor tan suyo, recuperado y vuelto a perder hace ya tantos meses. ¿Siete?, ¿nueve?… era primavera: un petirrojo exhibía sus colores en la Quinta Avenida y todavía había dos torres altísimas plantadas en el Bajo Manhattan. Un recuerdo tan dulcemente amargo casi le estropea la alegría franca y brillante del presente en el bar de los soportales, pero San Martín está inspirado y se le ocurre proponer una porra que ganará quien adivine el contenido de la sempiterna mariconera de Betoven. Las propuestas se suceden entre risotadas: condones caducados, un bote de Viagra… Betoven atrapa su bolso con más decisión que nunca y se niega a dar pista alguna, lo que estimula aún más la sucesión de despropósitos: medio kilo de Goma-Dos por si un mes no le pagan la pensión, un intercomunicador para hablar con su nave espacial…

La tranquilidad termina cuando entra el Malacaín en el bar. Al principio es sólo lo de siempre: grito de guerra y contestación de sus adeptos pelos-de-colores. Pero hoy viene muy cargado y cuando se sienta a una de las mesas cercanas a la barra dice esto:

—El muy hijoputa es escritor: un hijo de puta escritor que ha venido aquí a escribir de nosotros.

P decide no darse por aludido pese a que todo el mundo sabe a quién se refieren estas palabras. Pero el Malacaín sigue, «Que lo diga la Heidi que lo ha visto en una revista». La Heidi, al fondo del local, calla luego otorga, pero hace más que eso: saca del bolsillo de su anorak un ejemplar del *Qué Leer* abierto por la página conveniente, justo una página que sólo este ejemplar de la revista tiene.

La deja sobre la mesa. Primero la toma el Rito y la observa un momento, pero enseguida circula entre las mesas y, aunque nadie se detiene mucho en mirarla, todos alcanzan a ver la foto que ocupa un cuarto de página. Allí está P, con barba corta, sentado en unas escaleras mirando al infinito: traje gris, fina camisa Hugo Boss, gorra de cuero; no se nota en la foto el perfume, pero el traje todavía olía a Boucheron el día que le hicieron las fotos en unos jardines cercanos a la Central. «Lo sabía —dice Betoven— tenía la intuición.» El francés no dice nada, quizá por no revelar que estaba al tanto, y San Martín parece al principio decepcionado: «¿Ah sí, tío, eres escritor?», pero enseguida se lleva la mano a la bragueta para que no se le caiga nada y añade «cagüendiós, qué punto: ¿vas a hablar de mí o qué?». La revista ha llegado ya a la barra recorriendo todo el bar y Betoven mira primero la foto y el titular, «Pedro Balmes o el novelista invisible», para después enfrascarse en la lectura de la entrevista completa; de la simulada entrevista completa que escribió Quique Aribau a petición de Rodero. Entre tanto, en las mesas de los jóvenes pelos-de-colores, la expectación está puesta en el siguiente paso que dará el Malacaín, que hoy viene con ganas de bronca y promete espectáculo.

—Qué: qué se siente al ser un escritor de mierda… —le dice a P en voz alta y desafiante.

—Te dije una vez que a mí tenías que hablarme bien —contesta P muy tranquilo.

Es entonces cuando el Malacaín, sin saber lo que en realidad está haciendo, le clava el estilete a fondo:

—Yo no le hablo bien a ningún hijo de puta: seguro que no te quiso ni tu madre…

Aquí es exactamente cuando el Malacaín ha cometido su error. Y aquí es también cuando P comete el suyo. Está ya un poco borracho y por completo fuera de su papel: ya no es el policía el que se yergue en la barra y habla:

—Muy bien —le dice al Malacaín siempre muy despacio, pronunciando bien—: me has descubierto, soy escritor. Y ya que tú has desvelado mi secreto, ahora voy yo a desvelar el tuyo, me lo estás pidiendo a gritos desde hace meses.

Y lo que hace a continuación deja a todo el mundo sin habla. Se acerca al Malacaín sentado; con un gesto brusco le atrapa la muñeca izquierda y se la cruza por encima del otro brazo, en cuyo extremo sujeta la botella de cerveza; ahí la aprieta contra la mesa para inmovilizarla usando gran parte de sus ochenta y tres kilos. Ya completamente clavada en la silla la víctima, con los brazos hechos un nudo sobre la mesa, a P todavía le queda libre la derecha, que bien podría dispararse sobre el rostro tantas veces como quisiera, hasta extenuarse abriendo brechas y quebrando hueso; o quizá tomar la botella de cerveza y usarla como improvisada maza contra el cráneo, o quizá clavar un pulgar en el ojo y presionar hasta notar el pequeño estallido viscoso. Pero P ha decidido esta vez ser cruel, de modo que en lugar de nada de eso, usa la mano derecha para tomarle al Malacaín los cabellos de la cresta, tirar de ellos obligándolo a levantar la cara, y, ya sin darse mucha prisa, darle un aparatoso beso en los labios, un beso que revela a un Malacaín indefenso, sumiso, completamente a merced de P ante la mitad de los hombres del pueblo.

La reacción del así humillado no lo ayuda mucho a rehabilitarse: en cuanto P deja de atenazarlo y se retira dos pasos, se levanta respirando ruidosamente, limpiándose la boca, casi sollozando y en realidad sin saber qué hacer. P le da entonces la puntilla haciendo gestos con las dos manos para que se aproxime: «¿Qué haces lloriqueando, marica?: ven aquí y párteme la cara si eres hombre», el Malacaín no vuelve en sí, «Venga, valiente: que está esperando todo el mundo…»; nada; P aún hace una parodia afeminada de la respiración del que de pronto se revela como un pobre incauto, «uf, uf, uf», y lo hace con ensañamiento, recreándose en el escarnio, «uf, uf, uf». El Malacaín se pasa la mano por la frente y por un momento parece estar a punto de lanzarse, pero entonces los ojos de P se congelan y todo lo que puede hacer el muchacho ante aquella mirada de empatía-cero es empujar la silla al suelo, darse media vuelta y salir del bar respirando como si estuviera a punto de darle un ataque cardíaco.

No es hasta que uno de los jóvenes pelos-de-colores sale tras él para llevarle su chaqueta abandonada en un respaldo cuando P empieza a arrepentirse de lo que ha hecho.

★ ★ ★

Lunes inmediato al episodio en el bar de los soportales, primer día de trabajo de P en el Consorcio. Son las seis y media de la mañana. A la señal de su despertador de pulsera salta a ponerse la sudadera con capucha, el anorak y los calzones afelpados que extiende cada noche a los pies de la cama. Inútil encender la estufa, no hay tiempo, pero hay que lavarse un poco venciendo el frío.

No sale agua del grifo del lavabo. No recuerda si lo cerró del todo el día anterior, siempre hay que dejar correr un hilillo para que no se congele. Sigue la línea de la cañería hasta el lavadero y encuentra el reventón de la tubería principal: el hielo ha rasgado el plomo como si fuera una tela vieja.

En la cocina hay dos garrafas de agua mineral, la que suele beber en lugar del fluido turbio que sale de los grifos. Con lo que queda en una de ellas se las arregla para beber, cepillarse los dientes, asearse como un gato y preparar café. Después pasa treinta segundos dando saltos de boxeador para entrar en calor antes de atreverse a quitarse el anorak y la ropa de dormir.

Afuera está oscuro, la niebla baja y espesa emboza la luz de las farolas, P camina sobre el hielo agarrándose a cualquier cosa que sirva de asidero. Llegado al portón del Consorcio se quita los guantes para manipular el candado y la piel se le pega al hierro como si estuviera untado de miel; los dedos se han convertido en apéndices insensibles y sin embargo dolorosos.

Ya arriba, pone en marcha la cafetera y se aplica a encender la estufa de leña despellejándose los nudillos al contacto con los troncos. Cuando la panza de metal empieza a desprender algún calor, abre uno de los porticones de las ventanas para estar atento al amanecer. Conecta la radio (*Here comes the sun and I say: It's all right…*), se prepara un café con leche y vuelve a la estufa a beberlo y a fumar sentado en una silla que acerca.

Cinco minutos de bienestar: café, calor, nicotina (*little darling, it's been a long, cold, lonely winter*). Cuando parece que amanece se levanta para abrir el resto de los porticones, pero el mundo afuera es invisible: blanco de niebla sobre blanco de nieve, perfecto retrato de la nada. Siente un relámpago de ese miedo característico de los niños: miedo a lo sobrenatural, a que aparezca un monstruo horrible, algo demoníaco, o de ultratumba. Y también siente una modorra extraña, casi narcótica, parecida a la de un estado gripal. Por fortuna la radio es capaz de viajar hasta allí

413

desde algún lugar del valle, flotando sobre la carretera helada y atravesando la niebla como un faro para los oídos (*I want to ride my bicycle, I want to ride my bike…*) Pasadas las siete y media empieza a extrañarle que no entre nadie; debería haber aparecido algún granjero por lo menos. Después llegan las ocho, y las nueve… Ni siquiera llega el chico de la panadería a traer las pastas, ni tampoco el carnicero, que suele comer un bocadillo a esa hora. A las nueve y media sigue sin verse nada desde las ventanas y hasta el sonido de la radio empieza a parecer siniestro. En realidad es como una psicofonía (*You ain't nothing but a hunt dog, crying all the time*), esta mañana sólo cantan los muertos, voces del más allá. A las diez, en un estado casi febril, baja a la calle por ver si distingue a alguien a través de la niebla. Nadie, pero al menos recoge los periódicos que el chico de la librería ha dejado junto al portal. Sube con ellos y hojea el nacional. En la sección de cultura encuentra una columna que firma Quique Aribau: *B. Traven y el escritor inventado*, se titula. Cuando P termina el periódico completo, incluido parte del crucigrama, son las diez y cuarto y, por fin, aparece la Nieves cargada con su embarazo y dos bolsas con lo necesario para preparar el menú del día. P siente el alivio del niño que ha esperado durante horas a solas en casa y de pronto oye llegar a mamá. Se adelanta hacia ella para ayudarla con las bolsas.

—Qué, cómo va —pregunta ella antes siquiera de saludar.

—Pues, no sé qué pasa… ¿te puedes creer que no ha entrado nadie? Ni un alma desde las siete que he abierto. Y tampoco han traído las pastas del horno, y los periódicos los han dejado abajo…

Ella no dice más, pero hace un gesto de negación con la cabeza mientras entra en la barra. P deja las bolsas en la cocina, ella lo sigue y extrae de una de ellas un envoltorio con un par de cruasanes. Luego vuelven a la barra y ella se prepara un café con leche.

—¿Sólo has traído dos cruasanes? —pregunta P.

—Uno para ti y otro para mí. No vendrá nadie más en toda la mañana.

—¿Por qué?... ¿Por la niebla?

Ella tarda en contestar:

—Por lo que pasó el otro día en la Susi.

—¿«Lo que pasó el otro día»?... ¿Qué pasó?

A ella le cuesta dar respuestas, como si se sintiera violenta.

—Algo tuviste con el Malacaín, ¿no?

—Sí, que se puso borde y le di caña. Pero qué tiene que ver...

Otra pausa:

—Aquí todo tiene que ver con todo.

La muchacha se traslada a un taburete de fuera de la barra para tomar su café sentada.

—¿Quieres decir que no viene nadie porque estoy yo aquí?, ¿que me están haciendo el vacío, o algo así?

La muchacha asiente mientras moja cruasán. P ha quedado perplejo.

—Pero si lleva meses buscándosela, tú lo conoces, sabes que nadie lo soporta...

—Es del pueblo. —Le cuesta añadir—:Y tú no.

A P también le cuesta encontrar algo que decir:

—¿Y los forasteros han de dejar que cualquiera del pueblo los atropelle sin oponer resistencia?

—No es eso... No eres el primero que se las ha tenido con él...

—¿Entonces?

—Una cosa son dos puñetazos en un momento de calentón. La gente os hubiera separado antes de que llegarais a haceros daño y luego os hubierais tomado una cerveza tan amigos. Pero ayer cruzaste una línea que no se puede cruzar. No sé qué le hiciste porque nadie habla en detalle de lo que pasó, y eso precisamente es muy mala señal… Lo que sí que se dice es que o se va del pueblo el Malacaín o te echa a ti, no le has dejado otra elección.

—No será para tanto… Si quieres que te diga la verdad, todo esto me parece una bobada, me recuerda a las pendencias del colegio.

—Esto se parece más a un colegio que a una ciudad… En la ciudad sólo tienes que moverte dos manzanas y nadie te conoce. Aquí nos vemos las mismas cincuenta caras todos los días.

—Mira, no sé qué te habrán contado pero te aseguro que no es para tanto…

—Me han contado que lo humillaste delante de todo el mundo. Y humillar públicamente a alguien del pueblo es como matarlo, si no se venga ya no puede seguir viviendo aquí, tendría que llevar la cabeza gacha el resto de su vida. Ahora eres tú o él. Y cualquiera que te hable a ti se habrá puesto contra él. Por eso no ha venido esta mañana nadie del pueblo. Ni vendrán hasta que el asunto se resuelva.

P necesita tomar otro café. Se lo prepara en silencio y reflexiona.

—Crees que hay alguna solución, hablar con él, o algo que yo pueda hacer…

Mueca de duda de ella:

—Puedes probar a subirlo al Horlá y echarlo abajo. Pero yo te aconsejo que te marches, lo más probable es que eche mano de sus amigos del valle. Y tiene al Propietario a su favor…

P está pensando en otra cosa:

—¿Quieres decir que tampoco volverá a hablarme el

francés, ni el Rito, ni Betoven…? No puedo creérmelo. Además, el otro día terminé la fiesta con ellos…

—Ésos son forasteros, como tú y como yo.

—¿Tú eres forastera?

—Del valle, como la Susi. Llegué aquí a los doce años, pero es igual: mi hijo será del pueblo, yo no lo seré nunca. Y no se puede vivir aquí si uno solo de los del pueblo no te quiere. Habías caído bien, se te tenía respeto… Ahora el Propietario dará instrucción de que no puedas volver a trabajar en el Pub; aquí tampoco podrás trabajar, y también lo tendrás difícil para seguir en tu piso, aunque tengas un contrato. Así que cuanto antes te marches mejor. Te lo digo de buen rollo: vete a buscar al francés antes de que salga para el matadero y pídele que te baje al valle, no esperes al autocar de mañana. Yo ni siquiera volvería a entrar sola en mi casa.

—No pienso marcharme así, huyendo, no tengo conciencia de haber hecho nada tan malo. Si quieren que me vaya alguien tendrá que decírmelo a la cara.

—Escucha bien un momento: aquí nadie da la cara, y cada hora que pase le estarás dando tiempo al Malacaín para organizar su venganza, si es que no la ha organizado ya. Pueden llegar a matarte, te lo digo en serio.

Sacudidas de cabeza de P:

—No lo entiendo…

—Así son las cosas. Ya has visto que no ha entrado nadie en tres horas. Prefieren irse a trabajar sin desayunar que tratar contigo. Y tampoco vendrán a comer.

—Ya… Entonces supongo que será mejor que alguien me vea salir del bar cuanto antes…

Ella calla. P recoge su paquete de tabaco y su encendedor y se pone el anorak.

—Espera, tengo que pagarte estas horas.

—No me debes nada, la caja está vacía y al parecer es por culpa mía.

—Eso no tiene nada que ver… ¿Has comido algo?

—No…, le compraré cualquier cosa al carnicero.

—Ya no puedes comprar nada en el pueblo… Prepárate un bocadillo antes de marcharte, o lo que quieras.

—Te lo agradezco, pero ahora mismo no tengo ganas de comer.

Todo es perfectamente absurdo y P tiene una fuerte sensación de irrealidad cuando baja las escaleras hacia la calle.

Afuera el mundo sigue siendo homogéneamente blanco, cualquier cosa situada más allá de tres metros se desdibuja hasta desaparecer. Se oye una tos y voces que pasan bajo los soportales, voces sin cuerpo, flotando en la niebla. Hay que evitar la acera para no resbalar sobre la nieve apelmazada; seguir la calzada palpando coches aparcados, concentrar la mirada para no pasarse de largo la verja del jardincillo. En el momento de abrir la cancela pasa lentamente un coche y P se gira: es el Porsche negro, limpio de nieve, con cadenas en las ruedas. Entrar en el zaguán del primer piso es como salir de una nube y volver a la tierra, aunque el aliento sigue helándose en el interior, y también en el recibidor de casa.

Lo primero que hace P es asomarse al balcón por si la gata ha acudido al oírlo, pero no se la oye maullar, y sólo se ve la misma nada blanca de nieve y niebla. Encender la estufa inmediatamente…, ocuparse de unos cuantos asuntos prácticos para distraerse un poco. Se pone la sudadera y las zapatillas. El saco de cáscara de avellana se vacía al cargar el depósito de la estufa hasta los topes, pero quedan tres o cuatro que ha ido acumulado como reserva en una de las habitaciones. Nota de nuevo la falta de agua corriente al ir a lavarse las manos del tizne de la estufa; todavía con el anorak puesto, va a la cocina a abrir la última garrafa de agua. Bebe un vaso lleno para apaciguar la sed de los cuatro o cinco cortados azucarados que lleva tomados durante la mañana. Quizá sí tiene fiebre, y además nota una molestia en el estómago, quisiera ir de vientre. Se le ocurre llenar una olla con nieve del balcón y derretirla sobre la estufa para tener agua que arrojar al váter.

Se pone a ello: arranca paletadas de nieve ya dura con el badil, la desmenuza para acomodarla en la olla; pone la olla sobre la estufa. Después va a por otro saco de leña a la habitación donde la guarda. Abre la puerta, le da al interruptor, se enciende la bombilla que cuelga del techo: allí donde esperaba encontrar al menos tres sacos de cáscara apoyados contra la pared no hay nada: sólo la pared pintada de rosa fucsia. Es absurdo mirar detrás de la puerta, pero lo hace. Y es absurdo mirar en cualquiera de las otras habitaciones, pero también lo hace. No es mucho más absurdo que conformarse con que hayan desaparecido en el aire tres o cuatro sacos de veinte kilos de cáscara de avellana. La opción más lógica, que alguien haya entrado en el piso y se haya llevado los sacos, no se le ocurre más que después de varios segundos de perplejidad, seguramente porque también resulta perfectamente absurdo que alguien entre en su casa para robarle la leña. Se sirve otro vaso de agua que bebe a tragos largos en el comedor y de pronto se le ocurre pensar si el reventón de la cañería tendrá algo de deliberado. Mientras piensa ve una sombra vacilante saliendo de entre los troquelados de la caja de cerveza que hace las veces de mesita de centro, justo delante de sus pies. Es una araña, negra, del tamaño de la mano de un niño. P queda paralizado por el pánico aracnofóbico; la araña echa a caminar deprisa, cruzando las baldosas en diagonal hasta topar con el zócalo de la pared. Allí se detiene y queda moviendo las patas delanteras alzadas con una parsimonia que a P se le antoja desafiante. El corazón le late con fuerza, nota la efusión de sudor pese al frío, está tratando de respirar profundamente para recuperar el dominio de sí mismo cuando a su espalda, al final del pasillo, oye un ruido leve y apagado, como de zapatillas arrastrándose. Se vuelve a tiempo para distinguir a dos figuras humanas cruzando el recibidor en la penumbra, sin prisa, parece que pasando de una habitación a la de enfrente. No se les ha visto la cara, sólo el perfil a la segunda de las figuras desdibujada por la oscuridad: es un hombre, un anciano en mangas de camisa y pantuflas, suficiente para reconocer a uno de los sordos del hostal. P grita en su dirección, «Eh», y se apresura hacia la habitación donde aparentemente han entrado los dos. En la oscuridad empuja la doble puerta y le da un manotazo al interruptor. No hay nadie dentro. Retrocede hasta quedar en el centro del recibidor, ahora indirectamente iluminado por la luz que sale de la habitación. En esa penumbra clara nota el cambio: la puerta de entrada al piso no está en su sitio sino justo enfrente, en la pared de la derecha. Tiene atornilladas dos placas con mensajes en inglés, uno de ellos aconseja que se dejen las pertenencias de valor en la consigna del hotel, el otro que no se abra a desconocidos sin haber pasado la cadena de seguridad. Absorto, se vuelve sobre sí mismo para mirar el pasillo en dirección a la sala, quizá tratando de descubrir el error de apreciación en que está incurriendo. Su corazón sigue acelerado, siente flojera en las piernas. A lo lejos, procedente del balcón, parece oírse rumor de tráfico, sirenas, una impresión de voces mezcladas y sistemas en funcionamiento. Sabe que no está soñando, la vigilia es demasiado prolija en detalles para confundirse con el sueño, pero comprende que algo le ocurre a su percepción. Camina por el pasillo de vuelta a la sala, pasando entre las otras dos habitaciones abiertas a cuyo interior oscuro no quiere mirar. Entra en la cocina; se dirige a la garrafa de agua mineral que está sobre el mármol. El tapón permanece roscado; con dificultad por la flojera que le afecta también a los brazos, pone el pesado envase boca abajo y observa cómo pierde un hilo de agua, muy cerca del cuello. Vuelve a ponerla del derecho y examina el punto donde la han pinchado. Es un agujero finísimo, con los bordes hacia adentro, como el que dejaría una jeringuilla hipodérmica. Le viene a la cabeza una palabra: estramonio, pero por un momento se pregunta si ese orificio es más verdad que la araña. O que la puerta; ahora no está seguro de si siempre ha estado a la izquierda en el recibidor. La araña por su parte sigue en la sala, junto al zócalo, moviendo las patas delanteras como una bailarina de terciopelo oscuro. P vuelve a tener frío, el tembleque se le ha extendido por todo el cuerpo y le duele el costillar contraído en lucha contra el helor del aire. Mientras se pone el anorak con manos torpes repara en que el sonido de tráfico del exterior ha ido remitiendo en favor de un continuo de sirenas. Y algo más: golpes, rotura de cristales, estallidos… Se acerca a la salida al balcón y abre la puerta.

Confusión de ruidos, noche cerrada; poco más allá de los tejados, la iglesia está en llamas, sus dos gigantescas torres gemelas de acero y cristal se han convertido en antorchas colosales, pero hay que alzar mucho el cuello para ver el incendio, prende muy arriba, a partir de las plantas 60 o 70. Más arriba aún se distinguen diminutas figuras abalanzadas sobre el vacío, aferradas en precario equilibrio a las nervaduras de acero de la estructura. Vuelan papeles en llamas y vidrios reducidos a granizo; cae un cuerpo humano que se estrella contra un banco del jardincillo, al pie de la torre norte; produce un ruido sordo, rebota sobre el respaldo que le parte el espinazo y vuelve inerte al suelo…

P entra en el piso, cierra la puerta del balcón y asegura las contraventanas; el sonido queda inmediatamente amortiguado, es de nuevo un rumor lejano. La araña sigue agazapada en el zócalo. De pronto le parece que huele a pelo hervido, un tufo nauseabundo que procede de la cocina. Pero, ¿cómo sabe él a qué huele el pelo hervido? Se fija en que la puerta de la nevera no está bien cerrada. La abre para mirar adentro y ve algo que no recordaba tener: carne, carne muy bien ordenada en una bandeja de forexpán y algo negro encajado en medio. Mientras lo saca le parece un conejo cortado a cuartos, hasta que reconoce la pelota negra del centro. Se le cae la bandeja al suelo y la pelota rueda un poco entre sus pies. Tiene orejas, dos ojos semiabiertos y opacos, una lengüecilla asomando entre los colmillos, largos bigotes, un mondongo sanguinolento en la base. En el fondo de la bandeja, corridas las letras por la humedad, se lee un mensaje rotulado en letra de palo: EN EL NOMBRE DEL CERDO.

★ ★ ★

P quisiera pero no puede beber agua, sólo ha podido sentarse a la mesa camilla de la sala y descansar de la debilidad que lo invade. Desde allí vigila a la araña y evita pensar en la forma en que le habrán dado caza y muerte a la gata. Quiere razonar de manera práctica. Es preciso deshacerse del cadáver del animal, sacarlo de casa, no puede dejarlo esparcido por el suelo de la cocina. Lo mejor será meterlo en una bolsa y echarlo al contenedor de basura de la calle. Sólo que afuera se están cayendo a pedazos las torres de la iglesia. Y que a lo mejor el cadáver despedazado de la gata no es real. Lo primero de todo hay que averiguar qué es real y qué no. Sin duda una parte de él tiene que saberlo. Siempre hay una parte de nosotros que sabe, ¿correcto?, correcto. Mucha sed y boca agria. Podría enjuagársela con güisqui si de verdad hubiera una botella en el armario de la despensa. Vuelve a la cocina y esquiva la carne de gato sobre las baldosas. La botella de güisqui existe, o por lo menos está donde debe. El primer y segundo embuches los escupe en el suelo de la sala; traga el tercero, cuarto y quinto, eso enmascara el olor a pelo hervido que ya se ha extendido por todas partes. La estufa, a punto de apagarse por falta de combustible, renquea; eso significa que ha pasado más de una hora desde que la cargó. Quizá su noción del tiempo está también trastocada. Uno de los sordos del hostal se dirige al baño; es el más delgado de los dos, sonríe al ver a P plantado en medio de la sala. En ese mismo momento suena el timbre de la puerta: *brrrb, brrrb, brrrrrrrrrb…*

P no hace caso de la advertencia en inglés de pasar la cadena antes de abrir, sabe quién llama y simplemente abre. Mantiene la vista baja y lo primero que ve es la moqueta de tonos naranja del corredor laberíntico del hotel Pennsylvania, y sobre ella unos zapatos de estilo italiano. Más arriba sigue un traje gris claro, camisa Hugo Boss abierta sobre el cuello. Y al final el rostro de T, con barba corta y gorra de cuero negro. Sonríe envuelto en su fragancia de Boucheron:

—Bonito infierno, ¿eh? ¿Puedo pasar?

—Ya estabas dentro.

T cruza el quicio, P cierra la puerta tras él y se queda mirándole las espaldas. Le parecen muy anchas, es un detalle del que no informa el espejo. También le sorprende su estatura, a pesar de que sólo es tan alto como él. Y un aire como de amenaza, quizá el que inspira un leopardo, o un tiburón tigre.

—Ah… un apartamento muy *cool* —va diciendo mientras pasa hacia la sala—. Y con vistas al World Trade Center en llamas, se nota que te va bien…

—No te he llamado para que te burles.

—¿De quién?, ¿de ti o de mí?

P no contesta. Ha seguido a T hasta la sala; observa cómo se desabotona la americana y se quita la gorra. La lanza haciendo puntería y va a caer sobre el televisor. Después retira un poco una de las dos sillas que rodean la mesa camilla y se sienta cruzando una pierna y sujetándose el tobillo con una mano. Nada en su actitud parece indicar que están a varios grados bajo cero. «¿Podría darle un tiento a esa botella de güisqui que tienes en el armario?», dice. P empieza a moverse para ir por ella. «No: no te molestes, siéntate…», dice T, y luego en voz más alta, como hablándole a alguien que estuviera en la cocina:

—¡Enoch: tráiganos la botella de güisqui, haga el favor!

Enseguida llega el otro de los sordos del hostal, el más regordete y calvo. Deja la botella y dos vasos limpios sobre la mesa.

—Pensaba que eran sordos —le dice P a T.

—Sólo al sonido… Bueno, tú dirás qué quieres de mí. —Empuña el cuello de la botella antes de dar el primer trago a morro. Con la otra mano ha sacado un paquete de Lucky Strike corto del bolsillo de la americana y ofrece un cigarrillo. P lo toma y se sienta frente a él:

—¿Te parece poco lío en el que estoy metido? —dice.

—No está mal: «Policía intoxicado con estramonio alucina estampas dantescas en un pueblo incomunicado por la nieve». —Se acerca la botella, siempre asida por el cuello—. Lo que no veo es qué puedo hacer yo por ti…

—Necesito saber qué es real y qué no. Y sé que tú lo sabes.

T se lo queda mirando. Sonríe. Cambia de posición.

—Creo que la realidad no te gustaría… —dice después de dar el trago.

P no parece haber oído la indirecta negativa, está pensando, pero se le oye igualmente:

—Sobre la araña no estoy seguro… Sé que no es real el incendio de allí afuera: es el 11 de septiembre en Nueva York mezclado con unas pinturas de iglesias en llamas que salen en *Rose Mary's Baby*. Lo mismo que los brujos cruzando por los pasillos. Pero no estoy seguro de otras cosas. Creo que alguien quiere matarme…, creo que es cierto que alguien está planeando matarme…, quizá ya han salido a por mí. Necesito saber a qué atenerme si he de salir de ésta, y tú puedes ayudarme.

—*La semilla del diablo, El club de la lucha…* Me parece que has visto demasiadas películas…

—¿*El club de la lucha*? Ésa no la he visto…

—Es igual, de todas maneras no puedo ayudarte… —T se levanta de la silla para ir a curiosear la lámina de Bellini que cuelga en la pared—. Bonita chica de calendario…

—Tú corres tanto peligro como yo… —le dice P.

—No lo creas: yo me defiendo bastante bien… Ya lo sabes…

T da unos pasos y concentra su atención en el suelo. Se agacha para atrapar a la araña, la aprieta en el puño y se la lleva a la boca. Muerde y, con dificultad, haciendo muecas de esfuerzo, desgarra el cuerpo blando que se agita entre sus dientes. Después escupe un trozo al suelo y lanza hacia la mesa lo que le ha quedado en la mano. Cae a los pies de P el abdomen demediado, todavía moviendo tres o cuatro patas que quedan articuladas a él. En un movimiento reflejo, P aplasta con la bota los restos semovientes del animal, sin levantarse de la silla, quizá complacido en la blandura inerte que deja una mancha roja y negruzca sobre las baldosas.

—Eso es —dice T al ver el gesto de P—: destruye a tu enemigo. Pero no sólo a tu enemigo: destruye a todo aquel o a todo aquello que se oponga a tu voluntad; destruye incluso por mero divertimento, para afirmar tu poder sobre el mundo. Y hazlo sin piedad, como proclama Lestat el vampiro: «Dios mata indiscriminadamente; nosotros también».

P ha levantado la bota de los restos de la araña, pero alguna víscera ha quedado encajada en la suela y al arrastrar el pie pinta un arco de sangre sobre el suelo:

—Sabes que no estoy de acuerdo contigo, pero ésa no es la cuestión ahora. La cuestión es que si no me ayudas a orientarme en la realidad quizá moriremos los dos…

—Yo diría que la cuestión tampoco es ésa. Sería absurdo: nadie sabe qué es real y qué no lo es, no se pueden hacer mapas de la realidad… Míralo de esta otra manera: es evidente que la araña sólo presentaba problemas porque les tienes pánico a las arañas, *OK?*, si hubieras visto una mosca te daría igual su realidad. De modo que lo que convendría dilucidar es a qué le tienes miedo: ésa es la cuestión. Y no creo que estés dispuesto a enfrentarte a eso…, es más: hasta puede que acabaras haciendo alguna tontería… «¿No has visto esa otra película, de Alejandro Amenábar, la de los fantasmas que no saben que lo son?»… ¿De qué me suenan estas palabras?… —se acerca de nuevo a la Madonna de Bellini, con las manos a la espalda.

—Ponme a prueba —dice P—. ¿No eras tú el amante de los retos y las pruebas de valor…?

—No, déjalo…

P sabe cómo espolearlo:

—¿Me tienes miedo, es eso es lo que te pasa…?

T ríe.

—Sabes que puedo anularte —sigue P.

T no dice nada.

—Así que me obedecerás…

La respiración de T se detiene en un punto álgido. Ahí se contiene tres segundos. Parece oírsele un ronquido, quizá un rugido breve mientras se gira en un pronto:

—¿Obedecerte? —da dos pasos, se acerca a P que permanece sentado de espaldas. Le pone las dos manos sobre los hombros. Aprieta un poco. Después le rodea el cuello en un abrazo y acerca la cara para hablarle al oído—: ¿De verdad, hermanito, quieres ver quién obedece y quién le tiene miedo a quién?

P no contesta, pero siente un calambre de aprensión en el estómago. T se lo nota y, estimulado por la inseguridad que intuye en el otro, lo suelta y en un movimiento rápido vuelve a ocupar la silla de enfrente. Habla desde allí con tono de maestro de ceremonias, dando tres palmadas:

—Señoras y señores, que empiece el espectáculo.

En ese momento cae la torre norte de la iglesia, la más lejana. Se oye el estruendo, el suelo tiembla; los cristales de las ventanas se rompen al otro lado de los porticones cerrados y la madera se astilla dejando pasar un fino polvo que enturbia el aire. La luz eléctrica vacila y enseguida fenece dejando la sala en oscuridad absoluta, hasta que uno de los sordos aparece por el pasillo portando dos velas en candelabro que deja sobre la mesa, entre los dos contertulios. Los rostros de P y T quedan así iluminados en una penumbra de cemento pulverizado en cuyos confines, al fondo de la sala, empieza a formarse una imagen de límites imprecisos.

★ ★ ★

Una sala de espera oscura, alfombrada, puerta cerrada a la izquierda, a la derecha una reproducción de la *Madonna ante un paisaje* de Bellini. Al frente un viejo escaño de madera. En el escaño un niño sentado, de unos seis años, apoyado muy al borde del asiento. Su rostro se encara a la lámina de Bellini, tiene los ojos cerrados y mueve los labios casi imperceptiblemente. Lleva más de una hora así. Al poco se abre la puerta de la izquierda dejando escapar un haz de luz amarilla y el niño vuelve los ojos ya muy abiertos hacia allí. Una silueta alta cuyo rostro permanece a contraluz se recorta en ella y proyecta una sombra sobre la alfombra. Hace un gesto con la mano para indicarle al niño que entre en el despacho. El niño lo hace deprisa, secándose el sudor de las manos en la bata de escolar. Entra y la puerta vuelve a cerrarse sin ruido, acompañada por la mano huesuda de la silueta.

—¿Por qué me enseñas eso? —pregunta P.

T ríe, guasón:

—Uhhh: soy el Espíritu de las Navidades Pasadas…
—Más serio—: Verás: es una cuestión de orden, conviene empezar por el principio. En esos días éramos todavía uno: tú y yo juntos.

—No quiero acordarme…

—Pues ése fue el principio de nuestra enemistad, lo sabes. Ahí aprendiste a olvidarme. Y mientras yo bregaba con aquello y todo lo que vino después, tú podías construir tu fantasía del héroe justiciero y hacerte cazador de psicópatas.

—No he olvidado nada, recuerdo perfectamente.

—Ya… A ver si también recuerdas esto otro.

T señala a la neblina del fondo de la sala, que otra vez refulge y muestra un pedazo de la calle 33 en Manhattan, se ve la base del Empire State al fondo. Un tipo blanco con sudadera se para ante T para pedirle la hora. Intercambian unas palabras, parece que tensas. Enseguida T lo agarra por un brazo, rota sobre sí mismo al estilo de un lanzador de martillo y suelta la presa en el momento justo para que salga trastabillando de espaldas. Luego se acerca y le lanza un crochet a la mandíbula. El tipo, con la cara desencajada, queda en estado de grogui mientras T le quita la sudadera. Luego trata de levantarse como un cervato recién parido, pero apenas ha logrado hincar una rodilla en el suelo cuando recibe una brutal patada de talón que le alcanza el pómulo y le hace emitir un «Oh» profundo antes de caer desmadejado.

—¿Te suena la sudadera? —dice el T sentado en la silla, preguntándole al P sentado en la otra silla, enfrente de él. P se mira la sudadera que lleva en ese momento, con un bolsillo central y las iniciales NY en azul. Está atónito.

—Ése no soy yo —dice.

—¿Ah, no? ¿Y cómo es que tienes esa sensación de *déjà vu*? ¿Qué prefieres seguir creyendo, que la sudadera apareció de pronto en el armario de la habitación del hotel, tan inexplicablemente como han aparecido esta noche los sordos del hostal?

—Ése no soy yo —repite P.

—*OK*, puede que ese sea yo. Pero dime entonces quién es ese otro…

T señala de nuevo al fondo de la sala. Ahora se ve una cama estrecha. Sobre ella, T de rodillas, en calzoncillos, forcejeando con una muchacha desnuda cuya cara queda oculta por los cabellos rojizos que le caen a greñas. Ella procura hurtar el rostro y grita, pero T le hunde un mazazo en el vientre que la enmudece de súbito y la obliga a llevarse las manos a la zona agredida. Su cara, que ahora expresa algo a medio camino entre el dolor y el pánico, queda entonces desprotegida y recibe el directo en el tabique nasal que T le lanza. La cabeza golpea en la pared haciendo retumbar toda la diminuta habitación y el cuerpo queda inerte; T lo empuja, cae de la cama y termina en el suelo, con la nariz chorreando sangre y las piernas abiertas en una posición grotesca.

P, sentado en la sala, no puede soportar ver lo que, anticipándolo, sabe que ocurrirá ahora en esa pequeña habitación: no quiere verse a sí mismo violentando el cuerpo maltrecho de la muchacha. Es cierto que tiene sensación de *déjà vu*, pero es un extraño *déjà vu* en el que, en efecto, uno puede predecir lo que viene más tarde.

Habla de nuevo T:

—Hermanito: somos unos psicópatas en toda regla, ¿cómo lo ves?

Cae la segunda torre, la del lado sur, más próxima. T frunce el ceño en protesta por el sonido de hecatombe; P apoya las palmas en la mesa tratando de estabilizar la silla sobre el suelo oscilante. Caen objetos de la estantería, el televisor se estrella de pantalla contra el suelo, en la cocina se descuelga el escurreplatos sobre el fregadero de loza.

Pasado el temblor, el aspecto de la sala a la nueva luz es de ruina, el suelo lleno de objetos caídos, el polvo flotando en el aire, denso y grisoso. El frío hiela el aliento y el olor a pelo hervido ha vuelto a dominar sobre el del cemento y cartón quemado.

★ ★ ★

Te equivocas —dice P.

—Es posible —dice T, que ha salvado la botella de güisqui del estropicio—. Pero si me equivoco yo también te equivocas tú.

P parece no escucharlo:

—Te equivocas: yo no soy un psicópata, yo tengo alma.

—Oh, «alma», una buena palabra para acompañar a «amor», «felicidad» y «pastel de cerezas»… Desde luego no creo que dieras positivo en la escala de Hare, ya sé que eres justo ese tipo de sensiblero que da 10 dólares a un *homeless* y regala flores y anillos a las mujeres… Pero hay otros autores además de Hare, por ejemplo puedo recordarte la lista de tarados psicopáticos que enumera Koch: «Las almas impresionables, los sentimentalistas lacrimosos, los soñadores y fantásticos, los huraños, los apocados, los escrupulosos morales, los delicados y susceptibles, los caprichosos, los exaltados, los burlones, los vanidosos y presumidos, los trotacalles y noveleros, los inquietos, los malvados, los estrafalarios, los coleccionistas y los inventores, los genios fracasados y no fracasados...»

—¿Hay alguien que quede fuera de esa lista? —dice P.

—Cualquiera puede tener algún rasgo de psicopatía, ciertamente. Lo significativo, y aquí recurro a Schneider, es que pueda decirse que el individuo a considerar tiene una personalidad y unas formas de vida extrañas, apartadas del término medio. Sobre todo si por ello siente frustración, sufrimiento, y más aún si piensa que ese sufrimiento es o fue producido por otros y por tanto le parece justo que alguien pague por ello. ¿Te dice algo todo eso? ¿No es venganza lo que buscas persiguiendo a criminales? Porque el que los persigue para meterlos en la cárcel eres tú, sin duda, yo me limito a divertirme un rato con ellos cuando tengo ocasión. ¿Y te has dado cuenta de que sólo aparezco cuando bebes?: *in vino veritas*, hermanito.

—Yo no soy tú... Yo puedo sentir aprecio por alguien, por una gata huérfana, por el comisario, por su mujer...

—Pobre comisario..., nunca sabrá el riesgo que corrió contigo... Pero la verdad es que nos ha sido muy útil tenerlo de nuestra parte: mientras a ti te enseñaba a ser un policía bueno a mi me enseñaba cómo campar impunemente por mis respetos...

P sigue en su idea fija:

—Tú no puedes enamorarte, yo sí... Me enamoré de Suzanne...

—Ah..., Suzanne...: otra Madona de Bellini, ¿cuántas

van ya…? —T saca del bolsillo de su americana un estuche de joyería. «Jewell Zoo», dicen las letras grabadas. Lo abre y extrae de él el anillo—. Admito que con ésta te dio un poco más fuerte, pero la pregunta es de qué te enamoraste…

—Me enamoré de una mujer, de una persona, de un ser humano, y eso demuestra que yo también soy humano…

—Yo te diré de qué te enamoraste. Te enamoraste de un rostro vagamente parecido al de un cuadro de Bellini que llevas contigo a todas partes y ante cuya imagen rezabas aterrorizado en la penumbra de una sala de espera. Te enamoraste de una profecía sobre ti mismo que llevas toda la vida empeñado en autocumplir, de un ideal sobre tu propia persona, de la posibilidad de ser otro al margen de mí. Te enamoraste de una vida coherente, redonda, sin cabos sueltos; te enamoraste de una novela de Dickens y de una teleserie lacrimógena con final feliz. De todo eso te enamoraste: no de una mujer de carne y hueso. Y tuvo suerte de escapar con vida: ¿cuánto hubieras tardado en destruirla?…, en lo que a mí respecta tengo una cuenta pendiente con ella, no me gusta que me dejen plantado en lo alto de un rascacielos.

P está un poco aturdido:

—A ella no le hice ningún daño… Me acuerdo de todo…

—¿De todo, todo?… Admito que la asustaste a tiempo de salvar la integridad física. A veces se te escapa un poco la fiera, y después de lo que le contaste sobre el cuadro de Bellini, ir a tu hotel y ver la lámina colgada en la habitación no ayudó mucho a tranquilizarla. Tuvo suerte, sin duda. Aquella chica en Sligo no tanta, ni tampoco la rusita del Kingdom: Tatiana, ¿te acuerdas de que se llamaba Tatiana?

—Yo no soy capaz de matar… No soy un psicópata.

T se ríe.

—Bueno, está bien, no voy a discutir por una palabra: si lo prefieres te acepto que el que mata y todo lo demás soy yo. Eso te sitúa a ti en el papel de psicótico: digamos un esquizofrénico de libro, y entonces el psicópata sin conciencia tal como los describe Hare soy yo. Nada impide que una de las personalidades de un esquizofrénico esté resfriada, ¿no?, luego tampoco hay nada que impida que sea alcohólica, o psicópata, o las dos cosas a la vez: *voilà*.

—Eso que dices no tiene ningún sentido, es un diagnóstico inventado.

—Bueno, podríamos consultarlo con un psiqui, pero si quieres que te diga la verdad, no creo que tenga mucha importancia el diagnóstico. El hecho es que anidamos el uno en el otro, como Jeckyll y Hide, vamos juntos a todas partes… Yo hago mi vida y mientras tanto tú puedes cazar a tantos psicópatas como quieras… Exceptuándome a mí, naturalmente.

P se está mirando las manos. Las cierra y las abre frotando los dedos, luego se las lleva al estómago y se las seca en el bolsillo central de la sudadera.

—Puedo darte caza a ti también —dice con convicción, sin rastro ahora de miedo en el estómago.

—Bueno, ya salió el héroe…, el reverso, la otra cara de la misma moneda… ¿Sabes qué es lo que deberías hacer en este momento?, ¿no querías que te ayudara a salvar el pellejo? Mira afuera: seguirá estando el Porsche negro frente al hostal, allí lo encontrarás si bajas. «El Señor del Monte Perverso» ha venido a ver cómo acaban contigo, le gustan estas cosas, como a mí… El comisario tuvo la intuición correcta esta vez. ¿Te acuerdas de lo que te explicó del poema? ¿Pero qué es lo que quieres?, ¿salir indemne y además quedar como un buen poli?, muy bien: proponle al amo ponerte a su servicio en lugar del Malacaín y sus amigos del valle. Sabes cómo falsificar pruebas, tu propio testimonio como agente encubierto constituye ya una prueba de cargo, puedes incriminar a ese bobo de los pelos de punta, y además te consta que ellos son los ejecutores en el asunto del matadero, tienes bastantes pruebas de convicción, así que hasta tu remilgada conciencia quedará tranquila. Véndele ese trato al propietario y ponte a su servicio…, de momento, hasta que yo encuentre la manera de librarme de él de un buen mordisco… A poco inteligente que sea te considerará diez veces más valioso que ese aprendiz de chulo que tiene ahora: hazte amigo del jefe de tus enemigos, que él los destruya a ellos y yo me encargaré del resto.

P ha estado escuchando a T con atención y ahora siente un sueño intenso, quisiera dormir, incluso en el helor que ha quedado en la casa desasistida de la estufa. Pero hace el esfuerzo de levantarse de la mesa y dirigirse en busca del anorak.

—Estás loco…, eres un asesino —le dice a T.

—¿Adónde demonios vas ahora?

—No vas a utilizarme más.

T sonríe:

—¿Ves?, ya sabía yo que podías terminar por hacer alguna tontería… ¿Qué genial idea se te ha ocurrido: correr a los brazos de un tipo con barbas que te salve del infierno?, ¿es en eso en lo que confías: en un Edén escatológico?

P está buscando los guantes en el bolsillo del anorak:

—Soy policía. Me hice policía para terminar con gente como tú. Ésa es mi elección.

T ríe; llega a carcajear, sin afectación:

—¿Y quién elige nada?, ¿elegiste tu pasado?, ¿piensas que en cambio podrás elegir tu futuro? Hay un dios más poderoso que ese vagamente cristiano en el que ni siquiera estás seguro de creer. Entre el Caos y el Cosmos, entre Eros y Thanatos, entre Satán y Yahvé, gobierna un señor más poderoso aún: el Árbitro que elige al vencedor de cada combate entre dioses menores. Conoces su nombre. Lo conoces en varios idiomas, te tomaste la molestia de consultar diccionarios para averiguarlo. Se llama Azzardo en italiano; Zufall en alemán; Hazard en inglés; Zahar en árabe: como la flor que distinguía una de las caras de los dados, una siniestra flor que eliminaba del juego a quien la sacara en su tirada. El Azar: lo imprevisible, lo imponderable, lo inesperado que trae desgracia y muerte: el peligro de existir.

—Hay una manera muy sencilla de terminar con el peligro de que existas tú —dice P, mirando a T a los ojos.

Pese a su calmada determinación, la salida de P tiene mucho de huida. No quiere acarrear equipaje, sólo piensa en pertrecharse contra el frío, pero no puede ponerse más ropa encima. Sólo vuelve a la sala para recoger la cartera de bolsillo con su documentación, recorre el pasillo en penumbra y abre la puerta de salida, a la derecha del recibidor. Afuera el enmoquetado de color naranja; se oye de fondo el aliento de un aspirador industrial y unas voces en español. Las Doncellas y el Minotauro.

T secunda a P escaleras abajo hasta la calle.

—Me parece que me estás subestimando, yo no soy Brad Pitt... —le dice—. Pero, en fin, te sigo: empieza a apetecerme saber cómo termina esto.

★ ★ ★

Fuera es de noche, pero no se sabe qué noche, la noción del tiempo de P está trastocada, no puede calcular cuánto hace desde su última mañana de lucidez, podrían ser 4 horas o tres meses. Los escombros humeantes de las torres de la iglesia invaden el jardincillo de entrada, pero ahora nada se mueve en la calle. Sí se adivina un coche negro y limpio de nieve a lo lejos, frente al hostal, y más cerca los techos de algunos taxis amarillos, semienterrados, y el inmenso cadáver de Goliat, cubierto de polvo y con su ropón hecho harapos. No hay luz en el bar de los soportales ni en ninguna ventana.

P camina con las manos metidas en los bolsillos del anorak hasta la esquina del Consorcio, también a oscuras. T lo sigue a unos pasos: «Eh —le dice—, vas en dirección contraria». P no hace caso, emboca West Broadway buscando llegar a la Calle del Puente. En ninguna parte se ve tráfico rodado o peatones, sólo neones apagados, pilas de bolsas de basura cubiertas de un fino polvo, un anuncio con Mikel Jordan anunciando trajes sobre la boca de metro de Franklin Street…; el humo solo permite ver las primeras plantas de los edificios, el resto queda desdibujado en la oscuridad. Enfila la Sexta Avenida a la altura de donde empiezan los caserones aislados y las granjas de cerdos, y sigue el trayecto que se aleja de la población siguiendo el curso del riachuelo helado. Tras las últimas casitas bajas de ladrillo, mucho más humildes que las del Midtown, aparece un viejo molino en ruinas, sin tejado, relleno de nieve como una tarrina de nata; después viene un puente de piedra sobre el río inmóvil; enseguida, el cruce con el camino rural que trepa hacia el bosque sin perder anchura.

Bajo el cielo todo es ahora negro, no hay modo de orientarse más que por la memoria o por la fuerza de la gravedad que informa de lo que es arriba y lo que es abajo. P echa a andar hacia arriba, hacia donde el esfuerzo de caminar es mayor, alzando la mano como un ciego para hacer tope si se presenta algún obstáculo. Pero la marcha sobre la nieve es tan lenta que no importan los obstáculos.

Entrevé a lo lejos, recortado sobre el fulgor borroso de la luna, la torreta de un edificio industrial que parece anidar en la espesura como una aeronave en reposo. Pero hay que seguir subiendo: P siempre delante, jadeando, sudando, aunque ha dejado de notar los dedos de los pies y sobre el labio superior se le acumula una costra de aliento helado. T va unos pasos por detrás, con su fina americana sobre la camisa Hugo Boss. P no lo ve a su espalda, pero lo oye canturrear como quien pasea por la campiña una tarde de primavera.

Al volver un recodo se distingue la silueta del Monte Horlá, una cabeza y dos hombros enmascarando el tenue resplandor lunar. P sigue camino arriba, probando cada paso antes de afianzarlo para dar el siguiente. Su noción del tiempo termina de extraviarse, ni siquiera sabe cuánto tiempo lleva caminando sobre la nieve, y ya parecen años los transcurridos desde su último recuerdo lúcido: un autocar, oscuridad tras las ventanillas, lluvia fina, «San Juan del Horlá, ¿seguro que no quiere darse la vuelta conmigo?», todo lo demás es una pesadilla que está llegando al momento culminante en que uno ha de despertar aterrorizado.

Pero no despierta porque no está dormido, y sin embargo siente tanto tanto sueño, que por un momento desespera, llora de impotencia y trata de secarse las lágrimas con el cuello del jersey para evitar que se le hielen en los ojos. Busca consuelo en un pasado un poco más lejano; se acuerda de sí mismo sentado en el murete del Central Park, mirándose los brazos lechosos a la luz radiante de la primavera, esperando a Suzanne en un banco de Strawberry Fields. Y recuerda también la cerveza exudante de condensación en Calabrava, la camisa de flores y las gafas de sol del comisario; la paella de Mercedes, los tres sentados a la mesa… Toda esa luz recordada es como una promesa, sólo hay que seguir subiendo hasta el hombro del Horlá, seguir subiendo, no importa lo lento que se camine, sólo importa no pararse y seguir.

—Oye, hermanito —dice T a sus espaldas—, si lo que quieres es volver a tu Edén por la vía rápida, bastaría con quedarte quieto y dormirte tranquilamente… Lo digo por tu propio interés, dicen que la muerte por congelación es de las más dulces…

P se detiene un momento para contestar, a pesar de que le cuesta un esfuerzo ímprobo articular palabras:

—Hay cosas que uno necesita arrojar desde bien alto.

—Ya… Al final tendrá razón el Betoven: un suicida *bon vivant* debe de ser una especie de contrasentido…

Al paso frente a la Ermita de San Juan del Horlá, ahora enterrada en nieve hasta la mitad de su altura, P se propone disciplinar sus movimientos para salvar el tramo final del ascenso, el más duro. Se obliga a temblar contrayendo voluntariamente la musculatura pectoral y abdominal, a mover sin descanso los dedos de los pies dentro de las botas, a abrir y cerrar los puños. Trata también de contar mentalmente cada paso para alejar el sueño que le cierra los párpados: «Uno, dos, tres, cuatro…», pero al poco se ha descontado, le produce gran fatiga concentrarse en la sucesión de los números. El mundo es sólo su respiración, sus movimientos rítmicos y metódicos, el crujido de la nieve, la oscuridad absoluta.

Cuando llega de cuatro patas a la superficie plana del hombro del Horlá, no recuerda cómo ha podido salvar ese último tramo. Arriba, después de dar unos pasos erguido, cae de rodillas con las manos sobre los muslos, tratando de recuperar el resuello. T está en pie, inmutable, con las piernas cruzadas y una mano apoyada en la cruz de piedra del centro de la explanada, que ahora apenas asoma su testa sobre la nieve:

—¿Estás seguro de lo que vas a hacer? Piensa que estas cosas tienen el inconveniente de ser irreversibles, y después de todo no formamos tan mal equipo.

—Vete al infierno —le contesta P, todavía jadeando.

Y entonces, sin siquiera acercarse a mirar el fondo del abismo, se pone en pie e inicia una carrera hacia el borde norte de la explanada, sin despedidas, teme perder el valor si se lo piensa, simplemente hay que correr y dar un salto al final, sólo eso. Pero T ha iniciado una frase risueña, en realidad una pregunta, justo al tiempo que P ha arrancado su breve carrera hacia el vacío. Y, mientras P corre, tiene tiempo de oírla completa, de entenderla es su pleno sentido justo en el momento en que da el salto final, vuela más allá del borde del precipicio y cae buscándole una respuesta:

—¿Y cómo estás tan seguro de que la alucinación soy yo, hermanito?

EPÍLOGO

Mercedes está sentada frente a la tele en el sillón orejero, gemelo de otro vacío al otro lado del tresillo donde está sentado el gato Gardfield. Se oye cacharreo que viene de la cocina; su hermana María Luisa, la pequeña, friega los platos a mediodía, ella por la noche, cuando vuelven del Club después de alguno de los cursillos. Mercedes no viste de luto, piensa que a su marido no le hubiera gustado. Por alguna razón, entre otros cientos de recuerdos que revisa y repasa y revive cada día, le gusta recordarlo comiendo paella, sonriente, vestido con los bermudas y la camisa rosa de flores que en realidad sólo usó aquella vez en Calabrava. Y un hombre sonriente con una camisa de flores no debe ser recordado por una mujer vestida de negro.

Es la hora del telediario. Lo abre el breve adelanto de noticias que anuncia la voz en *off* de la presentadora: «Buenas tardes, señoras y señores: detenidos los presuntos autores del asesinato cometido en San Juan del Horlá en mayo pasado, la Policía informa de la detención de seis jóvenes vecinos de la comarca que han pasado a disposición judicial». La imagen muestra la sala de prensa de la Central, con Sanchís vestido de uniforme ante un micro.

Mercedes ha reconocido a Sanchís, sólo por eso presta atención a una noticia que de otro modo no le hubiera parecido significativa. Así que cuando al poco su hermana viene a sentarse en el otro sillón hablando del buen olor que tiene el nuevo lavavajillas, la hace callar, «Shht, espera, que quiero terminar de oír esto».

«... con el testimonio del propietario del matadero y las pruebas aportadas en la investigación por parte de un agente encubierto de la Brigada Central de Homicidios, se ha procedido a detener a varios ciudadanos acusados de un delito de secuestro y asesinato en primer grado, así como de varios otros delitos de colaboración en diversos grados todavía sin determinar. El presunto principal implicado en los hechos es Germán Marín Bancebo, alias Malacaín, natural y vecino del municipio de San Juan del Horlá. Los otros cinco encausados, vecinos del valle cercano...»

—A ese señor lo conozco —dice Mercedes, contradiciendo su propia petición de silencio—, me lo presentó José María en la cena de jubilación, y estuvo también en el entierro...

En realidad hay reunidos en la sala de prensa muchos otros a los que Mercedes conoce. Está Rodero, sentado a la derecha de Sanchís pero fuera de foco. Y en alguna parte, entre los periodistas, o apoyados en un quicio, están también Puértolas el psiqui, y Varela, y Berganza y Prades el forense, que han venido de la Provincial. Todos ellos estuvieron también en la cena de jubilación y el comisario se los presentó a su mujer. A Quique Aribau el escritor también lo conoce Mercedes, aunque no de la cena: de oídas, por su marido, y también lo vio sin saber que era él en el entierro; acudió con Sanchís, pero se quedó unos pasos atrás cuando este se acercó a dar el pésame a la viuda.

Y desde luego Mercedes conoce a Tomás, que también ha asistido a la rueda de prensa aunque perfectamente al margen del centro de atención, en semipenumbra, justo a la puerta de la sala, hablando muy bajito con alguien que queda oculto en el pasillo. Quique lo observa, sobre todo porque ha pensado en saludarlo después, pero al verlo meses después de aquella cita un poco gamberra que tuvieron en agosto, se le antoja que tiene un aire extraño, quizá un aura de amenaza, como la de un leopardo, o un tiburón tigre. Resulta increíble que ese mismo hombre le contara aquella melancólica historia de amor contrariado, con cita en lo alto del Empire State incluida: ahora no parece en absoluto el tipo de persona capaz de enamorarse de una medio irlandesa de veinticuatro años. Pero de pronto, mientras Quique lo observa de lejos, T estrecha la mano de esa otra persona que queda oculta en el pasillo y del que sólo se alcanza a ver una mano grande y huesuda, la propia de alguien alto y delgado. Y de pronto ese gesto le recuerda a Quique una conversación que tuvo con Puértolas sobre *El Jardín de las Delicias*.

El panel de *El Paraíso* está a la izquierda, en el centro está *El Mundo* y al extremo derecho *El Infierno*. Esa disposición, de izquierda a derecha, tal como se leen los libros o las viñetas, narra una historia, y es la historia de una caída. El hombre está al principio de esa historia en el paraíso; en el paraíso peca comiendo del árbol prohibido y su castigo lo degrada hasta el mundo; y desde allí, al final de un infame tránsito por la tierra, el hombre cae hasta el infierno. Ése es el orden de lectura del cuadro tal como lo dispuso el autor. Y al final del final, en la esquina más recóndita del infierno, en su fondo remoto y oscuro, el hombre está firmando un pacto con un cerdo vestido de monja. Se dice que ese hombre es el autor del cuadro, El Bosco autorretratado, y parece también evidente que el cerdo es el mismísimo Diablo prometiendo no se sabe qué delicias.

Quizá por eso, estimulado por la morbosa fantasía de verle el rostro al Diablo, Quique siente gran curiosidad por saber a quién le ha dado T la mano. Nunca se sabe: de cualquier semilla puede brotar el argumento de una novela, de una historia de amores y de muertes. Pero cuando se termina la rueda de prensa todo el mundo se levanta y resulta difícil avanzar esquivando policías y periodistas hacia la salida. Quique se apresura, incluso aparta a la gente como a bultos molestos plantados en cualquier parte.

Pero T y el otro, el desconocido sin rostro, le llevan una buena ventaja, apenas los alcanza a ver de lejos cuando ya han llegado a la calle, más allá de la recepción custodiada por el agente de uniforme. Cuando Quique llega a la vidriera, la silueta alta y delgada se ha metido ya en un Porsche negro con capota de lona blanca al que también se sube T y que, contraviniendo todas las normas, estaba aparcado justo delante, en la misma puerta hipercustodiada de la comisaría.

El Porsche arranca con un brusco giro de sus llantas doradas…, *oro calza la yegua*, a Quique le viene a la memoria uno de los versos que le enseñó el comisario…, y con un rugido de motor se aleja por la estrecha calzada a la que se abre la Central como un acuario panorámico.

Y fin, queda la calle sucia de papeles y excrementos de paloma, festoneada por las coladas de los inmigrantes ilegales al modo de coloridas banderas de ninguna parte.

España
Av. Diagonal, 662-664
08034 Barcelona (España)
Tel. (34) 93 492 80 36
Fax (34) 93 496 70 58
Mail: info@planetaint.com
www.planeta.es

Argentina
Av. Independencia, 1668
C1100 ABQ Buenos Aires
(Argentina)
Tel. (5411) 4382 40 43/45
Fax (5411) 4383 37 93
Mail: info@eplaneta.com.ar
www.editorialplaneta.com.ar

Brasil
Rua Ministro Rocha Azevedo, 346 -
8º andar
Bairro Cerqueira César
01410-000 São Paulo, SP (Brasil)
Tel. (5511) 3088 25 88
Fax (5511) 3898 20 39
Mail: info@editoraplaneta.com.br

Chile
Av. 11 de Septiembre, 2353,
piso 16
Torre San Ramón, Providencia
Santiago (Chile)
Tel. Gerencia (562) 431 05 20
Fax (562) 431 05 14
Mail: info@planeta.cl
www.editorialplaneta.cl

Colombia
Calle 73, 7-60, pisos 7 al 11
Santafé de Bogotá, D.C.
(Colombia)
Tel. (571) 607 99 97
Fax (571) 607 99 76
Mail: info@planeta.com.co
www.editorialplaneta.com.co

Ecuador
Whymper, 27-166 y Av. Orellana
Quito (Ecuador)
Tel. (5932) 290 89 99
Fax (5932) 250 72 34
Mail: planeta@access.net.ec
www.editorialplaneta.com.ec

Estados Unidos y Centroamérica
2057 NW 87th Avenue
33172 Miami, Florida (USA)
Tel. (1305) 470 0016
Fax (1305) 470 62 67
Mail: infosales@planetapublishing.com
www.planeta.es

México
Av. Insurgentes Sur, 1898, piso 11
Torre Siglum, Colonia Florida, CP-01030
Delegación Álvaro Obregón
México, D.F. (México)
Tel. (52) 55 53 22 36 10
Fax (52) 55 53 22 36 36
Mail: info@planeta.com.mx
www.editorialplaneta.com.mx
www.planeta.com.mx

Perú
Grupo Editor
Jirón Talara, 223
Jesús María, Lima (Perú)
Tel. (511) 424 56 57
Fax (511) 424 51 49
www.editorialplaneta.com.co

Portugal
Publicações Dom Quixote
Rua Ivone Silva, 6, 2.º
1050-124 Lisboa (Portugal)
Tel. (351) 21 120 90 00
Fax (351) 21 120 90 39
Mail: editorial@dquixote.pt
www.dquixote.pt

Uruguay
Cuareim, 1647
11100 Montevideo (Uruguay)
Tel. (5982) 901 40 26
Fax (5982) 902 25 50
Mail: info@planeta.com.uy
www.editorialplaneta.com.uy

Venezuela
Calle Madrid, entre New York y Trinidad
Quinta Toscanella
Las Mercedes, Caracas (Venezuela)
Tel. (58212) 991 33 38
Fax (58212) 991 37 92
Mail: info@planeta.com.ve
www.editorialplaneta.com.ve

Grupo 🌐 Planeta   Destino es un sello editorial del Grupo Planeta www.planeta.es